Duivelsveer

www.minettewalters.co.uk

Minette Walters

Duivelsveer

2006 – De Boekerij – Amsterdam

Oorspronkelijke titel: The Devil's Feather (Macmillan)
Vertaling: Nienke van der Meulen
Omslagontwerp: marliesvisser.nl
Omslagfoto: Getty Images; Chris Hoefsmit (vogels)

Tweede druk 2006

ISBN 90-225-4388-9

© 2005 Minette Walters
© 2006 voor de Nederlandse taal: De Boekerij bv, Amsterdam

Voor Mick, Peggy en Liz
voor alle leuke uren die we samen hebben doorgebracht

Met bijzondere dank aan Liz
omdat ze me de titel Duivelsveer aan de hand heeft gedaan

Om hun naam in dit boek te laten opnemen, hebben
Madeleine Wright en Marianne Curran een donatie gedaan
aan Leukemia Research en aan de Free Tibet Campaign.
Ik wil hen voor hun gulheid bedanken en ik hoop dat
ze plezier beleven aan hun personage.

'Vrijheid is het geheim van geluk en het geheim van vrijheid is moed.'

Thucydides (Griekse geschiedschrijver, vijfde eeuw voor Christus)

Duivelsveer (afleiding uit het Turks) – een vrouw die zonder het zelf te beseffen de belangstelling van een man opwekt; de argeloze aanleiding voor seksuele opwinding

Barton House

Duivelsveer

>>>**Reuters**
>>>Woensdag 15 mei 2002, 16.17 uur GMT, 17.17 uur UK
>>>Ingezonden door Connie Burns, Freetown, Sierra Leone,
   West-Afrika

Reeks wrede moorden

Vier maanden nadat president Kabbah het einde van de bloedige burgeroorlog in Sierra Leone heeft afgekondigd, dreigt een reeks wrede moorden de wankele vrede te ondermijnen. De politie beschuldigt voormalige rebellen van de slachtpartijen.

Sinds de afkondiging van de vrede in januari zijn al vijf slachtoffers verkracht en doodgestoken in hun eigen woning aangetroffen.

Een regeringsfunctionaris meldde gisteren: 'De moorden op deze vrouwen dragen het wrede stempel van de rebellen. Sierra Leone is een tiental jaren ondergedompeld geweest in een heftige burgeroorlog, en de politie denkt dat een groep dissidenten voor de moorden verantwoordelijk is. We roepen eenieder op een einde te maken aan het bloedvergieten.'

Adjudant Alan Collins, rechercheur bij de politie van Manchester, die deel uitmaakt van een Brits politieopleidingsteam in Freetown, wijst op het seriële karakter van de moorden. 'We kunnen nu nog niet zeggen hoeveel mensen erbij betrokken zijn, maar het bewijsmateriaal doet vermoeden dat de misdaden met elkaar verband houden. We zijn op zoek naar een gestoorde persoon, of een groep personen die tijdens de oorlog de smaak te pakken heeft gekregen. Verkrachting en moord waren toen dagelijkse praktijk, en geweld tegen vrouwen houdt echt niet op als de vrede is uitgeroepen.'

11

>>>**Reuters**
>>>Dinsdag 4 juni 2002, 13.06 uur GMT, 14.06 uur UK
>>>Ingezonden door Connie Burns, Freetown, Sierra Leone,
   West-Afrika

Drie verdachten beschuldigd van moord

Drie tieners, voormalige kindsoldaten van het RUF van Foday
Sankoh, zijn gisteren aangeklaagd wegens de moord op vijf
vrouwen. Ze zijn gearresteerd na een poging tot ontvoering
van de veertienjarige Amie Jonah. Ahmad Gberebana (19),
Johnny Bunumbu (19) en Katema Momana (18) zijn door de
familie van het meisje gegrepen en vastgehouden, nadat een
buurman door haar gegil gealarmeerd werd.

Een woordvoerder van de politie meldde dat de tieners voor
ze aan het bevoegd gezag werden overgedragen zijn afgeran-
seld. 'Ze hebben Amie Jonah ernstig leed berokkend,' zei hij,
'en haar vader en broers waren begrijpelijkerwijs zeer kwaad.'
Sinds de gruwelijke ontdekking van vijf vermoorde vrouwen
heerst in Freetown angst. Alle vrouwen waren verkracht en
met machetes verminkt.

In twee gevallen was het onmogelijk de vrouwen te identificeren. 'Misschien blijven ze wel altijd anoniem,' zei adjudant
Alan Collins van de politie van Manchester, die het onder-
zoeksteam adviseert. 'Door de burgeroorlog is bijna de helft
van de 4,5 miljoen mensen tellende bevolking van het land op
drift geraakt, en we hebben geen idee uit welke streek deze
vrouwen afkomstig zijn.'

Hij bevestigde dat een verzoek om een Britse patholoog-anatoom onderzoek te laten doen, is ingetrokken. 'Ik heb begrepen dat Gberebana, Bunumbu en Momana een volledige be-
kentenis hebben afgelegd bij de politie. Het team is ervan
overtuigd dat ze de juiste mannen te pakken hebben.'

De drie tieners zijn medisch behandeld voor ze, in afwachting van hun proces, naar de Pademba Road-gevangenis werden overgebracht.

Paddy's Bar

1

IK WEET NIET OF HET VERHAAL IN HET WESTEN IS OPGEPIKT. IK
geloof dat er in Zuid-Afrika wel enige aandacht aan is geschonken, maar alleen omdat verkrachting en moord daar al een tijdje
boven aan de agenda stonden. Ik ben kort daarna naar Azië overgeplaatst, dus weet ik niet hoe het proces is afgelopen. Ik ging ervan uit dat de tieners veroordeeld zouden worden, omdat het
recht, als al het andere in Sierra Leone, aan economische beper-
kingen onderhevig is. Zelfs als ze een advocaat toegewezen hadden gekregen, zou het wel tot een snelle veroordeling zijn gekomen. De schuldbekentenissen en de treffende details van de
moorden zeiden genoeg.

Ik weet dat het Alan Collins niet lekker zat, maar hij kon er nog
maar weinig aan doen nadat zijn verzoek om een ervaren patholoog-anatoom afgewezen was. Hij zat in een lastige positie – meer
als waarnemer dan als adviseur – en toen Amie Jonah aangevallen werd, zat zijn detachering er bijna op. Wat de jongens over
hun misdaden gezegd hadden, bezegelde hun lot. Niettemin twijfelde Alan.

'Ze hadden in hun toestand nooit ondervraagd mogen worden,' vertelde hij mij. 'De familie van Amie had ze volkomen in elkaar geslagen. Ze zouden alles wat de politie maar wilde bekend
hebben, om niet nogmaals afgetuigd te worden.'

De plaatsen delict zaten hem ook niet lekker. 'Ik heb twee lichamen in situ gezien,' zei hij, 'en in geen van beide gevallen leek het
erop dat ze door een groep waren aangevallen. De vrouwen zaten
ineengedoken in een hoekje van de kamer, het hoofd en de schou-

17

ders waren aan repen gesneden en de armen vertoonden wonden alsof ze zich verweerd hadden. In mijn ogen zag het eruit alsof ze zich tegen een enkele persoon probeerden te verdedigen, die hen van voren aanviel. Als het een groep was geweest, hadden de vrouwen aan alle kanten snijwonden gehad.'

'Wat kun je eraan doen?'

'Heel weinig. Toen die jongens eenmaal bekend hadden, interesseerde het niemand meer. Ik heb een rapport opgesteld, op de tegenstrijdigheden gewezen, maar er zijn maar bijzonder weinig artsen in Freetown, laat staan pathologen-anatomen.' Hij glimlachte spijtig. 'Ze schijnen te denken dat die jongens hun verdiende loon hebben gekregen, omdat er geen enkele twijfel over bestaat dat ze die kleine Amie probeerden te ontvoeren.'

'Zal de moordenaar, als jij het bij het rechte eind hebt, niet opnieuw toeslaan? En zal dat de jongens niet ontlasten?'

'Dat hangt ervan af. Als het iemand van de plaatselijke bevolking is, dan waarschijnlijk wel... maar als het iemand van het expatlegioen is...' hij haalde zijn schouders op, 'dan zal hij zijn activiteiten elders voortzetten, neem ik aan.'

Door dit gesprek werden mijn verdenkingen jegens John Harwood aangewakkerd. Toen iemand hem aanwees in Paddy's Bar – de bekendste nachtclub in Freetown – wist ik dat ik hem al eens eerder had gezien. Ik vroeg me af of dat in 1998 in Kinshasa was geweest, toen ik de burgeroorlog in Congo versloeg. Ik herinnerde me dat hij een uniform droeg – bijna zeker dat van een huurling, want het Britse leger was niet bij dat conflict betrokken – maar ik dacht dat hij zich destijds niet John Harwood noemde.

In de lente van 2002 in Sierra Leone was hij in burger, en had hij een slechte reputatie. In de tijd dat ik daar zat heb ik drie vechtpartijen meegemaakt waar hij bij betrokken was, en ik heb van andere vechtpartijen gehoord, en hij won ze altijd. Hij was gebouwd als een terriër, van gemiddelde lengte, een magere, gespierde gestalte, met een sterke nek en ledematen, met de felheid van een terriër die zijn tanden ergens in heeft gezet. De meeste expats liepen in een grote boog om hem heen, vooral als hij gedronken had.

Freetown zat toen nog vol buitenlanders. De VN bundelde zijn krachten om het land weer overeind te krijgen en de meeste expats werkten voor de internationale pers, internationale hulporganisaties, zendingsposten of wereldwijd opererende humanitaire instellingen. Enkelen, zoals Harwood, hadden een particulier dienstverband. Hij werkte als chauffeur-bodyguard voor een Libanese zakenman, over wie het gerucht ging dat hij belangen had in een diamantmijn. Af en toe vertrokken ze samen naar het buitenland met gepantserde kisten, dus was het gerucht waarschijnlijk waar.

Net als iedereen was ik geneigd hem uit de weg te gaan. Het leven was te kort om betrokken te raken bij eenzelvige ruziezoekers. Maar toch heb ik hem een keer tijdens mijn zes maanden durende verblijf daar benaderd, om een verzoek voor een interview met zijn baas door te geven. Diamanten waren een gezocht onderwerp in de nasleep van de oorlog. De vraag van wie ze waren en waar het geld heen ging was al tientallen jaren een heet hangijzer in Sierra Leone. De rijkdom kwam het land niet ten goede en de wrok van het volk, dat zich maar amper in leven kon houden en verder niets te maken had, was de vonk geweest die de burgeroorlog had doen ontvlammen.

Uiteraard kwam ik geen stap dichter bij de baas van Harwood, maar ik had een kort gesprek met hemzelf. Geen enkele vrouw uit de omgeving wilde voor hem koken of schoonmaken, dus de meeste avonden kon je hem in Paddy's Bar aantreffen, als hij in zijn eentje zat te eten, en daar sprak ik hem ook aan. Ik zei dat ik dacht dat ik hem al eens eerder ontmoet had, en hij bevestigde dat met een knikje.

'U ziet er beter uit dan ik me u herinner, mevrouw Burns,' zei hij met een zwaar Schots accent. 'De vorige keer dat ik u zag, was u een klein muisje.'

Het verbaasde mij dat hij mijn naam nog wist, en zijn indirecte complimentje verbaasde me nog meer. Eén ding wist iedereen van Harwood: hij hield niet van vrouwen. Onder de invloed van Star-bier liet hij die gevoelens de vrije loop, en het gerucht ging dat hij in het derde stadium van syfilis zat, die hij bij een hoer had opgelopen. Het verhaal vormde een afdoende verklaring voor zijn agressieve vrouwenhaat, maar ik geloofde het niet. Penicilline was voor westerlingen zo makkelijk verkrijgbaar dat ze nooit verder kwamen dan het eerste stadium.

19

Ik vertelde hem wat ik wilde, en legde een vragenlijst op tafel, met een begeleidende brief waarin ik uiteenzette wat voor soort artikel ik voor ogen had. 'Wilt u dit aan uw baas geven en mij doorgeven wat zijn reactie is?' Het was lastig om zonder tussenpersoon met wie dan ook in contact te komen. De rebellen hadden de communicatie-infrastructuur grotendeels verwoest, iedereen woonde in beveiligde compounds en het was onmogelijk om je zonder afspraak langs de wachten te kletsen.

Harwood duwde de papieren weer naar mij. 'Nee, op beide verzoeken.'

'Waarom niet?'

'Hij praat niet met journalisten.'

'Zegt u dat, of hij?'

'Geen commentaar.'

Ik glimlachte. 'Hoe kan ik u dan omzeilen, meneer Harwood?'

'Dat gaat niet.' Hij sloeg zijn armen over elkaar en keek me met toegeknepen ogen aan. 'Pas op, mevrouw Burns. U hebt uw antwoord gekregen.'

En mijn congé, dacht ik laconiek. Ook al zat er een hele groep expats op roepafstand, ik durfde niet langer bij hem aan te dringen. Ik had gezien waartoe hij in staat was, en ik had geen zin daar het slachtoffer van te worden.

Paddy's was de favoriete kroeg van de internationale gemeenschap omdat de zaak gedurende de elf jaren van de burgeroorlog altijd open was gebleven. Het was een grote, aan één zijde open bar annex restaurant met tafeltjes op een betonnen veranda, die als een magneet werkte op de plaatselijke hoeren op zoek naar dollars. Ze kwamen er heel snel achter dat ze Harwood beter konden mijden, nadat hij een meisje zo ernstig toegetakeld had dat ze in het ziekenhuis moest worden opgenomen. Hij sprak pidgin-Engels, de lingua franca in Sierra Leone, en maakte de meisjes in hun eigen taal uit voor rotte vis als ze hem probeerden te benaderen. Hij noemde hen 'duivelsveer' en haalde met zijn vuist naar hen uit als ze te dichtbij kwamen.

Met Europeanen was hij iets voorzichtiger. De hulporganisaties en missieposten hadden een hoog percentage vrouwelijke werknemers, en als een blanke vrouw een hand op zijn arm legde, deed hij niets. Misschien was hij bang voor hen – ze waren heel wat slimmer dan hij en de meesten hadden gestudeerd – of misschien wist hij dat hij er niet mee weg zou komen. De minder goed gebekte zwarte meisjes waren een makkelijk doelwit voor zijn woede. En dat deed ons bijna allemaal denken dat hij behalve vrouwenhater ook een racist was.

Zijn leeftijd viel niet te schatten. Hij had een kaalgeschoren hoofd, getatoeëerd met een gevleugeld kromzwaard onder aan zijn schedel, en de zon had zijn huid tot leer verdroogd. Als hij gedronken had, schepte hij erover op dat hij bij de SAS-eenheid had gezeten die in 1980 de Iraanse ambassade in Londen bestormd had, en dat het kromzwaard zijn onderscheiding was. Maar dan zou hij nu achter in de veertig of begin vijftig moeten zijn, en zijn verwoestende vuistslagen deden toch vermoeden dat hij jonger was. Hoewel hij een zwaar Schots accent had beweerde hij dat hij uit Londen kwam, maar niemand van de Britse expatgemeenschap geloofde dat, net zomin als dat we geloofden dat hij geboren was met de naam John Harwood.

Niettemin, als Alan Collins zijn opmerking over het expatlegioen niet had gemaakt, was het niet bij me opgekomen dat Harwoods gewelddadigheid misschien meer te betekenen had dan we dachten. En zelfs nu kon ik er niets aan doen. Alan was toen al terug naar Manchester en de moorden op de vrouwen waren al snel in het vergeetboek geraakt.

Ik had het met een paar collega's over mijn vermoedens, maar zij reageerden sceptisch. Ze wezen erop dat er met de arrestatie van de jongens een einde was gekomen aan de moorden, en dat Harwood zijn vuisten gebruikte, geen machete. Hun tegenwerpingen kwamen erop neer dat Harwood, hoe verachtelijk hij ook was, de vrouwen niet verkracht zou hebben voor hij ze vermoordde. 'Hij kan zich er niet toe brengen een zwarte vrouw zelfs maar aan te raken,' zei een Australische cameraman. 'Dus hij zal zich er heus niet aan wagen om er een te neuken.'

Ik liet het er verder bij zitten omdat het enige dat ik als bewijs tegen Harwood kon aanvoeren een bijzonder harde aanval op een jonge prostituee in Paddy's Bar was. Ruim honderd mensen waren er getuige van geweest, maar het meisje had in ruil voor geld haar mond gehouden, dus was er zelfs geen aangifte van het incident gedaan. Mijn werk in Sierra Leone zat er trouwens bijna op en ik wilde niet met iets beginnen wat mijn vertrek zou kunnen uitstellen. Ik maakte mezelf wijs dat het mijn verantwoordelijkheid niet was en verwees gerechtigheid naar de prullenbak van de apathie.

Ik had het grootste gedeelte van mijn leven in Afrika doorgebracht. Eerst als kind, later als verslaggever voor kranten in Kenia en Zuid-Afrika, en tegenwoordig als correspondent voor Reuters. Ik kende en hield van het werelddeel, want ik was in Zimbabwe als de dochter van een blanke boer opgegroeid. Maar in 2002 had ik er schoon genoeg van. Ik had over te veel vergeten conflicten geschreven, over te veel corruptieschandalen. Ik was van plan een paar maanden in Londen te blijven, waar mijn ouders sinds 2001 woonden, voor ik door zou gaan naar het kantoor van Reuters in Singapore, om over Azië te schrijven.

De avond voor ik Freetown voorgoed verliet, kwam Harwood bij me langs. Ik was bezig met inpakken. Harwood was tot mijn deur vergezeld door Manu, een van de Sierra Leoonse bewakers van de compound, die voldoende op de hoogte was van de reputatie van de man om mij te vragen of hij moest blijven. Ik schudde mijn hoofd, maar bleef uit voorzorg met Harwood op de veranda, zodat de rest van de compound ons kon zien.

Hij bestudeerde mijn gezichtsuitdrukking, die niet toeschietelijk was. 'U mag me geloof ik niet zo, hè, mevrouw Burns?'

'Ik mag u helemaal niet, meneer Harwood.'

Hij keek geamuseerd. 'Omdat ik uw verzoek om een interview niet wilde doorgeven?'

'Nee.'

Dat korte antwoord leek hem van zijn stuk te brengen. 'U moet niet alles geloven wat de mensen over me zeggen.'

'Ik hoef de mensen niet te geloven. Ik heb u in actie gezien.'

Zijn gezicht verstrakte. 'Dan weet u dat u me niet dwars moet zitten,' mompelde hij.

'Daar zou ik maar niet voetstoots van uitgaan. Wat wilt u?'

Hij liet me een envelop zien en vroeg me die in Londen op de bus te doen. Dat was een heel gangbaar verzoek aan mensen die teruggingen, omdat de post in Sierra Leone zeer onbetrouwbaar was. Gebruik was het pakje open te laten, zodat degene die het meenam aan beide douanes kon laten zien dat het niets illegaals bevatte, maar Harwood had zijn envelop dichtgeplakt. Toen ik weigerde hem mee te nemen tenzij hij bereid was de inhoud te tonen, stak hij hem weer in zijn zak.

'U zult mij nog wel eens nodig hebben,' zei hij.

'Dat betwijfel ik.'

'Maar als dat wel zo is, steek ik geen poot uit, mevrouw Burns. Ik heb een heel goed geheugen.'

'Ik verwacht niet dat wij elkaar ooit nog eens tegenkomen, dus de situatie zal zich niet voordoen.'

Hij draaide zich om. 'Daar zou ik maar niet voetstoots van uitgaan,' herhaalde hij mijn woorden ironisch. 'Voor mensen als wij is de wereld kleiner dan je denkt.'

Toen ik hem nakeek terwijl hij naar het hek liep, dacht ik na over de naam die ik op de envelop had zien staan, 'Mary MacKenzie' en over de onderste regel van het adres, 'Glasgow'. Het draaide een knopje in mijn geheugen om. Ik had hem inderdaad eerder gezien, in Kinshasa – hij maakte deel uit van een huurleger dat voor het regime van Laurent Kabila vocht – en hij had zich toen van de naam Keith MacKenzie bediend.

Ik heb me toen vast afgevraagd waarom hij een andere naam had aangenomen, en hoe hij aan een paspoort op naam van John Harwood was gekomen, maar ik heb er niet lang over nagedacht. Toen ik zei dat ik niet verwachtte hem ooit nog eens tegen te komen, meende ik dat.

2

TWEE JAAR LATER, IN DE LENTE VAN 2004, HERKENDE IK HEM meteen. Ik was voor drie maanden in Bagdad gedetacheerd om de snel verslechterende situatie in Irak te verslaan, langer kon een journalist de stress van de zich openbarende puinhoop niet aan. Overal ter wereld eisten redacteuren ogenblikkelijk kopij nadat de foto's gepubliceerd waren waarop Amerikaanse soldaten de gevangenen in de Abu Ghraib-gevangenis mishandelden.

Het was gevaarlijk voor westerlingen. Medewerkers van privé-ondernemingen waren het doelwit van gijzelingen en executies, en beveiligingsbedrijven stelden duizenden ex-soldaten aan om hen te bewaken. Irak was een goudmijn geworden voor huurlingen. Ze verdienden twee keer zoveel als elders, maar de risico's waren enorm. Schietpartijen tussen privébewakers en Iraakse opstandelingen waren schering en inslag, maar haalden zelden de krantenkoppen. Een discreet rookgordijn onttrok de incidenten aan het zicht om de privacy van de klant te beschermen, zeker wanneer de klant niet de Amerikaanse overheid was.

De coalitie blunderde na Abu Ghraib van de ene pr-ramp naar de andere en dus werd een charmeoffensief gelanceerd om de schade die door de 'martel'-foto's was aangericht te beperken. Dit hield in dat journalisten per bus naar verschillende typen gevangenis- en opleidingsfaciliteiten werden vervoerd met de belofte van een volledige en ongestoorde vrijheid van nieuwsgaring. Slechts weinigen onder ons cynische broodschrijvers verwachtten iets te horen dat niet voorgekookt was, maar we gingen toch mee met het tochtje, al was het maar om te kunnen ontsnappen aan de claustrofobie van onze gefortificeerde hotels.

In die tijd was het uitgesloten dat je in Irak alleen de straat op ging, althans als je waarde hechtte aan je leven en vrijheid. Nu op elk westers hoofd een Al Qaida-prijs stond bood een perskaart geen bescherming, en vrouwen waren daarbij na Lyndie Englands rol in het misbruik van de gevangenen doelwit als potentiële 'seksslavinnen'. Bagdad had de naam de gevaarlijkste stad ter wereld te zijn en vrouwelijke journalisten zagen, al dan niet terecht, op elke straathoek een verkrachter opdoemen.

Een van deze pr-tochtjes eindigde bij de politieacademie, waar elke twee maanden vijfhonderd vers getrainde Iraakse politie-agenten werden uitgespuwd. De coalitieautoriteiten hadden hun mensen goed geïnstrueerd, en we kregen op de academie dezelfde mensenrechten-blabla toegediend als overal elders. De mode-woorden van het moment waren: 'volgens de wet', 'heldere commandostructuren', 'absoluut toegewijd aan humanitaire gedrags-codes', en 'deugdelijke controlesystemen'.

Dat waren fraai klinkende woorden, en de slimme jonge Irake-zen die ze in de mond namen meenden ze ook echt, maar ze zouden in de toekomst waarschijnlijk evenmin misbruik kunnen voorkomen als de naziprocessen in Neurenberg of het onderzoek naar de My Lai-slachtpartij in Vietnam dat hadden gedaan. Als ik iets van mijn uitstapjes naar de wereldconflicten had geleerd, is het dat er overal ter wereld sadisten zijn en dat oorlog hun speel-terrein is.

De rij persmensen, onder wie ik, kronkelde door het hoofdge-bouw, en behoorlijk verveeld wierp ik een blik door een open-staand kantoorraam. In het vertrek zaten een aantal hondenge-leiders in uniform, met hun herder aan de riem, die naar een man in burgerkleding keken die met zijn rug naar me toe zat. Ik zou MacKenzies kogelvormige hoofd overal en altijd meteen hebben herkend vanwege de gevleugelde kromzwaardtatoeage, maar toen de aandacht van zijn gehoor werd getrokken naar de stem van onze gids draaide hij zich om en de aanblik van zijn gezicht sloot elke vergissing uit. Meer uit verbazing dan uit verlangen met hem te spreken, bleef ik staan, maar als hij mij al herkende liet hij dat niet merken. Met een ongeduldige handbeweging greep hij naar de hendel van het raam en trok het dicht.

Ik informeerde bij de gids naar de burger met het gladgeschoren hoofd. Wie was hij en hoe paste hij in de commandostructuur? Was hij Irakezen aan het trainen om met honden om te gaan? Wat waren zijn kwalificaties? De gids wist het niet, maar hij zei dat hij het zou uitzoeken vóór mijn vertrek.

Een halfuur later wist ik dat MacKenzie zich nu Kenneth O'Connell noemde en dat hij consultant was van de Baycombe Groep – een particulier beveiligingsbedrijf dat een gespecialiseerde training op de academie verzorgde. Toen ik om een interview vroeg, werd me verteld dat O'Connell niet langer in het gebouw was. Ik kreeg een telefoonnummer dat ik de volgende dag kon bellen. Ik noteerde het en vroeg de Irakees wat het specialisme van O'Connell was. Aanhoudingstechnieken bij gewelddadige verdachten, vertelde hij mij.

Het telefoonnummer bleek van het hoofdkantoor van de Baycombe Groep te zijn, dat binnen een versterkte compound vlak bij het door bommen verwoeste hoofdkantoor van de Verenigde Naties lag. Toen ik om een interview met O'Connell vroeg kreeg ik de gebruikelijke smoesjes te horen en het kostte me nog een hele week voor ik de woordvoerder van BG, Alastair Surtees mocht interviewen. Ik nam aan dat MacKenzie wilde laten zien dat zijn geheugen inderdaad heel goed was, maar als dat zo was, interesseerde het me geen bal. Gezien het artikel dat ik van plan was te schrijven – een opzienbarend verhaal over het kaliber van de mensen die deze bedrijven in dienst namen – verwachtte ik dat Surtees een stuk tegemoetkomender zou zijn dan een bullebak uit Glasgow die te pas en te onpas van naam veranderde.

Ik vergiste me. Surtees was wellevend en beleefd, maar zo gesloten als een oester als het ging om informatie verstrekken. Hij vertelde me dat hij in het Britse leger had gezeten, eenenveertig jaar oud was en het tot majoor had gebracht bij de paratroepers voordat hij had besloten naar de particuliere sector over te stappen. Hij wees me erop dat de overeengekomen interviewtijd een halfuur bedroeg en vulde toen de eerste twintig minuten met een gelikte presentatie van de bedrijfsgeschiedenis en van hun professionaliteit.

Ik kwam erg weinig te weten over wat BG precies in Irak deed – afgezien van wat algemeenheden en dat ze zich bijna geheel concentreerden op de bescherming van burgers – en erg veel over het type mannen dat BG in dienst nam. Voormalige soldaten en politiemensen, allemaal uiterst integer. Moe van zijn riedeltje, vroeg ik hem of ik een van zijn mensen zou kunnen spreken om het verhaal uit de eerste hand te kunnen optekenen.

Surtees schudde zijn hoofd. 'Dat gaat niet. Het zou onze mensen tot een doelwit kunnen maken.'

'Ik zal zijn echte naam niet vermelden.'

Weer schudde hij zijn hoofd. 'Het spijt me.'

'Wat zou u zeggen van Kenneth O'Connell van de politieacademie? We kennen elkaar, dus ik weet zeker dat hij met mij zal willen spreken. We zagen elkaar voor het laatst in Sierra Leone... en daarvoor in Kinshasa. Zou u het hem willen vragen?'

Dit verzoek kwam duidelijk niet als een verrassing voor Surtees. 'Ik denk dat uw informatie wat verouderd is, mevrouw Burns, maar natuurlijk zal ik het even nakijken.' Hij tikte wat toetsen in op een laptop op zijn bureau en haalde wat gegevens op het scherm. 'We hadden inderdaad een O'Connell op de academie, maar hij is een maand geleden overgeplaatst. Ik vrees dat u verkeerd bent ingelicht.'

Ik schudde mijn hoofd. 'Dat denk ik niet. Hij was daar een week geleden, omdat ik hem daar heb gezien.'

'Weet u zeker dat het Kenneth O'Connell was?'

Het was zo'n doorzichtige vraag dat ik in de lach schoot. 'Nee, maar dat was de naam die ze me gaven toen ik vroeg wie hij was. In Freetown noemde hij zich John Harwood, in Kinshasa Keith MacKenzie.' Ik trok geamuseerd een wenkbrauw op. 'Dan vraag ik me meteen af hoe u voor zijn integriteit in kunt staan. Onder welke naam hebt u hem nagetrokken? Naar ik weet heeft hij er minstens drie.'

'Dan was degene die u zag niet O'Connell, mevrouw Burns. Ze hebben u een verkeerde naam gegeven.' Hij tikte weer iets in op zijn toetsenbord. 'We hebben geen Harwoods of MacKenzies in ons bestand, dus ik veronderstel dat de man die u hebt gezien bij een ander bedrijf werkt.'

Ik haalde mijn schouders op. 'Ik heb de academie twee keer om een interview met hem gevraagd – direct diezelfde middag en een paar dagen later nog eens toen ik tot hun pr-afdeling was doorgedrongen. In beide gevallen is me niet verteld dat Kenneth O'Connell daar niet meer werkte... wat natuurlijk wel gebeurd zou zijn als hij een maand geleden overgeplaatst is.'

Surtees schudde zijn hoofd. 'Dan hebben ze hun gegevens niet bijgewerkt. Zoals u ongetwijfeld is opgevallen, verloopt alles in Bagdad op het moment nogal chaotisch.' Hij klapte zijn laptop dicht. 'We zijn echter zeer zorgvuldig met ónze gegevens, dus u kunt erop vertrouwen dat de informatie die ik u heb gegeven correct is.'

Ik tekende een Pinokkiopoppetje op mijn blocnote, zodat hij het kon zien. 'Waar is O'Connell nu? Wat doet hij tegenwoordig?'

'Daar kan ik u geen antwoord op geven. Onze bedrijfspolitiek inzake onze medewerkers verschilt niet van die van Reuters. Strikte vertrouwelijkheid. Verwacht u soms iets anders?'

'Laten we het dan algemeen houden,' zei ik bemoedigend. 'Wat kwalificeert iemand om aanhoudingstechnieken aan verse rekruten te onderwijzen in de gevaarlijkste hoofdstad ter wereld? Kennis van de wet? Een lange en eervolle loopbaan bij Scotland Yard? Een dienstverband bij de Militaire Politie? Het had er alle schijn van dat hij hondengeleiders instrueerde, dus ik neem aan dat hij ervaring op dat gebied had? Wat voor kwaliteiten heb je daarvoor nodig? Geduld? Zelfbeheersing?'

Hij vouwde zijn handen voor zich op tafel. 'Geen commentaar.'

'Waarom niet?'

'Omdat uw vragen zich richten op een bepaald individu en ik heb u al beschreven wat voor mensen wij werven.'

Ik verlengde Pinokkio's neus. 'U moet O'Connell hoog hebben zitten, meneer Surtees. Hij is een van de weinige medewerkers die níét in de particuliere sector werkt... of althans een week geleden niet. Ik neem aan dat de coalitie alleen maar consultants aanneemt met een smetteloos verleden?'

'Natuurlijk.'

'Dus u hebt O'Connell terdege nagetrokken?' Surtees knikte.

'Wat is zijn achtergrond? Waar is hij geboren? Waar groeide hij op? Zijn naam wijst erop dat hij een Ier is.'

'Geen commentaar.'

Ik keek hem even aan. 'Toen ik hem ontmoette in Sierra Leone, zei hij dat hij bij de SAS-eenheid zat die de Iraanse ambassade in Londen heeft bestormd. Heeft hij dat ook aan u verteld?'

Surtees schudde zijn hoofd.

'Ik wist meteen dat dat flauwekul was,' zei ik beminnelijk. 'Die bestorming van de ambassade dateert van vierentwintig jaar geleden en de eenheid was op ervaring geselecteerd. Als O'Connell daar deel van had uitgemaakt, zou hij nu dik in de vijftig moeten zijn... tenzij de SAS eind jaren zeventig tieners rekruteerde.'

'Ik ontken noch bevestig iets, mevrouw Burns...' Hij tikte op zijn horloge. 'Uw tijd is bijna om.'

Ik sloeg een blocnotevelletje om, tekende snel een schets van MacKenzies gevleugelde kromzwaard en liet hem Surtees zien. 'Hij vertelde aan een van mijn collega's dat de tatoeage achter op zijn hoofd een symbolische interpretatie is van de gevleugelde dolk van de SAS... het is zijn persoonlijke bijdrage aan een vernietigende overwinning op islamitische fundamentalisten. Vindt u het gepast dat een man die dergelijke opvattingen huldigt Irakese politiemensen moet opleiden?'

Surtees schudde wederom zijn hoofd.

'Wat betekent dat? Dat hij ze niet opleidt... of dat het niet gepast is?'

'Dat betekent: geen commentaar.' Hij deed zijn horloge af en legde het voor zich op het bureaublad. 'Uw tijd is om,' zei hij.

Ik stak mijn potlood achter mijn oor en pakte mijn rugzak. 'Hij werkt op een gevoelig terrein. Aanhoudingstechnieken die worden toegepast om gevaarlijke of gewelddadige verdachten te immobiliseren. Ik heb een aantal veelzeggende voorbeelden gezien van wat er gebeurt als slecht opgeleide sadisten de verantwoordelijkheid voor gedetineerden krijgen. U herinnert zich toch dat er honden werden ingezet om de gevangenen in Abu Ghraib te terroriseren? Misschien dat het u koud laat als dat weer eens gebeurt – u kunt uw handen altijd schoonwassen via creatief administreren – maar mij zou het verontrusten.'

De man glimlachte vaag. 'Ik laat de creatieve kant graag aan u over, mevrouw Burns. Ik ben bang dat ik niet intelligent genoeg ben om uw gedachtesprong te volgen van de misidentificatie van een van onze medewerkers naar mijn persoonlijke verantwoordelijkheid over wat gebeurd is in Abu Ghraib.'

'Des ter erger voor u,' zei ik luchtig. 'Ik had gehoopt dat u over wat meer integriteit zou beschikken.' Ik propte pen en papier in mijn rugzak. 'MacKenzie is een gewelddadig man. In Sierra Leone kon hij zich niet in bedwang houden... laat staan dat hij anderen daarin zou kunnen trainen. Hij had een Rhodesian Ridgeback die zijn compound afschuimde en die nog agressiever was dan hijzelf. Hij trainde de hond om te doden door hem zwerfhonden toe te gooien.'

Surtees stond op en stak zijn hand uit. 'Goedendag,' zei hij vriendelijk. 'Als er nog iets is waarmee ik u van dienst kan zijn, kunt u me altijd bellen.'

Ik stond op en schudde de aangeboden hand. 'Daar heb ik geen tijd voor,' zei ik even vriendelijk en ik gooide mijn kaartje op het bureaublad voor hem. 'Dat is mijn mobiele nummer in het geval dat u míj wilt spreken.'

'En waarom zou ik dat willen?'

Ik liet mijn tas op mijn heup rusten om de riempjes vast te maken. 'MacKenzie heeft in Freetown de arm van een vrouw gebroken. Ik zag het gebeuren. Hij pakte hem beet en knakte hem op zijn knie als een stuk dor hout.'

Er viel een korte stilte voordat de man sceptisch glimlachte. 'Dat lijkt me amper mogelijk, tenzij het bot zo fragiel was dat iedereen het had kunnen breken.'

'Hij is er niet voor vervolgd,' ging ik verder, 'omdat het slachtoffer te bang was om aangifte bij de politie te doen... maar een aantal paratroepers – úw afdeling – dwong hem om een forse schadevergoeding te betalen. Botten worden niet gratis gezet in Sierra Leone... en je ontvangt ook geen uitkering als je niet kunt werken.' Ik schudde mijn hoofd. 'De man is een sadist en alle expats wisten het. Hij is niet het type dat ik zou uitkiezen om verse rekruten in Bagdad te instrueren hoe ze hun werk moeten doen... zeker niet in het huidige klimaat.'

Hij keek me met afkeer aan. 'Is dit iets persoonlijks? U lijkt doelbewust 's mans reputatie kapot te willen maken.'

Ik liep naar de deur en duwde de kruk met mijn elleboog naar beneden. 'Het is maar dat u het weet: het slachtoffer van Mac-Kenzie was een halfverhongerde prostituee die nog geen veertig kilo woog... en ze zal ongetwijfeld breekbare botten hebben gehad want iedere koe in het land was door de rebellen opgegeten en calciumrijke melk was een luxe. Het arme kind – ze was nog maar zestien jaar oud – probeerde wat geld te verdienen om kleertjes voor haar baby te kopen. Ze was aangeschoten van twee biertjes waar een andere klant haar op had getrakteerd, en ze stootte toevallig tegen MacKenzies elleboog. Voor straf brak hij haar onderarm door die over zijn knie te leggen.' Ik trok een wenkbrauw op. 'Wat hebt u daarop te zeggen?'

Hij zweeg.

'Prettige dag verder,' zei ik tegen hem.

Uiteindelijk heb ik het artikel nooit geschreven. Het lukte me een interview met een lijfwacht van een ander beveiligingsbedrijf te krijgen, maar hij was nog maar net uit het leger en Irak was zijn eerste freelance opdracht. Mijn oorspronkelijke opzet was om aan te tonen dat de vraag naar huurlingen het aanbod verre oversteeg, en dat dus compromissen werden gesloten bij het natrekken van de rekruten om maar aan de vraag te kunnen voldoen. Eén enkel gesprek met een nieuweling was niet genoeg voor een heel verhaal. Daarbij kwam nog dat het publiek steeds minder trek kreeg in 'oorlogs'-verhalen. Het enige wat iedereen wilde was een uitweg uit deze ellende, niet meer stukken die eraan herinnerden dat de greep van de coalitie op de situatie verslapte.

Met een tolk reed ik een aantal burelen van Iraakse kranten af en bladerde door drie maanden oude nummers op zoek naar artikelen over verkrachte en vermoorde vrouwen. Salima, de tolk, was vanaf het begin sceptisch. 'Dit is Bagdad,' zei ze tegen me. 'Het enige waar mensen belang in stellen zijn slachtoffers van zelfmoordaanslagen of, nog beter, het sadistische gedrag van de kant van de coalitie. Vrouwen worden voortdurend verkracht door echtgenoten die ze nooit hadden willen trouwen. Telt dat niet?'

Ik wees haar erop dat het twee keer zo lang zou duren als ze de hele tijd maar commentaar bleef geven.

'Maar je bent naïef, Connie. Zelfs áls een Europeaan in de buurt van een Iraakse vrouw zou kunnen komen zonder opgemerkt te worden – iets wat ik niet geloof – wie zou er dan over schrijven? Sommige delen van Bagdad zijn zo gevaarlijk dat de Iraakse journalisten er niet naartoe gaan – althans niet zolang de bomaanslagen en het geschiet voortduren – dus hoe zou de dood van een enkele vrouw de aandacht trekken?'

Ik wist dat ze gelijk had, dus weet ik niet wie er meer verrast was toen we op het eerste verhaal stuitten. Onder de kop 'Toenemend aantal verkrachtingen' volgde een statistisch verslag over hoe de verkrachting en/of mishandeling van vrouwen van eens per maand vóór de oorlog naar zo'n vijfentwintig per maand daarna was gestegen. Gebaseerd op een rapport van een mensenrechtenorganisatie, legde het artikel de nadruk op de gevaren waar vrouwen aan blootstaan wanneer de morele en ethische grondslagen van een maatschappij door oorlog worden aangetast.

'Er staat dat verkrachting onder Saddam zelden voorkwam omdat de doodstraf erop stond,' vertelde Salima me. 'Vervolgens wordt er aangegeven dat de ontmanteling van de politiemacht aan het begin van de bezetting de veiligheid van vrouwen in gevaar heeft gebracht. Dit zal je interesseren.' Ze volgde de tekst met haar vinger. 'Zolang gangsters en bandieten in hele districten de dienst uitmaken, zijn vrouwen gedwongen om zich in hun huizen te verschansen uit angst voor hun leven en eer. Schandelijk genoeg biedt ook dit geen bescherming. Fateha Kassim, een godvruchtige jonge weduwe, werd verleden week verkracht en vermoord in haar huis aangetroffen. Haar vader, die het lichaam ontdekte, zei dat het het werk van beesten was geweest. "Ze hebben haar schoonheid vernietigd," zei hij.' Ze keek op. 'Is dit het soort dingen waar we naar op zoek zijn?'

Ik knikte. 'Dit klinkt als een kopie van de moorden in Sierra Leone.'

'Maar hoe kan hij bij haar terecht zijn gekomen?'

'Dat weet ik niet, maar ik weet zeker dat dat deel van de kick uitmaakt. Als hij lid van de SAS is geweest, is hij getraind om onopvallend rond te zwerven. Misschien zoekt hij ze 's avonds op. Alan Collins zei dat de plaatsen delict in Sierra Leone aanleiding gaven te denken dat de vrouwen enige tijd met hun moordenaar hadden doorgebracht voordat hij ze met de machete bewerkte.'

Het tweede verhaal, het enige andere dat we vonden, kwam uit een andere krant en was een maand later gedateerd. Het stond ergens op de middenpagina's onder de kop 'Moeder sterft bij zwaardaanval' en was erg summier. Salima vertaalde: '"Gisteren werd het lichaam van Gufran Zaki gevonden door haar van school thuiskomende zoon. Ze was beestachtig vermoord door slagen op en sneden in haar hoofd. De aanval werd omschreven als uit een vlaag van razernij. De politie is op zoek naar haar echtgenoot, Bashar Zaki, die naar verluidt aan depressies lijdt. Buren verklaarden dat hij een zwaard bezat, dat niet in het huis is aangetroffen."'

We zochten naar een nader bericht om te zien of Bashar Zaki gearresteerd was, maar het verhaal was verdrongen door de gebeurtenissen in de Abu Ghraib-gevangenis en er werd niet meer over geschreven. Evenmin stond er nog iets in de kranten over de moord op Fateha Kassim. Vanuit een internationaal gezichtspunt waren de vrouwen niet interessant, dus ik noemde hen noch mijn verdenkingen jegens MacKenzie tegen Dan Fry, het hoofd van het Reutersbureau in Bagdad. We werden ondergesneeuwd door actuelere rampen en kort daarna werd Salima, de enige die zich verder voor de zaak interesseerde, met een andere correspondent mee naar Basra gezonden.

Meer uit frustratie dan dat ik echt een reactie verwachtte, diepte ik mijn twee verhalen uit Sierra Leone op en liet ze afleveren, tezamen met Salima's vertalingen van de artikelen over de Bagdad-moorden en een begeleidende brief, bij Alastair Surtees van de Baycombe Groep. Ik stuurde ze ook per e-mail aan Alan Collins via de website van de Greater Manchester Police. De enige reactie van Surtees was een geprint 'met de complimenten'-kaartje, waarmee hij aangaf dat hij de documenten had ontvangen. Die van Alan, een week later, was veel bemoedigender.

'Het beste kun je contact opnemen met adjudant Bill Fraser of hoofdagent Dan Williams, rechercheurs in Basra,' schreef hij in zijn e-mail. 'Zij geven een soortgelijk opleidingstraject als ik in Freetown gaf. Ik heb jouw e-mail en bijlagen naar Bill Fraser doorgestuurd om er wat vaart achter te zetten en ik zal zijn e-mailadres onderaan weergeven. Geen garanties, ben ik bang. Als de coalitiesectoren onafhankelijk optreden zal het moeilijk voor Bill zijn om in Bagdad in te grijpen, maar hij zou in staat moeten zijn om je wat nuttige namen te geven van mensen die hoger in de commandohiërarchie staan. Ondertussen, wees een beetje voorzichtig met wie je praat. MacKenzie heeft toegang tot het systeem als hij nog met de politie werkt of met hen gewerkt heeft, dus is het voor hem kinderspel om erachter te komen wie hem beschuldigt. En zelfs al zijn je verdenkingen onterecht, dan weet je dat hij al gewelddadig reageert als iemand hem iets in de weg legt.'

Zijn goede raad kwam te laat. Tegen de tijd dat ik die ontving, was ik al twee keer van hotel gewisseld en drie keer van kamer in evenzoveel dagen. Het is moeilijk uit te leggen hoe de voortdurende inbreuk op je leefruimte je gemoedsrust kan ondermijnen... maar dat doet het en deed het. De deur zat altijd op slot als ik terugkeerde, en er was niets gestolen, maar de opzettelijke verplaatsing van mijn eigendommen joeg me angst aan. Eén keer stond mijn laptop open, met mijn brief aan Alastair Surtees op het scherm.

Ik had geen bewijs dat MacKenzie erachter zat – hoewel ik daar nooit aan getwijfeld heb – maar ik kon de hotelmanagers niet zover krijgen dat ze me serieus namen. Het was onmogelijk voor een niet-gast om de kamers van de gasten binnen te komen, zeiden ze. En waar klaagde ik eigenlijk over, er was toch niets ontvreemd? Het was gewoon het kamermeisje geweest dat haar werk had gedaan. Mijn collega's haalden over het algemeen hun schouders op en hadden het over de 'dief van Bagdad'. Wat kon ik verwachten in dit godvergeten oord?

De enige die mijn angsten misschien serieus had kunnen nemen was mijn chef, Dan Fry, maar hij had juist deze week uitgekozen om op vakantie naar Koeweit te gaan. Ik overwoog om hem op te bellen en te vragen of ik in zijn flat kon gaan zitten, maar ik was bang dat ik daar nog meer geïsoleerd zou zijn dan in een hotel vol journalisten. Naar de politie gaan had geen zin. Die hadden het zo druk met zelfmoordaanslagen en gijzelnemers dat ze geen aandacht voor me zouden hebben. En in mijn geval, bedacht ik, had Alan Collins gelijk. De politie was wel de laatste tot wie ik mij kon wenden.

Ik sliep niet. In plaats daarvan lag ik wakker, met een schaar in mijn hand, en keek ik met een ontluikende paranoia naar de deur. Na vier van deze nachten was ik zo uitgeput, dat ik, toen ik van een persconferentie terugkwam en ontdekte dat het kruis uit al mijn onderbroekjes was geknipt, totaal in elkaar klapte en ik per onmiddellijke ingang ziekteverlof aanvroeg op grond van oorloggerelateerde stress en een zenuwinstorting.

Ik had niet meer dan twee maanden in het Verenigd Koninkrijk doorgebracht sinds ik in 1988 afgestudeerd was in Oxford, maar begin mei 2004 in Bagdad droomde ik van een zacht zomerbuitje, groen gras, smalle met heggen omzoomde weggetjes en velden met rijpend koren. Het was een Engeland dat ik amper kende – samengesteld zowel uit fictie en poëzie als uit het ware leven – maar het was de veiligste plek die ik kon verzinnen.

Hoe had ik zo stom kunnen zijn.

>>>**Associated Press**
>>>Maandag 16 mei 2004, 07.42 uur GMT 08.42 uur UK
>>>Ingezonden door James Wilson, Bagdad, Irak

Correspondent van Reuters ontvoerd

Amper drie dagen nadat Adelina Bianca, een 42-jarige Italiaanse televisieverslaggever, door de gewapende terroristische groep Muntada al-Ansar in gijzeling is genomen, bestaat de vrees dat Connie Burns, een 36-jarige correspondente van Reuters, hetzelfde lot heeft ondergaan. Burns werd gisteren, op weg naar Baghdad International Airport, ontvoerd en haar verblijfplaats sindsdien is onbekend. Haar dienstwagen van Reuters werd in de buitenwijken van de stad uitgebrand en verlaten aangetroffen. Tot nu heeft nog geen enkele groepering de verantwoordelijkheid voor deze ontvoering opgeëist.

Muntada al-Ansar, naar men aanneemt geleid door Abu Masab al-Zarqawi, een vooraanstaand lid van Al Qaida, was verantwoordelijk voor de wrede executie op video van de Amerikaanse burger Nick Berg. Er is nu videomateriaal van een doodsbange en geblinddoekte Adelina Bianca op dezelfde website gezet, vergezeld van dreigementen om haar te onthoofden als de premier van Italië, Silvio Berlusconi, volhardt in zijn steun aan de coalitie.

Naar aanleiding van deze gruweldaden heeft Amnesty International de volgende verklaring uitgegeven. 'Onder het internationale recht geldt het doden van gevangenen als een ernstige misdaad. Gewapende groeperingen moeten onmiddellijk en zonder enige voorwaarde alle gegijzelden vrijlaten en zouden zich moeten onthouden van het aanvallen, ontvoeren en doden van burgers.'

Collega's van Connie Burns zijn zeer geschokt door haar ontvoering. Ze is een bekende en populaire correspondent die oorlogen in Afrika, Azië en het Midden-Oosten heeft verslagen. Burns is geboren en getogen in Zimbabwe en afgestudeerd aan de Universiteit van Oxford. Ze werkte bij kranten in Zuid-Afrika en Kenia voordat ze als Afrika-specialist bij Reuters in dienst trad.

'Met de steun van religieuze leiders in Bagdad doen we er alles aan om erachter te komen wie Connie vasthoudt,' zei Dan Fry, redactiechef van Reuters in Irak. 'We vragen de gijzelnemers te beseffen dat nieuwscorrespondenten neutrale waarnemers van conflicten zijn. Hun werk is verslag te doen van het nieuws, ze zijn niet verantwoordelijk voor het beleid dat dat nieuws maakt.'

Het laatste artikel dat Connie Burns inzond voor ze naar het vliegveld vertrok was een aangrijpend eerbetoon aan Adelina Bianca. 'Adelina is een moedige journalist die het stellen van lastige vragen nooit uit de weg is gegaan. Als een krachtige stem die partij kiest voor hen die lijden, hebben haar geschriften het geweten van mensen in de hele wereld beroerd [...] elke poging haar het zwijgen op te leggen zal een overwinning voor onwetendheid en onderdrukking zijn.'

>>>**Associated Press**
>>>Woensdag 18 mei 2004, 13.17 uur GMT, 14.17 uur UK
>>>Ingezonden door James Wilson, Bagdad, Irak

Reuterscorrespondent vrijgelaten

De onverwachte vrijlating van Connie Burns, de 36-jarige correspondente die afgelopen maandag is ontvoerd, is vanmorgen door Reuters gemeld. 'We ontvingen gisteren een anoniem telefoontje waarin verteld werd waar we haar konden vinden,' aldus Dan Fry, haar chef. 'Ze heeft een zware tijd achter de rug en ik heb besloten haar uit het land te laten vertrekken voordat ik de details in de openbaarheid bracht.'

Connie heeft voor haar leven gevreesd, vervolgde hij, voordat ze is achtergelaten in een gebombardeerd gebouw in het westen van de stad. 'Toen we haar vonden was ze geboeid en gekneveld, met een zwarte kap over haar hoofd. We denken dat haar behandeling wraak was voor Abu Ghraib. We vragen zowel de coalitie als de dissidente groeperingen in Irak om te beseffen dat elke vorm van machtsmisbruik een misdaad is.'

'Connies eerste vragen gingen uit naar Adelina Bianca,' vertelde de chef van het agentschap op een persconferentie. 'Haar gijzelnemers hadden haar verteld dat Adelina op dinsdag was onthoofd en ze dreigden haar dat haar hetzelfde lot zou treffen. Ze reageerde emotioneel toen we vertelden dat naar ons beste weten Adelina nog steeds in leven is.'

Het zegt iets over Connie Burns' moed, vervolgde hij, dat ze eerst gedurende drie uur een getuigenverklaring bij de politie heeft afgelegd, voordat ze vanaf Baghdad International Airport is vertrokken. 'Tot haar grote spijt was ze niet in staat om de politie veel bruikbare informatie te geven. Toen haar chauffeur de weg naar het vliegveld verliet en het al-Jahid-district in reed, werd ze door gemaskerde mannen uit haar auto getrokken en geblinddoekt.'

De politie heeft een signalement van de chauffeur uit doen gaan. 'De auto bleek enkele minuten voordat Connie ermee van haar hotel werd opgehaald gestolen te zijn,' vertelde Dan Fry. Hij bevestigde dat Reuters strengere regels heeft uitgevaardigd voor zijn correspondenten. 'In de toekomst mag niemand ervan uitgaan dat een voertuig veilig is,' waarschuwde hij. 'Je wordt makkelijk te nonchalant als je meerdere keren met dezelfde auto bent meegereden.'

Fry weigerde om meer bijzonderheden over de gevangenschap van Connie Burns te verstrekken. 'Op dit moment gaat haar eerste zorg uit naar Adelina Bianca. Connie wil absoluut niets zeggen of doen dat de vrijlating van Adelina op het spel kan zetten.'

De gewapende groepering die Bianca vasthoudt publiceerde de volgende verklaring. 'Het lot van Adelina Bianca wordt bepaald door de premier van Italië. Zolang hij steun biedt aan Amerikaanse soldaten bij de bezetting van het heilige land van Irak, zullen de moeders van zijn land alleen maar doodskisten van ons ontvangen. Moslimmannen en -vrouwen kunnen alleen met bloed en levens in hun waardigheid hersteld worden.'

Inmiddels is Bianca al langer dan een week gegijzeld, maar het verstrijken van de deadline afgelopen dinsdag voor haar executie biedt een sprankje hoop. Onder gematigde Iraakse religieuze leiders heerst aanmerkelijke zorg dat de escalerende wreedheid van gijzelnemers de islam in de ogen van de wereld verder beschadigt. 'De islam voert geen oorlog tegen onschuldige vrouwen en kinderen,' zei een van hen. 'In het licht van deze gruweldaden raakt het schokkende misbruik in de Abu Ghraib-gevangenis vergeten. Door deze groeperingen krijgt Amerika de morele overwinning cadeau.'

3

BIJ MIJN OUDERS ZAG IK OP TV DE VRIJLATING VAN ADELINA. DE
horden verslaggevers en fotografen voor hun deur waren eindelijk vertrokken. Mijn eigen verhaal was inmiddels, een week na
mijn vertrek uit Bagdad, oud nieuws. Ik had het ontvangstcomité
van Reuters op Heathrow ontlopen, was niet op een persconferentie verschenen, en had me in een naamloos hotel in Londen onder de naam Marianne Curran verschanst – een vrouw met pleinvrees en zonder eetlust die regelmatig last had van een bloedneus,
die haar kamer niet verliet, en wier verblijf contant werd afgere-
kend door de man die haar iedere avond bezocht.

God weet wat het hotelpersoneel van me dacht. Het enige wat
ik aan ze gevraagd had, was het adres en telefoonnummer van de
dichtstbijzijnde kliniek voor geslachtsziekten. Verder liet ik de
kamermeisjes niet toe in mijn kamer, stak de ene sigaret na de andere op, bracht uren in bad door en at alleen als mijn vader via de
roomservice broodjes bestelde. Ik deed mijn best als hij er was,
maar ik zag dat hij zich zorgen maakte om de muizenhapjes die ik
at.

Ik gaf hem dezelfde reden waarom ik de pers niet te woord wilde staan die ik Dan in Bagdad had gegeven: ik wilde niet in het
openbaar over mijn gevangenschap spreken uit angst dat ik Adelina's vrijlating in gevaar zou brengen. Voor zijn eigen gemoedsrust had ik hem verteld dat ik de hele tijd geblinddoekt was geweest en mijn gijzelnemers niet had gezien, maar dat ik redelijk
was behandeld, hoewel ik doodsbang was geweest.

Ik weet niet of hij me geloofde. Mijn moeder deed dat in ieder geval niet toen ze me om drie uur 's ochtends hun flat in smokkelden. Het schokte haar te zien hoe mager ik was geworden, het baarde haar zorgen dat ik het liefst in een verduisterde kamer zat en bovenal verontrustte het haar dat ik weigerde met iemand te praten, vooral met Dan Fry in Bagdad en met Reuters in Londen. Maar omdat ik me iedere keer als zij me iets vroeg in de logeerkamer opsloot, drukte mijn vader haar op het hart om me de gebeurtenissen op mijn eigen manier te laten verwerken.

Adelina Bianca was mijn enige excuus. Zolang zij gevangen was, had ik een reden om mijn mond te houden, dus bekeek ik haar onzekere eerste stappen met gemengde gevoelens op de tv toen ze, gekleed in een zwarte chador, uit een moskee in Bagdad kwam lopen. Naast haar liep de imam die haar vrijlating had bewerkstelligd. Haar gezicht was verborgen achter de sluier, dus kon ik er niets uit opmaken, maar haar stem klonk vast toen ze iedereen die haar geholpen had bedankte. Ze ontkende dat de Italiaanse regering losgeld had betaald.

Vierentwintig uur later zat ik weer aan de buis gekluisterd toen ze een persconferentie in Milaan gaf. Het was een dappere daad die me beschaamde omdat ik zelf niet in staat was om te praten over wat me overkomen was. Ik bezat Adelina's moed niet.

Zodra Adelina in vrijheid was gesteld, zocht ik op internet naar huizen in de West Country. Natuurlijk was mijn moeder daar niet gelukkig mee, vooral niet toen ik haar vertelde dat ik van plan was om voor een halfjaar iets te huren en ik haar vroeg of ik haar meisjesnaam weer mocht gebruiken. Waarom wilde ik dat? Hoe zat het met Reuters? Wat ging ik doen? Waarom zei ik steeds dat het goed met me ging terwijl het zo overduidelijk helemaal niet goed met me ging? Wat was er aan de hand? En waarom wilde ik onderduiken zodra Adelina was vrijgekomen?

Weer kwam mijn vader tussenbeide. 'Laat haar maar,' zei hij resoluut. 'Als ze op haar zesendertigste nog niet weet wat ze wil, dan zal ze dat nooit weten. Sommige wonden helen alleen in de frisse lucht.'

Ik had hun de waarheid kunnen vertellen – waarschijnlijk had ik dat moeten doen – en ik vraag me nu af waarom ik het niet deed. Ik was hun enige kind en we hadden een warme band, ondanks de enorme afstand die er dikwijls tussen ons zat. Maar mijn vader had al zo veel spijtgevoelens omdat hij zijn boerderij in Zimbabwe had achtergelaten, dat ik hem niet met mijn problemen wilde opzadelen. Als hij niet getrouwd was geweest, was hij uit pure koppigheid in Zimbabwe gebleven en had het huis gebarricadeerd, maar nadat een van de buren door Mugabes Zanu-PF-bendes was vermoord dreef mijn moeder haar zin door.

Mijn vader zag het als een capitulatie en heeft het zichzelf nooit vergeven. Hij had het gevoel dat hij harder had moeten vechten voor datgene wat zijn familie gekocht en opgebouwd had en dat hem rechtens toekwam. Hij kreeg een redelijk goedbetaalde baan in Londen, bij een importeur in Zuid-Afrikaanse wijnen, maar hij had een hekel aan de bekrompenheid van Engeland, het claustrofobische grotestadsleven, en de bescheiden huurflat in Kentish Town, die wat ruimte betrof maar een kwart besloeg van hun boerderij bij Bulawayo.

Ik lijk op mijn moeder qua uiterlijk, lang en blond, en op mijn vader qua karakter, zeer zelfstandig. Op het eerste gezicht lijkt mijn moeder van ons drieën het onzekerst, maar ik vraag me soms af of haar bereidheid om toe te geven dat ze bang is niet juist bewijst dat ze het zelfverzekerdst is. Voor mijn vader betekende vluchten toegeven dat hij verslagen was. Hij had zichzelf altijd als sterk en vastberaden gezien, en ik besefte in de zomer van 2004 hoe vernederend het voor hem geweest moest zijn om ervandoor te gaan. Hij had de moed niet gehad om de confrontatie aan te gaan met Mugabes gangsters, net zomin als ik dat had met die van mij... en we voelden ons daar allebei gekleineerd door en in ons diepste innerlijk aangetast.

Ik gaf als reden dat ik tijd en ruimte nodig had om een boek te schrijven, en deels was dat ook zo. Toen ik nog in Bagdad zat had ik een opzetje gemaakt (in de nasleep van de onthullingen over de Abu Ghraib) en had op grond daarvan een contract aangeboden gekregen van een uitgeverij. Ik zag nu in hoe krampachtig mijn collega's en ik gereageerd hadden toen de westerse wereld zijn glans van morele respectabiliteit verloor, en ik had het plan opgevat een boek te schrijven waarin de brandhaarden in de wereld door de ogen van oorlogscorrespondenten in kaart werden gebracht. Ik wilde met name uitzoeken hoe het constant blootstaan aan gevaar de psyche beïnvloedt.

Het voorschot dat me in eerste instantie werd aangeboden was niet meer dan een aalmoes, maar ik haalde er meer uit door te zeggen dat het boek een volledig verslag van mijn ontvoering zou bevatten. Dat was regelrechte fraude, want toen ik het contract ondertekende wist ik heel goed dat ik de waarheid nooit zou onthullen. Ik zag me überhaupt geen boek schrijven, ik verstijfde iedere keer als ik achter een toetsenbord ging zitten – maar ik voelde geen gewetenswroeging toen ik de uitgevers wijs maakte dat ik het zou doen. Het was het voorwendsel dat ik nodig had om me af te zonderen terwijl ik mijn kapotte zenuwen weer aan elkaar probeerde te knopen.

Ik ontdekte Barton House op de website van een makelaar in Dorset, en koos het uit omdat het het enige huis was dat je voor een halfjaar kon huren. Het was veel te groot voor één persoon, maar de huur per week was gelijk aan die voor een vakantiehuisje met maar drie slaapkamers. Toen ik vroeg hoe dit kon, zei de makelaar dat verhuren aan vakantiegangers weinig zeker was en dat de eigenaar een gegarandeerd regelmatig inkomen wilde. Het bedrag was voor mij op te brengen en dus accepteerde ik zijn verklaring en stuurde een postwissel op onder de naam die ik in het hotel had gebruikt – Marianne Curran – maar zelfs als hij me de waarheid gezegd had, namelijk dat het huis vanbinnen in zeer slechte staat verkeerde, dan had ik het toch nog genomen. Ik was toentertijd geobsedeerd door de wens me terug te trekken.

Ik weet niet meer wat ik me ervan voorstelde – dat ik deel zou uitmaken van een kleine gemeenschap die ik kon buitensluiten als ik daar behoefte toe voelde – maar zo was het niet. Ik had alles per e-mail en telefoon geregeld, tot een halfuur geleden, toen ik de sleutel bij het makelaarskantoor in Dorchester had opgehaald. De foto van Barton House op de site had een stenen gevel overwoekerd met blauweregen getoond, met het dak van een ander gebouw ernaast (een garage, naar later bleek). Ik had aangenomen, aangezien het adres Winterbourne Barton was, dat het huis zich binnen de bebouwde kom bevond.

Maar dat was niet zo. Het stond achter hoge heggen, een heel eind verwijderd van het dichtstbijzijnde huis, en vanaf de weg was het grotendeels onzichtbaar. Mensendrommen zou ik hier inderdaad niet aantreffen – eerder een volkomen isolement – en de angst sloeg me om het hart toen ik mijn pas aangeschafte Mini aan het begin van de oprit parkeerde. De mensenmassa in Londen was gedurende de drie weken die ik bij mijn ouders had doorgebracht een nachtmerrie voor me geweest omdat ik nooit wist wie er achter me stond. Maar dit was nog erger. Hier was ik alleen, uit het zicht van andere mensen, met niets of niemand om me te beschermen en buiten ieders gehoorsafstand.

De heggen wierpen lange schaduwen op het gras en de tuin was zo verwilderd dat een leger zich er ongezien in op had kunnen houden. Sinds het ogenblik dat ik op Heathrow geland was, had ik geprobeerd mijn angst te overwinnen door mezelf steeds voor te houden wat ik zeker wist: *ik was niet langer in gevaar omdat ik gedaan had wat me was opgedragen.* Maar angst kun je niet wegredeneren. Het is een heftige emotie die niet gevoelig is voor logica. Het enige wat je kunt doen is de doodsangst ondergaan die door je hersenen aan je lichaam wordt doorgegeven.

Uiteindelijk reed ik het hek in omdat ik nergens anders naartoe kon. Het huis was erg leuk – een laag rechthoekig achttiende-eeuws gebouw – maar van dichtbij zag je hoe vervallen het was. De zon en de zilte wind hadden hun tol geëist van de deuren en raamkozijnen, en er lagen zo veel dakpannen scheef dat ik me afvroeg of het dak wel waterdicht was, de verzekering van de makelaar op zijn website dat het huis in solide staat was ten spijt. Ik vond het niet erg – ik had wel erger meegemaakt, onlangs nog in Bagdad, waar de bombardementen hele gebouwen tot ruïnes hadden gereduceerd – maar het begon me te dagen waarom Barton House zo goedkoop was in vergelijking met de vakantiehuisjes met drie slaapkamers.

Weet een mens wanneer hij totaal afknapt? Mij gebeurde het op het moment dat de grote ijzeren sleutel in het slot bleef steken en er vijf mastiffs uit het niets opdoken terwijl ik op zoek was naar bereik voor mijn mobiel. Ik richtte hem op de horizon en besefte pas dat de honden er waren toen een van hen begon te grommen. Ze gingen in een kring om me heen zitten, hun bekken op een paar centimeter van mijn rok, en ik voelde de vertrouwde adrenalinestoot, in werking gezet door mijn acute angst.

Als ik maar even had nagedacht, had ik geweten dat de eigenaar van de honden in de buurt moest zijn, maar ik was zo verstijfd van angst dat ik helemaal niet kon nadenken. Ik merkte niet eens dat ik mijn mobiel liet vallen. Je kunt wel proberen je zelfvertrouwen op te kalefateren, maar dat is een zinloze exercitie als je angst zo echt is dat een enkele grom al nachtmerries op kan wekken. Ik kon ze nog horen en voelen, ze bevolkten mijn dromen.

Ik zag de eigenaar pas toen ze vlak voor me stond, en ik dacht dat het een jongen was tot ze iets zei. Ik zag absoluut niet dat ze volwassen was. Ze droeg een spijkerbroek en een overhemd dat veel te groot was voor haar slanke lijf, en met haar wonderlijk gladde gezicht en haar donkere, achterovergekamde haar leek ze op een puber, nog in de groei. Ze kon niet meer dan vijftig kilo wegen. Zo'n mastiff had haar dood kunnen drukken, gewoon door op haar te gaan liggen.

'Hou je handen stil,' zei ze kortaf. 'Vogelachtige beweginkjes winden hen op.'

Ze knipte met haar vingers en de honden gingen in een rij voor haar staan, de koppen laag.

'Je lijkt op Madeleine,' zei ze. 'Zijn jullie familie?'

Ik had geen idee waar ze het over had en het kon me trouwens niet schelen ook want ik kon geen lucht krijgen. Ik zakte op mijn hurken, mijn hoofd achterover, snakkend naar zuurstof, maar het enige wat ik ermee bereikte was dat haar honden weer begonnen te grommen. Op dat moment gaf ik het op en kroop op handen en voeten naar het openstaande portier van de Mini. Ik dook naar binnen en trok het portier dicht, drukte het slotje in voor ik naar achteren leunde in een wanhopige poging wat lucht in mijn longen te krijgen. Ik denk dat een van de honden tegen de auto is opgesprongen want ik voelde hem trillen, en daarna hoorde ik een kortaf commando van het meisje, maar ik had mijn ogen gesloten en zag niets.

Ik wist wat er aan de hand was. Ik wist dat het niet zo zou blijven en dat ik gewoon moest ophouden met zo snel en oppervlakkig adem te halen, maar deze keer had ik zo veel pijn in mijn borst dat ik me afvroeg of ik een hartaanval kreeg. Ik graaide naar mijn voorraadje papieren zakken in het deurvak en sloeg er een over mijn neus en mond, in een poging de symptomen te verminderen. Ik heb geen idee hoe lang het duurde. Tijd bestond niet. Maar toen ik mijn ogen weer opendeed, waren het meisje en de honden weg.

Fragmenten uit aantekeningen, opgeslagen als 'CB15 – 18/05/04'

… Vroeger was ik bang voor het donker, maar nu zit ik urenlang met het licht uit. Toen Dan de isolatietape lostrok, voelde het alsof er gloeiend hete poken door mijn oogleden schroeiden. Hij was van slag toen ik mijn ogen niet open wilde doen en naar hem kijken, maar ik wist niet wie het was. Het had iedereen kunnen zijn. De stem klonk niet als die van Dan. Hij rook ook niet als Dan.

… Ik vind het beangstigend dat ik er niet tegen kan als iemand te dicht in de buurt komt. De kring om me heen waar anderen buiten moeten blijven, is zo groot als een huis geworden. Werkt de geest zo? Ik sluit me in kleine ruimtes op, maar daar moet een paleis omheen staan, om mij ruimte te geven adem te halen. Het lukt me om met mijn ouders samen in één kamer te zitten, maar met niemand anders. Ik ga over de rooie als op straat een voorbijganger vlak langs me heen loopt. Ik ga nu niet meer naar buiten, behalve in de auto.

… Ik heb tegen mijn ouders gezegd dat ik in therapie zou gaan, en het is raar dat ze zich daardoor zo veel beter voelen. Als ik in handen van 'deskundigen' ben, moet het wel in orde komen met me. Ondanks mijn moeders eindeloze gevraag denk ik dat ze stiekem opgelucht is dat ik de hulp van Reuters heb afgewezen. In ruil voor hulp van officiële zijde zou ik verplicht zijn geweest mijn 'verhaal' te doen. Maar pa en zij zijn erg op zichzelf. Het was moeilijk voor hen toen ik in alle kranten stond en de telefoon constant ging…

… In plaats van in therapie, ga ik om de dag een paar uur naar een kerk in Hampstead. Het is er koel en rustig en de kerk heeft een ei-

gen parkeerplaats. Niemand valt me daar lastig. Ze denken kennelijk dat het onbeleefd is om te vragen waarom je daar wilt zitten.
Misschien denken ze wel dat ik met God praat...

Barton House

4

ONDER NORMALE OMSTANDIGHEDEN WAS IK NOOIT IN CONTACT gekomen met Jess Derbyshire. Ze was zo op zichzelf dat slechts een handjevol mensen in Winterbourne Barton wist hoe haar huis er vanbinnen uitzag; de overige inwoners stelden zich er tevreden mee rond te bazuinen dat de plaatselijke politieagent er één keer per maand naartoe ging om te kijken of ze nog leefde. Dat was natuurlijk niet zo. Hij was net zo bang voor haar honden als de rest, en hij huldigde het standpunt dat de postbode het wel zou merken als ze haar post niet meer ophaalde uit de brievenbus die op zijn Amerikaans bij haar tuinhek stond. Ze was de eigenaresse van Barton Farm, aan de zuidwestkant van het dorp, en haar huis stond zelfs nog verder van de dorpsgemeenschap af dan het mijne.

Ik kwam er al snel achter dat Jess de meest onzichtbare inwoner van Winterbourne Valley was, en tegelijkertijd de meest besproken. Het eerste wat iedere nieuwkomer over haar hoorde was dat haar naaste familie in 1992 bij een auto-ongeluk was omgekomen. Ze had een jonger broertje en zusje gehad, en een stel bijzonder aardige ouders, tot een dronkaard in een Range Rover haar vaders oude Peugeot met honderd kilometer per uur op de rondweg van Dorchester had geramd. Het tweede wat je hoorde was dat ze toen twintig was geweest, dus was ze ouder dan ze eruitzag; en het derde dat ze het huis veranderd had in een heiligdom voor de doden.

Het valt niet te ontkennen dat ze ontoeschietelijk van aard was, iets wat ze koesterde met die vijfenzeventig centimeter hoge, tachtig kilo zware mastiffs van haar. Die ontoeschietelijkheid bleek het duidelijkst uit haar norse blik en de kortaffe manier van praten, maar het was de combinatie van haar onvolwassen uiterlijk – 'gestopt in haar ontwikkeling' – met haar morbide interesse voor haar dode familie – 'wil niet verder met haar leven' – die volgens de meeste mensen haar eigenaardige gedrag verklaarde. Haar status van eenling wekte hun achterdocht, zelfs al kende bijna niemand haar echt.

Mijn eerste indruk was niet anders – ik vond haar heel vreemd – en toen ik mijn ogen weer opendeed was ik opgelucht toen ik zag dat ze weg was. Ik weet nog dat ik me afvroeg of ze opzettelijk haar honden op me af had gestuurd, en wat voor iemand ze was dat ze een medemens die zo overduidelijk van streek was ijskoud alleen liet, maar er kwamen te veel herinneringen uit Irak boven en ik zette haar uit mijn gedachten. Daardoor was ik er niet op voorbereid dat ze terug zou komen. Toen ze haar Landrover een kwartier later door het hek van Barton House reed en me daarmee klemzette, schoot de paniek onmiddellijk weer door mijn lijf.

In mijn achteruitkijkspiegeltje zag ik hoe ze uitstapte, een metalen gereedschapskist in haar hand. Ze liep naar de voorkant van de Mini en bekeek me door de voorruit, kennelijk om te controleren of ik nog leefde. Haar platte, smalle gezicht was zo uitdrukkingsloos en de doordringende blik was me zo onwelkom, dat ik mijn ogen sloot om haar niet te hoeven zien. Ik kon alles aan, zolang ik het maar niet zag. Als een struisvogel met zijn kop in het zand.

'Ik ben Jess Derbyshire,' zei ze zo hard dat ik haar kon horen. 'Ik heb dokter Coleman gebeld. Hij is bij een patiënt, maar hij heeft beloofd dat hij meteen daarna hierheen komt.' Er klonk een zweempje van de Dorsetse brouw-r in haar stem door, maar het meest opvallend was de diepe klank. Ze leek zich niet alleen als een man te willen kleden, maar ook zo te willen klinken.

Ik dacht dat als ik geen antwoord gaf, ze misschien weg zou gaan.

'Het helpt niet om je ogen te sluiten,' zei ze. 'Je moet je raampje opendoen, het is te heet daarbinnen.' Ik hoorde iets tegen het glas tikken. 'Ik heb een fles water voor je meegebracht.'

Ik snakte naar iets te drinken, dus deed ik mijn ogen een heel klein beetje open en zag die onaangename starende blik weer. De zon blakerde het dak van de auto en mijn haar zat tegen mijn schedel geplakt. Ze wachtte terwijl ik het raampje tien centimeter liet zakken, en schoof de fles er toen doorheen, voor ze knikte naar de voordeur van het huis. Ze maakte een draaiend gebaar alsof ze wilde aangeven dat ze hem ging openmaken, liep toen weg en knielde neer op de stoep. Ik keek toe hoe ze een blikje grafiet uit haar gereedschapskist haalde en een fijne nevel in het slot spoot, voor ze weer overeind kwam.

Ze deed me vreemd genoeg een beetje aan Adelina denken, klein en netjes en competent, maar zonder haar Italiaanse expressiviteit. Jess' bewegingen waren spaarzaam en doelgericht, alsof de methode waarop je een sleutel loskrijgt iets was waar ze jaren op geoefend had. En misschien was dat ook wel zo.

'Hij blijft altijd steken,' zei ze. Ze bukte om door het raampje te kunnen praten. 'Lily gebruikte hem nooit... ze deed de deur aan de binnenkant op de grendel, en ging via de bijkeuken in en uit. Het duurt zo'n tien minuten voor het poeder werkt. Heb je andere sleutels gekregen? Er moeten een gewone en een Yale voor de achterdeur zijn.'

Ik keek even naar de envelop op de stoel naast me.

Ze volgde mijn blik. 'Mag ik?' vroeg ze met uitgestoken hand.

Ik schudde mijn hoofd.

'Je moet proberen vogels te tellen,' zei ze plotseling. 'Bij mij werkte dat altijd. Als ik bij de twintig aankwam, was ik meestal vergeten waarvan ik geschrokken was.' Haar donkere ogen zochten mijn gezicht even af en toen haalde ze haar schouders op, liep terug naar de stoep en hurkte neer. Na een tijdje haalde ze een combinatietang uit haar gereedschapskist en begon ermee aan de sleutel te wrikken. Toen ze er uiteindelijk in slaagde hem om te draaien, duwde ze de deurknop naar beneden en verdween naar binnen. Een paar seconden later floepte het licht in de hal aan. Daarna ging ze de hele benedenverdieping door en deed de ramen open om de frisse lucht binnen te laten.

Ik wilde uitstappen en naar haar schreeuwen. Bemoei je er niet mee. Wie gaat dat allemaal weer dichtdoen als ik weg ben? Maar ik was zo gewend geraakt aan niets doen dat ik daarin volhardde. Ik keek wel naar de vogels, ik kon het niet laten. De tuin zat er vol mee. Groepjes mussen, in de stad een bedreigde soort, schoten hier kwetterend tussen de bomen op en neer, terwijl boerenzwaluwen in en uit hun nesten onder de dakrand flitsten.

Toen Jess weer verscheen, hurkte ze neer bij mijn portier, waardoor ze op ooghoogte met mij kwam. 'De Aga moet aangestoken worden. Zal ik je laten zien hoe dat moet?'

Ik was haar misschien blijven negeren als het me minder had kunnen schelen dat ik ongemanierd overkwam, of raar, dus misschien werkte het vogels tellen echt. Ik liet mijn tong door mijn mond glijden om wat speeksel te produceren. 'Nee, dank je.'

Ze knikte met haar kin naar de envelop. 'Zitten daar de instructies in?'

'Ik weet niet.'

'Als Madeleine ze heeft opgesteld, dan zul je hem niet zelf aan kunnen krijgen. Ze weet niet eens hoe de ontsteker werkt, laat staan dat ze weet hoe ze de brander aan krijgt.'

Het lag op het puntje van mijn tong om te vragen wie Madeleine was, of Lily, de naam die ze eerder genoemd had, maar waarom zou ik. 'Ik blijf niet,' zei ik tegen haar.

Dat leek haar niet te verbazen. 'Dan heb je je autosleuteltjes nodig.'

Ik knikte.

Ze haalde ze uit haar zak en hield ze omhoog. 'Ik heb ze uit je tas gehaald toen ik naar een inhaler zocht. Je tas lag vlak bij waar je je mobiel hebt laten vallen.'

'Ik heb geen astma.'

'Dat dacht ik al.' Ze sloot haar vingers om de sleutels. 'Ik houd ze nog even, om te voorkomen dat je gaat rijden. Je kunt nog niet weg... niet achter het stuur in ieder geval. Als je ze terug wilt, moet je ze maar binnen komen halen.'

Dat ze ervan uitging dat ik braaf zou doen wat ze zei, ergerde me. Ik dacht nog steeds dat ze jonger was dan ze was, maar haar frêle gestalte had iets onbuigzaams, wat een vastberadenheid deed vermoeden die ik niet bezat. 'Ben je van de politie?'

'Nee, ik speel alleen op veilig. Je zult jezelf en anderen in gevaar brengen, als ik je nu laat gaan.' Ze keek nog eens onderzoekend naar mijn gezicht. 'Kwam het door de honden?'

Ik dacht eraan hoe lang het geduurd had voor ik de oprit in had durven rijden. 'Nee.'

Ze knikte tevreden voor ze de sleuteltjes weer in haar zak stopte. 'De dokter die eraan komt – Peter Coleman – weet wel wat van paniekaanvallen,' zei ze plompverloren. 'Hij zal waarschijnlijk tegen je zeggen dat je tranquillizers moet slikken, en je een waslijst antidepressiva voorschrijven om je stemming op te krikken. Ik heb hem alleen gebeld om gedekt te zijn, voor het geval je een klacht tegen me in zou dienen. Je kunt beter op papieren zakken vertrouwen en de cirkel doorbreken.'

Een lachje borrelde bij me op. 'Ben je psychiater?'

'Nee, maar ik heb zelf een paar keer een paniekaanval gehad, toen ik twintig was.'

'Waar was je bang voor?'

Ze dacht even na. 'Dat ik het niet aan zou kunnen, denk ik. Ik zat met een boerderij die ik draaiende moest houden, en ik wist niet hoe ik dat moest doen. Waar ben jíj bang voor?'

Om te stikken... te verdrinken... dood te gaan...

'Dat ik het niet aankan,' zei ik haar rustig na.

Ergens was dat ook zo, maar ze geloofde me niet. Of mijn stem klonk niet goed, of ze zag aan mijn gezicht dat het anders lag. Ik vroeg me af of ze beledigd was dat ik haar niet in vertrouwen had genomen, omdat ze zich overeind duwde en weer in het huis verdween. Even later arriveerde de dokter.

Hij zette zijn auto naast de Landrover van Jess en ik keek hoe hij uitstapte. Hij was lang, had donker haar, droeg een linnen jasje en een wollen broek, en ik kon de golftas op de stoel voor in zijn BMW zien liggen. Hij bukte om in het zijraampje te kijken of zijn das goed zat en liep toen langs me heen Barton House binnen. Ik hoorde hem roepen: 'Jess, waar zit je, verdomme? Wat is er aan de hand?' en toen werd zijn stem door de muren opgeslokt.

Als er iets was wat gegarandeerd weer een paniekaanval zou veroorzaken, was het wel de gedachte aan al het gedoe dat zou volgen. Ambulances... psychiaters... ziekenhuizen... de pers. Ik kon de krantenkoppen voorspellen. *'Doodsbange Connie krijgt zenuwinzinking.'* De juiste aansporing die ik nodig had om uit te stappen want ik wist dat ik de publieke schande niet nogmaals onder ogen kon zien. Ik had net zo dapper moeten zijn als Adelina.

Hebt u geprobeerd tegenstand te bieden? Nee.
Hebt u de mannen gevraagd wie ze waren? Nee.
Hebt u gevraagd waarom ze het deden? Nee.
Hebt u met ze gesproken? Nee.
Kunt u ons ten minste íéts vertellen, mevrouw Burns? Nee.

Ik ontspande mijn hand die tot een vuist gebald was om de kruk van het portier beet te pakken, en merkte dat ik de papieren zak zo stevig had vastgeklemd dat hij in mijn zweterige handpalm uiteenviel. Het zijn kleine dingen die je bang maken. Ik was plotseling verschrikkelijk bang dat dit mijn laatste zak was.

Dat was niet zo. Mijn voorraadje zat nog steeds in het deurvak rechts, een pakje opgevouwen bruinpapieren zakken die een reddingsboei vormden. Een trucje dat ik van internet had gehaald. Als je je eigen kooldioxide inademt, worden de symptomen van paniek minder. De hersens begrijpen dat het lichaam niet gaat sterven aan zuurstoftekort en de vicieuze cirkel van angst is voor even doorbroken. Later heb ik begrepen dat voor Jess het feit dat ze wist hoe ze met haar aanvallen om moest gaan, de sleutel was geweest om er een einde aan te maken, maar voor mij waren die papieren zakken niet meer dan een laatste redmiddel voor ik aan verstikking zou sterven.

Ik wreef mijn handen stevig tegen elkaar om de papierresten te verwijderen. Net Lady Macbeth. 'Weg, vervloekte vlek! Weg zeg ik! De hel is vunzig!' Maar hoe wist Shakespeare dat vrouwen met problemen zich obsessief moeten wassen? Doen we dat al eeuwen om ons van smerigheid te ontdoen?

Ik herinnerde me dat ik in de beschrijving op internet van Barton House had gelezen dat er een visvijver in de tuin was. Ik kon hem vanuit de auto niet zien, dus leek het logisch dat hij aan de achterkant van het huis lag. Ik weet niet wat me ertoe bracht om daar mijn handen te gaan wassen, maar ik heb me sindsdien vaak afgevraagd of de reden dat ik in het levensverhaal van Lily Wright geïnteresseerd raakte, was omdat ik knielde om mijn handen te wassen op de plek waar Jess Derbyshire haar stervende gevonden had.

5

OP GROND VAN WAT IK LATER HEB GEHOORD, DENK IK NIET DAT Lily en ik vriendinnen zouden zijn geweest. Ze had ouderwetse ideeën over de plaats van de vrouw, en een ongehuwde oorlogscorrespondente die haar werk belangrijker vond dan een gezin, had ze zeker afgekeurd. Haar plaats in het leven was de 'grote dame' van Winterbourne Barton spelen, omdat Barton House het oudste en grootste in het dal was en haar familie er al drie generaties woonde. Toen haar man nog leefde, en vóór de samenstelling van de dorpsbevolking door de instroom van buitenstaanders veranderde, nam ze actief deel aan het dorpsleven, maar na zijn dood kwam ze er steeds meer buiten te staan.

Dat proces voltrok zich langzaam, en grotendeels onopgemerkt, en omdat ze het regelmatig had over haar nauwe banden met de aristocratie van Dorset, namen de meeste mensen aan dat ze liever met haar oude vrienden omging dan met de nieuwkomers in Winterbourne Barton. Haar dochter, Madeleine, die onregelmatig uit Londen overkwam, versterkte dit idee door over haar moeders stand te praten; en omdat Lily verdoezelde dat haar overleden echtgenoot haar kapitaal op de beurs verloren had en zich rijker voordeed dan ze was, nam men algemeen aan dat ze haar vriendenkring buiten het dorp had.

Ze hield het uit op een ouderdomspensioentje en wat dividenden die ze uit handen van haar echtgenoot Robert had weten te houden, maar de armoede lag voortdurend op de loer. Dat betekende dat Barton House verschrikkelijk vervallen was – daar kwam ik zodra ik erin trok achter: de plafonds zakten door en de muren waren vochtig – maar omdat er maar weinig bezoekers verder mochten komen dan de gang en de zitkamer, was dit niet algemeen bekend. Vlekken op de vloerbedekking en de wanden werden door kleedjes en schilderijen aan het oog onttrokken en langs het bladderende schilderwerk op de vensterbanken buiten was een blauweregen geleid. Ze kleedde zich elegant in tweedrokken en -jasjes, haar witte haar in een losse knot in haar nek; en ze bleef een aantrekkelijke vrouw, tot ze er door haar Alzheimer niet meer om gaf.

Haar tuin was haar grote liefde en hoewel die toen ik er kwam verwilderd was, kon je nog steeds zien hoeveel zorg er ooit aan besteed was. Het huis was nog grotendeels zoals het in de tijd van haar grootvader was geweest. Er was geen centrale verwarming en de warmte moest komen van de Aga in de keuken, of van een houtvuur in de open haard. Boven maakte het vocht de slaapkamers koud, zelfs in de zomer, en er was nooit genoeg warm water om het grote ouderwetse bad mee te vullen. Douches waren er niet. Er stond een antieke wasmachine, een kleine koelkast met vriesvak, een goedkope magnetron en een televisie in de achterkamer, waar Lily het grootste deel van haar tijd doorbracht. In de winter wikkelde ze zich in een dikke jas en dekens, die ze als er iemand op de stoep stond afdeed om net te doen alsof ze voor een onaangestoken haard in de tochtige zitkamer had gezeten.

Zoals veel in Dorset, was Winterbourne Barton de afgelopen twintig jaar ingrijpend veranderd, sinds de huizenprijzen omhoog waren geschoten en de oorspronkelijke bewoners hun waardevolste bezit in klinkende munt hadden omgezet. Een aantal huizen veranderden in vakantiehuisjes die het grootste deel van het jaar leegstonden, maar de meeste nieuwkomers waren bejaarden uit de stad met een goed pensioen, die een huis in Winterbourne Barton kochten omdat het zo pittoresk was en dicht bij de zee lag.

Het dorp was in de achttiende eeuw ontstaan toen een vorige eigenaar van Barton House op een braakliggend stuk land drie cottages voor zijn arbeiders had gezet. Het waren schilderachtige huisjes, in Purbeck-steen opgetrokken, met rieten daken en openslaande vensters, en ze zetten de trend voor de ongeveer honderd huizen die daarna nog werden gebouwd, tot de provincie West Dorset Winterbourne Barton aanwees als beschermd dorpsgezicht en er geen huis meer bij kwam. Deze bouwstop, én de rozen en de kamperfoelie die langs de aardige stenen gevels groeiden, maakte het dorp zo aantrekkelijk voor gepensioneerden. Het gaf het iets exclusiefs, vooral nu het dorp een van de meest gefotografeerde en geliefde van het graafschap was geworden.

De verklaring voor de geïsoleerde positie waarin Lily verkeerde, was haar eigen onwil om met andere mensen om te gaan. Wie aanbelde werd binnen genood, maar de ontvangst was net zo kil als haar zitkamer, en het gesprek ging onveranderlijk over haar 'maatjes' – de groten van de West Country – en nooit over de nieuwkomers die tegenover haar zaten. Volgens Jess was ze te trots om toe te geven dat ze het moeilijk had, iets wat meteen zou blijken als ze een nauwere band met een van de buren zou aanknopen, maar ik vind het aannemelijker dat ze Jess' onverschilligheid jegens mensen deelde.

De enige die regelmatig bij haar langskwam was Jess, wier grootmoeder gedurende de oorlog en de jaren daarna dienstmeisje was geweest op Barton House. Deze verhouding van dienstbode-mevrouw was kennelijk doorgegeven in de familie Derbyshire. Eerst aan de vader van Jess, en toen hij overleed aan Jess zelf. Hoewel ze geen van beiden betaald werden voor wat ze deden, leek het erop dat ze Lily op haar wenken bedienden als er iets aan de hand was en ze gaven haar zelfs gratis voedsel van de boerderij, als aanvulling op haar pensioen.

Die toestand werd door de dochter van Lily, Madeleine, kennelijk als vanzelfsprekend beschouwd. Ze had het druk in Londen met haar man en elfjarig zoontje, en vertrouwde erop dat Jess de hand-en-spandiensten verleende waartoe ze zelf niet in staat was. Toch maakte ze er geen geheim van dat ze een afkeer had van Jess, en Jess andersom ook niet. De oorzaak voor de spanningen tussen die twee waren onbekend, maar de sympathie van Winterbourne Barton ging absoluut naar de dochter van Lily uit. Madeleine was een aantrekkelijke vrouw van veertig die, in tegenstelling tot haar moeder en Jess, een open, vriendelijk karakter had en populair was in het dorp. Bovendien werd algemeen gedacht dat Jess' motieven om zich bij een rijke vrouw onmisbaar te maken, twijfelachtig waren.

Bij Lily werd in juni 2003 Alzheimer geconstateerd. Ze was zeventig, betrekkelijk jong voor die ziekte, maar het was nog in een vroeg stadium en, afgezien van haar korte aanvallen van vergeetachtigheid, was er geen reden waarom ze voorlopig niet zelfstandig kon blijven wonen. In de herfst sloeg ze in haar verwardheid aan het dwalen, en werd ze door verschillende buren in Winterbourne Barton aangetroffen. Omdat niemand te horen had gekregen dat ze Alzheimer had, en ze heel normaal reageerde als haar de weg naar haar huis werd gewezen, nam men aan dat het gewoon licht excentriek gedrag was – dat erger werd als er een noord-noordwestenwind stond.

Na de feestdagen ging ze duidelijk achteruit. In januari was het vier keer voorgekomen dat ze via een onafgesloten achterdeur van een huis waar de bewoners televisie zaten te kijken naar binnen was gegaan en op haar tenen naar boven geslopen. Ze waste met hun washandje haar gezicht en handen en poetste met hun tandenborstel haar tanden boven hun wastafel, en daarna stapte ze volledig gekleed in hun bed en viel in slaap. Als ze daar ontdekt werd, reageerde ze agressief, maar met een kopje thee en een koekje liet ze zich snel kalmeren.

De mensen die haar in hun huis hadden aangetroffen hielden vol dat ze niet in de gaten hadden gehad dat Lily ernstig ziek was – ondanks haar onverzorgde uiterlijk en bizarre gedrag – en hadden haar gewoon thuisgebracht en er verder niets aan gedaan. Ze zeiden dat ze onbeleefd en onvriendelijk was geweest en erop gestaan had meteen naar Barton House te worden gebracht, en dat ze alleen maar hulp wilde accepteren van Jess Derbyshire of dokter Peter Coleman. Zo gauw ze bij haar achterdeur waren aangekomen, stuurde ze de mensen die haar geholpen hadden weg.

Er werd in het dorp over gesproken, maar men was het erover eens dat het beter was je er niet mee te bemoeien. Als Lily ze niet al uitgefoeterd had, zou Jess Derbyshire dat zeker doen. Ze zouden de zaak bij Peter Coleman hebben aangekaart als die er geweest was, maar hij was op vakantie en werd niet voor eind januari terug verwacht. Er werd een boodschap ingesproken op

Madeleines antwoordapparaat, maar ook zij was weg en niemand had er behoefte aan om tegen de waarnemer van Peter Coleman te zeggen dat mevrouw Wright zich zo vreemd gedroeg.

Achteraf werd de beschuldigende vinger nadrukkelijk op Jess gericht. Hoe kon Winterbourne Barton nu weten dat ze sinds november niet meer bij Lily langs was geweest? Ze had zich jarenlang voor de vrouw uitgesloofd, wist beter dan wie ook dat Lily's geestelijke toestand wankel was, en nu liet ze haar zomaar aan haar lot over omdat er vanwege de Alzheimer te veel van haar geëist werd. Waarom had ze het tegen niemand gezegd?

Toch was het Jess die het leven van Lily redde. Om elf uur 's avonds op de derde vrijdag in januari, trof ze haar, amper nog in leven en slechts in een nachtjapon gekleed, aan bij de vijver van Barton House. Ze was niet sterk genoeg om Lily naar de achterdeur te dragen en haar mobiel had geen bereik dus kon ze ook niet om hulp bellen. Daarom had ze haar Landrover achteruit het gras op gereden, Lily op de achterbank gehesen en was naar Barton Farm gereden, waar ze de dokter belde.

Applaus bleef uit, er volgden alleen nog meer verdachtmakingen. Wat deed Jess zo laat op de avond nog in Lily's tuin? Waarom had ze niet met de vaste telefoon in het huis gebeld? Waarom had ze Lily naar Barton Farm gereden in plaats van naar het ziekenhuis? Waarom had ze zo snel het maatschappelijk werk gebeld? Waarom beschuldigde ze iedereen van verwaarlozing terwijl ze zelf Lily op schandelijke wijze verwaarloosd had? Het gonsde van de geruchten dat het boos opzet was, vooral toen bekend werd dat Lily in het geheim de aan haar dochter verleende volmacht had ingetrokken, en overgezet had op haar notaris. Men nam aan dat Jess achter die beslissing zat.

Tijdens Madeleines afwezigheid werd Lily voor haar eigen veiligheid voor het weekend in een tehuis opgenomen terwijl men de notaris poogde te bereiken. Madeleine was de week daarop terug van haar vakantie en was direct gekomen, om te ontdekken dat het lot van haar moeder niet langer in haar handen lag. Lily's notaris had er geen gras over laten groeien en haar direct laten overbrengen naar een duur verpleegtehuis, en ook had hij aangekondigd Barton House en de familie-erfstukken te willen verkopen, om de kosten te dekken.

Het hing ervan af wie je geloven wilde, maar Madeleine was ofwel een kil kreng dat haar moeder dood wenste om het huis te kunnen erven voor het opgeofferd werd aan de zorg voor Lily, ofwel ze was zo slecht op de hoogte van haar moeders toestand en hachelijke financiële positie dat de aftakeling van Lily en de daaropvolgende onthullingen van haar armoede werkelijk als een schok kwamen. Ik ben cynisch en kan moeilijk geloven dat ze zo weinig van de toestand af wist, maar Winterbourne Barton wees op de wekelijkse toelage die Lily haar dochter vanaf haar achttiende had doen toekomen. Waarom zou ze daarmee zijn doorgegaan als ze niet had gewild dat Madeleine dacht dat ze er financieel beter voorstond dan in werkelijkheid het geval was?

Wat Lily betreft hing haar rijkdom of armoede af van de verkoop van Barton House. Zolang het van haar bleef, had ze te weinig inkomen om in haar behoeften te voorzien. In de verkoop zou het waarschijnlijk meer dan anderhalf miljoen pond opbrengen. Het was niet onredelijk dat Madeleine zich tegen de verkoop verzette. Haar moeder kon morgen overlijden, of nog twintig jaar leven, maar het zou dom zijn om het huis met de gok op twintig jaar overhaast te verkopen. Er volgde een strijd om de volmacht tussen Madeleine en de notaris van Lily. De notaris bood haar een compromis aan. Als het huis verhuurd werd, en bovendien de revenuen van de nog overgebleven aandelen werden aangewend voor de zorg voor Lily, zou hij de verkoop uitstellen.

En zo kwam ik erbij, als eerste huurder van Barton House. Ik wist niets van de jongste geschiedenis toen ik bukte om mijn handen te wassen en als ik er wel wat van geweten had, was ik niet gebleven. Het was een huis van angst...

Fragmenten uit aantekeningen, opgeslagen als 'CB15 – 18/05/04'

... Ik herinner me een vrouw in Freetown die buiten de compound ronddoolde en tegen zichzelf schreeuwde. Ik dacht dat ze gek én doof was, tot ik hoorde dat ze zich onder haar huis verstopt had toen er een groepje rebellen in haar dorp kwam. Het handjevol krijgers had iedereen afgeslacht, ook de man van de vrouw en haar kinderen, en waren pas weggegaan toen de stank van de ontbindende lichamen ondraaglijk werd. De reactie van de moeder was zichzelf in het openbaar uit te schelden, omdat ze nog leefde.

... Ik denk vaak aan haar. Ze heeft ongeveer even lang onder haar huis gelegen – bewegingloos, doodsbang, doodstil – als ik in de kelder in Bagdad heb doorgebracht. Heeft ze in zichzelf gepraat om niet gek te worden? En als dat zo is, wat heeft ze gezegd? Heeft ze de voors en tegens afgewogen bij de mogelijkheid dat ze haar eigen hachje redde maar tegelijkertijd haar kinderen alleen liet om ze te laten afslachten? Is ze toen in die spiraal van gekte terechtgekomen?

... In mijn hoofd zit een schreeuw die niet weg wil gaan. Misschien heeft iedereen zo'n schreeuw in zijn hoofd. Misschien gilde de vrouw in Freetown daarom. *Waarom geeft niemand om mij?*

6

DE HAL WAS DONKER EN KOEL NA DE STRALENDE ZONNESCHIJN buiten. Deuren aan weerszijden gaven toegang tot ruimtes die nergens toe leken te leiden, en voor mij rees een trap op die zich halverwege splitste. Pas toen ik stemmengeroezemoes ergens rechts van me hoorde, zag ik een groen gecapitonneerde deur achter in de hal. Er zat een dranger op, en toen ik hem voorzichtig vijftien centimeter openduwde, kon ik woorden onderscheiden.

'Ik begrijp nog steeds niet waarom ik mijn auto naast die smerige oude rammelkast van jou moest neerzetten,' zei de mannenstem. 'Vind je het niet een beetje overdreven om haar autosleuteltjes af te pakken en ook nog haar aftocht te blokkeren?' Hij sprak op lichte, schertsende toon, alsof hij gewend was deze kindvrouw te plagen.

Jess daarentegen klonk geïrriteerd, alsof zijn vaderlijke toon haar op de zenuwen werkte. 'Misschien heeft ze een extra stel sleutels in de auto.'

'Dan was ze al weggereden toen jij me vanaf de boerderij belde,' redeneerde hij.

'Sorry dat ik niet in de toekomst kan kijken,' snauwde ze. 'Als ik dat wel kon, dan had ik je helemaal niet lastiggevallen. Ik was bang dat ze een klacht in zou dienen vanwege de honden als ik niet iets van bezorgdheid liet blijken.'

'Wie is ze?'

'Ik weet het niet... ze heeft de huissleutels, dus neem ik aan dat ze het huis huurt. Ik dacht dat ze van de honden geschrokken was, en daarom heb ik ze naar huis gebracht.' Ze gaf een kort verslag van wat er gebeurd was.

'Misschien is ze allergisch voor hondenhaar. Heb je daaraan gedacht?'

'Natuurlijk, maar ik heb haar gevraagd of het door de honden kwam, en zij zei van niet.'

'Goed.' Hij zat waarschijnlijk, want ik hoorde de poten van een stoel over de grond schrapen, alsof hij zich opmaakte op te staan. 'Ik ga wel even met haar praten.'

'Nee!' zei Jess scherp. 'Ze moet uit zichzelf binnenkomen.'

Peter Coleman klonk geamuseerd. 'Wat doe ik dan hier nog, als jij al besloten hebt hoe ze behandeld moet worden?'

'Dat zei ik toch, ik wil geen proces aan mijn broek.'

'Nou, ik heb niet de tijd om hier de hele middag rond te hangen,' zei hij gapend. 'Over een halfuur wil ik op de golfbaan zijn.'

'Je kunt iemand ook op een andere manier behandelen, zonder pillen, hoor. En je zou je golfmiddagje direct opgeven als een van die oude dametjes van je met je wilde praten. Anders zou je aureool verbleken.'

Tot mijn verbazing lachte Peter. 'Mijn god! Geef jij het nooit op? Jammer dat er nog geen geneesmiddel tegen wrok uitgevonden is... Anders had ik je twaalf jaar geleden al aan het infuus gelegd en je ermee volgepompt. Voor de goede orde – en voor de zoveelste keer – je had in geen vijf dagen geslapen en je hart ging als een bezeten tekeer.' Hij zweeg, alsof hij op een reactie wachtte. 'Je weet dat die slaappillen werkten, Jess. Ze brachten tijdelijk verlichting, en dat had je lichaam nodig.'

'Ze hebben een zombie van me gemaakt.'

'Ja, één week, terwijl je grootmoeder de zaak draaiende hield. Dacht je niet dat ik je zelf niet een papieren zak had gegeven als dat het enige was wat je nodig had?'

Jess gaf geen antwoord.

'En wat zou de behandeling zijn die jij zou voorschrijven voor die vrouw buiten?'

'Zachtjes aan, dan breekt het lijntje niet.'

'En mijn golf dan? Ik heb ook nog een leven buiten mijn werk, weet je.'

Maar dat interesseerde Jess niet, en er viel een stilte. Ik had denk ik meteen moeten zeggen dat ik er was, maar het zou hoe dan ook een gênante toestand worden. Ergens hoopte ik dat ze hun biezen zouden pakken als ik lang genoeg wachtte; aan de andere kant besefte ik dat hoe langer ik het uitstelde, hoe lastiger het zou zijn mijn gedrag te verklaren. Wat ging ik trouwens zeggen? Dat ik wegging? Dat ik níét wegging? En wat voor naam zou ik aan die arts opgeven? Als hij het medische dossier van Marianne Curran zou opvragen, zou ik daarin drieënzestig blijken te zijn.

Ik denk dat dat tijdje dat ik daar in die hal van Lily stond te twijfelen, me er uiteindelijk toe bracht om te blijven. Het was onmogelijk om niet te zien hoe sjofel alles was – op één plek was er een reep van een meter behang bij de zoldering losgeraakt van de kleefkussentjes waarmee het op zijn plek werd gehouden – maar op de een of andere manier trok dat me juist aan. Ik had de afgelopen twee jaar – afgezien van mijn verblijf in Irak – in een minimalistisch appartementje in een torenflat in Singapore gewoond, met weinig ruimte, crème als basiskleur, waar het meubilair niet hoger dan mijn knieën kwam. Verschrikkelijk onpraktisch – rode wijn was een nachtmerrie – en verschrikkelijk ongemakkelijk – ik kon geen stap verzetten zonder mijn schenen te stoten – maar iedereen die het zag riep hoe geweldig de binnenhuisarchitect het had gedaan.

Dit was het tegenovergestelde. Ruim, met hoge zolderingen en erg rodewijnvriendelijk. Het verschoten behang in blauw en groen, met Japanse pagodes, wilgentakken met pluimpjes en exotische, fazantachtige vogels, was een dikke vijftig jaar oud terwijl het meubilair, groot en grof, gebruiksstukken uit de victoriaanse tijd waren. Er stond een gehavende ladekast onder de ene aftakking van de trap, en een leren fauteuil waarvan het paardenhaar uit de zitting stak onder de andere en een lelijke eikenhouten tafel met een plastic plant erop in het midden. Misschien gaf het versleten Axminster-tapijtje eronder een gevoel van herkenning, want het deed me denken aan een kleed dat we in Zimbabwe hadden gehad. Mijn grootvader had het met veel bombarie geïmporteerd, en vervolgens mocht niemand er een voet op zetten.

De stem van de huisarts doorbrak de stilte. 'Komt het nou

nooit bij je op dat je het wel eens bij het verkeerde eind kunt hebben?'

'Waarover?'

'Nu bijvoorbeeld over die vrouw buiten. Jij neemt aan dat ze zich voldoende kan vermannen om naar binnen te komen... maar stel dat ze dat niet kan?' Hij zweeg zodat zij kon antwoorden, maar toen ze dat niet deed, ging hij door. 'Misschien zijn haar angsten wel echt, misschien is ze bang voor iets tastbaars. Wat weet je van haar?'

'Niets, behalve dat ze een Zuid-Afrikaans accent heeft en de truc met de papieren zak kent.'

'Aha!'

'Wat wil je daar nou mee zeggen?'

'Dat verklaart waarom jij denkt dat ze binnen gaat komen. Papieren zakken zijn voor jou wat bloedzuigers voor de kwakzalvers in de zestiende eeuw waren... het middel voor alles.'

'Ze zijn een stuk minder schadelijk dan valium.'

Peter snoof geringschattend. 'Je bent niet genezen door die papieren zakken, Jess. Je bent genezen omdat je de boerderij bent gaan runnen. Je hebt razendsnel geleerd, door mazzel en omdat je bovengemiddeld intelligent bent. Laat me het papieren zakje maar eens zien dat jou geleerd heeft hoe je een hand in een koe moet steken om haar te helpen haar kalf te baren.' Hij zweeg.

'Wat weet jij er nu van?' Ik hoorde dat een deur kwaad werd opengegooid. 'Ik ga kijken of ze nog steeds in haar auto zit.'

'Goed idee.' Daarna bleef het weer lang stil.

Ik keek naar de voordeur, verwachtte dat Jess daar binnen zou komen, maar ik hoorde haar stem weer in de keuken. 'Ze is er niet. Ze moet in het huis zijn.'

'Goed, wat doen we nu?'

Voor het eerst klonk ze onzeker. 'Misschien moeten we lawaai maken, zodat ze weet waar we zijn. Als we haar gaan zoeken, wordt ze misschien weer bang.'

'Prima,' plaagde hij. 'Wat moet ik doen? Zingen? Tapdansen? Pannendeksels tegen elkaar aan slaan?'

'Doe niet zo stom.'

Zijn stem werd zachter, alsof hij naar haar glimlachte. 'Als ze de voordeur gehaald heeft, denk ik dat je haar gerust verder binnen kunt vragen. Ondertussen zet ik water op. Laten we hopen dat ze theezakjes bij zich heeft. Als Madeleine die van Lily al heeft laten liggen, dan zijn ze nu beschimmeld. Kom op, doe wat je moet doen. Je kunt het niet weten, misschien verrast ze je wel.'

Pas later, voor de spiegel in de badkamer, besefte ik hoe verschrikkelijk ik eruitzag. Mijn T-shirt en lange dunne rok flatteerden me niet bepaald, ze plakten aan mijn knokige botten en verrieden hoe mager ik was. Onder mijn ogen zaten donkere kringen, mijn haar zag eruit alsof ik er vet in gesmeerd had en mijn gezicht was vlekkerig. Ik zou mezelf voor een depressieve krankzinnige hebben gehouden, dus was het niet zo raar dat Jess en Peter beiden bezorgd reageerden toen ze me zagen.

Ik moet er ook kwaad hebben uitgezien, omdat Jess begon met een verontschuldiging toen ze door de groene deur kwam en me naast de tafel in de hal zag staan. 'Sorry,' zei ze na een korte aarzeling. 'Ik wilde je alleen even laten weten dat we in de keuken zijn.'

'Goed.'

Ze knikte naar de mobiel die ik van de motorkap van de Mini had gepakt en nog steeds in mijn hand hield. 'Als je bereik zoekt, dat heb je hier niet, helaas. Bij mij thuis ook niet. Op zolder lukt het, maar dat is het dan wel. We zitten te laag in het dal.' Ze maakte een gebaar met haar duim over haar schouder. 'De vaste telefoon doet het, misschien heb je daar iets aan. Ik heb hem geprobeerd. Er hangt een toestel bij de koelkast.'

'Goed.'

Mijn eenlettergrepige antwoorden leken haar van haar stuk te brengen, en ze staarde naar de vloer. Ik kende haar nog niet en dacht dat ze dankbaarheid verwachtte voor wat ze gedaan had, en pas later kwam ik erachter hoezeer ze afhankelijk van anderen was om een gesprek te voeren. Peter weet dat aan haar introverte aard, maar ik heb altijd het idee gehad dat het ook iets arrogants had. Ze stond boven de gewone beleefdheden van een praatje maken, en liet de worsteling met haar stiltes aan anderen over.

We werden gered door Peter, die uit de gang achter haar opdook en met een glimlach op me afkwam. 'Hallo,' zei hij, terwijl hij mij zijn hand toestak, 'ik ben Peter Coleman. Welkom in Winterbourne Barton. Ik heb begrepen dat je geschrokken bent van de honden van Jess.'

Ik probeerde een stap achteruit te doen, maar zijn vingers hadden de mijne al opgeslokt. 'Marianne Curran,' zei ik. Mijn ogen gingen wijd open en ik voelde dat ik kippenvel kreeg van zijn greep.

Hij liet mijn hand onmiddellijk los, deed een stap opzij en gebaarde naar de doorgang. 'Ik kan het Jess maar niet aan haar verstand peuteren dat de meeste mensen het niet prettig vinden om door die grote lelijke lummels ondergekwijld te worden. Maar blaffende honden bijten niet... dat geldt ook voor hun baasje.' Zijn ogen lichtten ironisch op, hij meed de kwade blik van Jess en loodste me naar de keuken. 'Heb je een lange rit achter de rug? Als je van Londen komt, moet je bekaf zijn.'

Hij zette me op een stoel bij de tafel en ging door met zijn nietszeggende gebabbel tot ik ontspannen genoeg was om antwoord te geven, hoewel ik oppaste met wat ik zei, en het liever bij halve waarheden dan aperte leugens hield. Ik vertelde hem dat ik geboren en getogen was op een boerderij in Zimbabwe, dat ik met mijn ouders naar Londen gevlucht was toen onze buurman bij een racistische aanval vermoord was, en dat ik Barton House voor een halfjaar gehuurd had om een boek te schrijven. Ik verwachtte dat hij naar bijzonderheden zou vragen, maar Peter leek totaal niet geïnteresseerd in wat voor boek ik wilde schrijven en of ik er al eerder een geschreven had. En ook speculeerde hij niet over de oorzaak van mijn paniekaanval.

Jess nam niet aan het gesprek deel maar stond bij de deur naar de bijkeuken en kauwde op haar onderlip. Ze keek ons geen van beiden aan en ik vroeg me af of ze een zwak had voor Peter en kwaad was omdat hij aandacht aan mij besteedde. De stemming werd er niet beter op en ik wenste dat ze allebei weg zouden gaan. Ik had graag tegen Jess gezegd dat ze zich nergens zorgen over hoefde te maken – een gevoelige dokter met een opmerkzame blik interesseerde me voor geen meter – maar dat deed ik natuurlijk niet.

In plaats daarvan zocht ik naar een manier om ze weg te sturen die niet al te onbeleefd zou overkomen, toen Peter ineens waarschuwend zei: 'Haal het niet in je hoofd om te vertrekken, Jess. Jij bent de enige hier die weet hoe je de Aga aan moet krijgen.'

Ze had haar hand al op de deurkruk. 'Ik dacht dat het beter was als ik straks terugkwam.'

Peter keek naar mij. 'Ik ben degene die weg moet,' zei hij, terwijl hij opstond. 'Om halfvijf heb ik spreekuur en ik heb nog niets gegeten.' Hij pakte zijn portefeuille en haalde er een kaartje uit. 'Ik zit in een groepspraktijk die een groot gebied bestrijkt,' zei hij tegen me, terwijl hij het kaartje op tafel legde. 'Er zijn drie artsen bij aangesloten en onze algemene praktijk is hier zo'n twaalf kilometer vandaan. Jess kan je vertellen hoe je moet rijden. Maar je moet je inschrijven om er gebruik van te kunnen maken...' hij hield mijn blik even vast, 'en dat betekent dat je het nummer van je verzekering moet opgeven, of een identiteitsbewijs overleggen.'

Ik liet mijn tong zenuwachtig langs mijn lippen glijden.

'Het alternatief is me privé te bellen...' hij tikte op het kaartje, 'dit nummer. Ik woon hier vijf minuten vandaan, aan de westkant van het dorp. Als ik thuis ben, neem ik op... zo niet, dan wordt het gesprek doorgeschakeld naar de praktijk. Zeg gewoon je naam en vraag naar mij persoonlijk, dan verbindt de receptioniste je meteen door.'

Waarom verzon hij een smoesje om weg te kunnen? Nog geen twintig minuten geleden had hij het over golf gehad. Wat vermoedde hij over mij? Wat was hij van plan?

Hij wist dat ik niet Marianne Curran heette, dacht ik, maar wist hij ook dat ik Connie Burns was? Mijn redactiechef, Dan Fry, had me gezegd dat hij een foto aan de internationale pers had gegeven, maar hij had me verzekerd dat het een oude was, genomen toen ik net bij Reuters kwam werken. Korter haar, ronder gezicht, en tien jaar jonger. Ik boog het kaartje in mijn hand. 'Dank je wel.'

Peter knikte. 'Ik laat je in veilige handen achter. Jess heeft maar één minpuntje, ze gaat ervan uit dat iedereen net zo capabel is als zijzelf.' Hij draaide zich naar haar toe zodat ik zijn gezichtsuitdrukking en handen niet kon zien en ik vroeg me af wat hij haar probeerde duidelijk te maken. 'Rustig aan, hè. Je weet me te vinden als je me nodig hebt.'

Ik hoorde later dat het muntje bij Peter was gevallen toen ik Zimbabwe noemde. In de *Times* had een dag na mijn ontvoering een artikel gestaan met bijzonderheden over mijn jeugd in Afrika en de gedwongen beslissing van mijn ouders om de boerderij te verlaten. Hij had het idee dat het een te groot toeval zou zijn dat een andere schrijfster met dezelfde achtergrond, die min of meer beantwoordde aan de beschrijving van Connie Burns en die symptomen van paniekaanvallen vertoonde, in Winterbourne Barton zou opduiken. Hij bevestigde zijn vermoedens door toen hij thuis was via internet na te trekken dat mijn moeders naam Marianne was.

Bij Jess rinkelde dat belletje niet. Zij zag alleen dat Madeleine en ik op elkaar leken. Lang, met blauwe ogen, blond haar en tegen de veertig. Zelfs mijn naam – Marianne – leek op de hare. Toen ze zich meer op haar gemak voelde bij me, zei ze dat het enige dat toen in mijn voordeel had gesproken was dat ik kennelijk niet zo ijdel was als Madeleine. Zelfs onder de meest extreme omstandigheden zou Madeleine allang naar haar poederdoos hebben gegrepen, lang voor ze in het gekookte-kreeftenstadium terecht was gekomen. En ze zou zich absoluut niet aan Peter vertoond hebben als ze er niet volmaakt had uitgezien.

'Ze heeft zich direct op hem gestort toen hij in Winterbourne Barton arriveerde. Mijn moeder zei dat het gênant was. Madeleine was toen vijfentwintig en wanhopig op zoek naar een man. Ze liet Peter geen moment met rust.'

'Hoe oud was hij toen?'

'Achtentwintig. Vijftien jaar geleden.'

'En wat deed hij?'

'Hij toverde een verloofde uit de hoge hoed.' Ze glimlachte. 'Madeleine kreeg een flinke driftbui, maar Lily was het meest van streek. Ze was dol op Peter, zei dat hij haar aan hun huisarts uit haar jeugd deed denken.'

'Hoe dan?'

'Door zijn komaf. Ze vertelde dat in die tijd de huisartsen van betere komaf waren. Ik zei dat dat een behoorlijk stom criterium was – het enige wat mij interesseert is of Peter weet waar hij mee bezig is – maar Lily vertrouwde hem omdat hij een "heer" was.'

Dat was inderdaad onderdeel van zijn charme, dacht ik. Stilletjes was ik het wel eens met Lily. 'Hij wekt zeker de indruk dat hij weet waar hij mee bezig is,' zei ik voorzichtig, want ik verwachtte de wind van voren te krijgen. Door Jess' ambivalente houding tegenover Peter had ik geen idee wat ze echt van hem vond. Net zomin wist ik wat hij van haar vond. Ze liet een paar keer doorschemeren dat ze hem niet vertrouwde wat betreft de Alzheimer van Lily, en vermoedde dat Madeleine er de hand in had dat hij Lily zo aan haar lot had overgelaten.

'Dat is wel het minste, dat hij weet wat hij doet,' zei ze sarcastisch. 'Hij heeft ervoor gestudeerd.'

'Waarom doe je zo onaardig over hem?'

Ze haalde haar schouders op.

'Wat doet hij fout?'

'Niets... behalve dat hij zichzelf helemaal geweldig vindt.'

Ik glimlachte. 'Maar hij is ook heel aantrekkelijk, Jess.'

'Dat zeg jij.'

'Vind jij hem niet leuk?'

'Soms,' gaf ze toe. 'Maar in Winterbourne Barton stikt het van de vrouwen die hem onweerstaanbaar vinden. Ze zijn allemaal in de zeventig en hun liefste bezigheid is zijn ego opblazen. Als je mee wilt doen, moet je achter een hele lange rij aansluiten.'

'Is hij getrouwd?'

'Geweest.'

'Kinderen?'

'Twee... een jongen en een meisje... ze wonen in Dorchester bij hun moeder.'

'En hoe is zij?'

Jess had een manier van naar me kijken die me zenuwachtig maakte, een beetje alsof er met een scalpel in mijn hersens werd gesneden. 'Jankerig, plakkerig en klef,' zei ze, alsof het ook een goede beschrijving van mij was. 'Hij was heus wel bij haar gebleven als ze hem wat harder had aangepakt, of was gaan werken. Zij was de verloofde die hij tevoorschijn had getoverd om van

Madeleine af te komen... en ze heeft hem helemaal uitgekleed toen ze erachter kwam dat hij stiekem een stelletje verpleegsters neukte.'

'Je bedoelt een triootje?' vroeg ik verbaasd.

Voor het eerst zag ik Jess lachen. 'God, dat zou pas grappig zijn geweest. Nee, het is toch een heer! Een tegelijk, hoor, en hij stuurde ze bloemen als hij zelf niet kon komen... en nu vinden ze alle drie dat ze misbruikt zijn. Ik heb een beetje medelijden met zijn vrouw – hoewel het haar eigen schuld is – maar die verpleegsters hadden natuurlijk geen poot om op te staan. Ze wisten dat ze hem met een ander deelden, waarom zou je je dan druk maken omdat er nog iemand in het spel was?'

Ik dacht nogal schuldig aan de getrouwde mannen met wie ik naar bed was geweest. Vooral Dan. *Wat was dat voor relatie?* 'Een echtgenote als rivale is makkelijker. Dan weet je waar je aan toe bent. Een tweede minnares geeft je het gevoel dat je net zo saai bent als de vrouw die je eruit probeert te werken.'

Pas een paar minuten nadat we Peters auto weg hoorden rijden, zeiden Jess en ik iets. Ik kon niets verzinnen om te zeggen, behalve 'ga weg', maar zij staarde naar de vloer alsof ze inspiratie in de plavuizen zocht. Toen ze eindelijk haar mond opendeed, was dat om uiting te geven aan haar afkeuring van Peter. 'Ik weet niet waarom hij je zijn kaartje gaf. Als je zijn privénummer belt, moet je zelf betalen. Ik zal je zeggen hoe je de praktijk kunt bereiken, daar kun je gratis hulp krijgen.'

'Misschien heb ik daar geen recht op.'

Ze fronste haar wenkbrauwen. 'Je zei toch dat je ouders en jij hier asiel hebben gekregen?'

Ik stak mijn hand uit naar mijn autosleuteltjes, die aan de andere kant van de tafel lagen, zodat ik haar niet hoefde aan te kijken. 'Jawel, maar ik heb nog steeds een paspoort van Zimbabwe, dus ik weet niet wat mijn status precies is. Ik denk dat dokter Coleman me alleen maar wilde helpen.' Door de jaren heen heb ik een neutraal accent ontwikkeld, waardoor je niet meteen hoort waar ik vandaan kom, maar als ik onder druk sta, neemt de Zuid-Afrikaanse tongval de overhand. Ik hoorde dat het 'Zim' van

Zimbabwe als 'Zeem', klonk en de 'C' van Coleman als een harde 'G'.

Jess ging er meteen op door. 'Maak je je dan druk om mij? Wil je dat ik wegga?'

'Ik red me echt wel alleen.'

Ze haalde haar schouders op. 'Ben je van plan te blijven?'

Ik knikte.

'Dan kun je me beter eerst de Aga laten aansteken, want zonder die Aga kun je niet koken.' Ze maakte een gebaar met haar kin naar de deur naar de gang. 'Kijk jij maar even rond terwijl ik hem aansteek... kijk maar of er nog iets is waarmee ik je moet helpen. Dit is je laatste kans. Ik ben er nog minder op gebrand hier te zijn, dan jij om me hier te hebben.'

Als ik erop terugkijk, lijkt het vreemd dat we geen van beiden deze opmerkingen persoonlijk opvatten. Het waren gewoon feiten die we weergaven: we waren liever op ons zelf. Voor mij was dat niet altijd zo geweest, maar bij Jess was het aangeboren. 'Ik heb het van mijn vader. Die sprak soms dagenlang niet. Hij zei altijd dat we in de verkeerde eeuw geboren zijn. Als we van vóór de industriële revolutie waren, zouden onze talenten geteld hebben, en onze zwijgzaamheid had men dan voor wijsheid gehouden.'

Haar moeder had geprobeerd haar te leren wat opener te zijn. 'Toen zij nog leefde, kon ze me altijd aan het lachen maken – mijn broer en zusje konden dat ook – maar na hun dood ben ik weer geworden zoals ik was... of ik ben vergeten hoe ik moet lachen. Ik weet niet hoe het zit. Lachen is iets wat je moet leren. Hoe meer je lacht, hoe makkelijker het wordt.'

'Ik dacht dat glimlachen een automatische reactie was.'

'Kan niet,' zei Jess kortaf. 'Dan zou Madeleine niet kunnen glimlachen. Haar glimlach is net zo echt als die van een krokodil... en ze laat nog meer tanden zien.'

Het duurde een tijdje voor dit allemaal inzichtelijk werd. Op dat moment was ik alleen nog maar ontdekkingsreiziger. Ik weet nog dat ik voor een foto op posterformaat stond die aan de muur aan het eind van de overloop boven hing. Onder de foto stond 'Madeleine'. Die naam zei me iets omdat Jess me had gevraagd of zij en ik familie van elkaar waren, maar ik wist nog steeds niet wie ze was. Het was een zwart-witopname van een jonge vrouw die tegen de wind in leunde, met een woeste zee achter haar, en als die naam er niet onder had gestaan had ik gedacht dat het een affiche van Athena was. Het was een opvallende foto, zowel vanwege het uiterlijk van de vrouw als door de belichting.

Madeleine was verbluffend mooi. Ze droeg een lange jas en een broek, en had een zwarte clochehoed op. Haar gezicht was naar de camera gewend en al haar gelaatstrekken kwamen buitengewoon goed uit. Haar perfecte tanden toonden zich in het soort driehoekig glimlachje waar Amerikaanse schoonheidskoninginnen uren op oefenen, maar op mij kwam deze glimlach als echt over, hij strekte zich uit tot de ogen, die schitterden van ondeugendheid. Ik begreep nu waarom Jess haar niet mocht – het was een ongelijke strijd tussen de Venus van Madeleine en de Mars van Jess – maar het was een raadsel waarom Peter Coleman haar afgewezen had.

Op dat moment had ik er geen idee van dat Madeleine Barton House klaar had gemaakt voor de verhuur, maar ik weet nog wel dat ik toen dacht dat degene van wie het huis was, een bijzonder lage dunk had van huurders. Het had zo indrukwekkend kunnen zijn – en je had er tien keer zoveel voor kunnen vragen als ik betaalde – maar in plaats daarvan was het huis verschrikkelijk smakeloos ingericht. In iedere kamer zag je dat goedkoper, kleiner meubilair de plek in had genomen van iets groters en beters. Naast akelige, smalle kleerkasten waren op de muur nog de contouren van hun grotere broers te zien. En in het tapijt zag je nog waar de grote bedden en zware toilettafels hadden gestaan, voor hun wankele vervangers er waren neergezet.

Voor iedereen die maar over een grammetje creativiteit beschikte, schreeuwde het huis om een make-over. Als ik het voor het zeggen had gehad, had ik het teruggebracht naar zijn oorspronkelijke achttiende-eeuwse staat. Ik had het twintigste-eeuwse behang van de muren getrokken, de protserige gordijnen weggehaald om de houten blinden weer te tonen en te gebruiken. Eenvoud paste bij het huis, terwijl frutsels, franje en goedkope meubeltjes het eruit deden zien als een hoer op leeftijd, die haar

rimpels met een dikke laag make-up bedekt. Later kwam ik erachter dat het huis in die toestand verkeerde omdat Madeleine
niet wilde dat Lily's notaris de erfenis aan verbeteringen verspilde, maar op dat moment vroeg ik me af wat voor soort iemand de
eigenaar eigenlijk was. Mij leek het zonneklaar dat elke cent die
je nu uitgaf, zichzelf via een hogere huur dubbel zou terugbetalen.

Het vreemdste vond ik de schetsen en olieverfschilderijen die in
iedere kamer hingen. Het was een mengelmoesje van stijlen – ab-
stract, realistisch, excentrieke weergaven van gebouwen met wortels die ze aan de grond vastzetten en gebladerte dat uit de ramen
groeide – maar ze waren allemaal van dezelfde signatuur voorzien, Nathaniel Harrison. Sommige waren originelen en sommige
– de schetsen – waren afdrukken, maar ik begreep niet waarom
iemand zo veel van één enkele schilder zou kopen, om het vervolgens in een te verhuren huis op te hangen.

Toen ik Jess ernaar vroeg, vertrok haar mond cynisch. 'Ik denk
dat ze er alleen maar hangen om de vochtplekken te camoufle-
ren.'

'Maar wie is Nathaniel Harrison? Waarom heeft Lily zo veel
werk van hem gekocht?'

'Ze heeft helemaal geen werk van hem gekocht. Madeleine
heeft ze waarschijnlijk opgehangen, nadat ze haar moeders schilderijen heeft weggehaald. Dat zal goedkoper zijn geweest dan het
huis opnieuw te laten behangen.'

'Maar hoe is Madeleine eraan gekomen?'

'Zoals ze overal aan komt,' zei ze sarcastisch. 'Via seks.'

Fragmenten uit aantekeningen, opgeslagen als 'CB15 – 18/05/04'

... Ik kan geen specifieke gebeurtenissen meer van elkaar onderscheiden. Ik weet niet of dat verdringing is, of dat ik zo gedesoriënteerd was dat mijn geheugen niet meer goed functioneerde. Alles is samengevloeid tot tijd binnen de kooi en tijd buiten de kooi. Ik heb de kooi aan Dan en de politie beschreven, en ik heb gezegd dat die in een kelder was, maar verder...

... De politie dacht dat ik eromheen draaide, toen ik zei dat ik ze niet meer kon vertellen. Maar het was de waarheid. Toen Dan me vroeg wat er gebeurd was, kon ik het hem ook niet vertellen. Het zou ook niet geholpen hebben. De politie zal heus niet iemand arresteren enkel op basis van een lichaamsgeur. Hoe kun je daar iemand mee identificeren...

... De schilder Paul Gauguin heeft ooit gezegd: 'Omdat het leven is zoals het is, droom je van wraak.' Ik droom van wraak. Voortdurend.

7

DE ENIGE INFORMATIE DIE JESS ME OVER DE AGA GAF WAS DAT DE olietank buiten stond en dat hij altijd voor minstens een kwart gevuld moest zijn. Ze nam me mee naar de achterdeur en wees naar een houten schuurtje dat tegen de garage aan was gebouwd. 'Daar staat hij en je kunt in het peilglas zien hoeveel er nog in zit. Er zit ook een ventiel waarmee je de toevoer van de olie regelt, maar dat heb ik opengedraaid en je kunt er het best afblijven. Als er te weinig olie in de tank zit, kun je in de problemen komen. Het telefoonnummer van de olieboer staat op de zijkant van de tank, maar ze hebben het altijd druk en soms duurt het een paar dagen voor ze komen. Je kunt beter te vroeg dan te laat bij laten vullen.'

'Hoe vol is hij nu?'

'Helemaal vol. Je hebt er drie of vier maanden genoeg aan.'

'Moet ik het ventiel dichtdraaien als ik de Aga uit wil doen?'

'Dan moet je koud baden,' zei ze. 'Er is hier geen boiler. 's Zomers is het niet te harden in de keuken, maar je hebt alleen met de Aga aan heet water. Het huis is behoorlijk ouderwets. Er is geen centrale verwarming, geen boiler, en als je het 's avonds koud krijgt, moet je de haard aansteken.' Ze wees op de houtopslag links van het schuurtje. 'Het nummer van de brandhoutleverancier staat op de tank onder dat van de olieman.'

Ik geloof dat Jess teleurgesteld was dat ik dit allemaal zo rustig opnam, maar het was niet veel anders dan in mijn kindertijd in Zimbabwe. Wij stookten op hout, niet op olie, maar wij hadden ook geen centrale verwarming en warm water was er amper, tot overdag de zon het water in de tank op het dak had verwarmd.

Onze kokkin, Gamada, had heerlijke maaltijden bereid op het houtgestookte fornuis en ik had van haar leren koken en me nooit op mijn gemak gevoeld met elektrische ovens met meer knoppen erop dan op het controlepaneel van een Concorde.

Dat er maar één telefoonaansluiting in het huis was, in de keuken, nam ik een stuk minder rustig op. 'Dat kan toch niet,' zei ik toen Jess me op het wandtoestel naast de koelkast wees. 'Er moeten toch meer telefoons zijn? Wat moet ik doen als ik aan de andere kant van het huis ben en iemand wil bellen?'

'Het is een draadloos toestel. Neem hem met je mee.'

'Loopt de batterij dan niet leeg?'

'Niet als je hem 's avonds weer op de houder zet. Dan kan hij 's nachts opladen.'

'Ik kan niet slapen zonder telefoon naast mijn bed.'

Ze haalde haar schouders op. 'Dan moet je een verlengsnoer kopen,' zei ze tegen me. 'Je kunt ze in Dorchester krijgen, maar je hebt er een paar nodig als je de telefoon boven wilt gebruiken. Ik geloof dat dertig meter het langste is dat ze hebben, maar ik denk dat je ruwweg honderd meter nodig hebt om de grote slaapkamer te bereiken. Je moet ze achter elkaar aansluiten... dus heb je adapters nodig... en natuurlijk nog een handset.'

'Is er een breedbandverbinding?' Mijn mond werd droog. Hoe moest ik in godsnaam werken? 'Kan ik wel op internet en tegelijkertijd bellen?'

'Nee.'

'Maar wat moet ik dan? Normaal gebruik ik én mijn mobiel én een vaste lijn.'

'Dan had je een moderner ingericht huis moeten huren. Heeft de makelaar je niets verteld over de staat van dit huis? Heeft hij geen bijzonderheden gegeven?'

'Wel wat, maar ik heb ze niet gelezen.'

Ik moet absoluut onbeholpen hebben geklonken en er net zo hebben uitgezien want ze zei scherp: 'Jezus, waarom komen mensen als jij naar Dorset? Je bent bang voor honden, je kunt niet zonder telefoon...' Ze zweeg plotseling. 'Zo erg is het nu ook weer niet. Ik neem aan dat je een laptop hebt, want ik heb geen computer in je auto gezien?' Ik knikte. 'Wat voor mobiel heb je?

Heb je een internetcontract bij je provider?'

'Ja,' zei ik. 'Maar zonder bereik werkt dat toch niet.'

'Hoe maak je verbinding? Via de kabel of via Bluetooth?'

'Bluetooth.'

'Mooi. Dan heb je tien meter speelruimte tussen de twee apparaten. Je moet alleen je mobiel hoog genoeg neerzetten...' Ze zweeg plotseling toen ze mijn sceptische blik zag. 'Laat maar zitten. Ik zal het wel doen. Geef me die telefoon maar en breng je laptop naar boven.'

Ze wilde het volgende halfuur niets zeggen omdat ik niet had staan juichen bij het idee om iedere keer als ik een e-mail wilde versturen op de vliering rond te moeten scharrelen. Ik ging op mijn hurken op de overloop naast de ladder naar de vliering zitten, met mijn laptop naast me, en luisterde hoe ze op zolder rondstampte voor ze weer naar beneden klom en hetzelfde deed in de slaapkamers. Na een poosje begon ze met meubels te schuiven, met veel nijdig gebons en geschraap over de vloeren. Ze klonk als een mokkende tiener en ik zou haar gevraagd hebben weg te gaan als ik niet zo wanhopig graag een internetverbinding wilde hebben.

Eindelijk kwam ze uit een slaapkamer aan het einde van de overloop. 'Goed, ik heb bereik. Wil je proberen of je verbinding krijgt?'

Het was een wonderlijk bouwsel – een trappiramide opgebouwd uit een toilettafel, een ladekast en een paar stoelen – maar het werkte. Ik moest vlak onder het plafond zitten om verbinding te maken, maar toen die er was, kon ik gewoon op de laptop werken.

'Op de vliering heb je beter bereik,' zei Jess, 'maar dan moet je daar steeds naartoe klauteren als de batterij leeg is of als je uit wilt loggen. Ik dacht dat je dat wel niet zou willen... en je zou waarschijnlijk verdwalen daarboven. Het is niet erg duidelijk boven welke kamer je zit.'

'Hoe kan ik je bedanken?' vroeg ik welgemeend. 'Wil je misschien een glaasje wijn? Of een pilsje? Ik heb wijn en bier in de auto.'

Ze toonde direct haar afkeuring. 'Ik drink niet.' En dat zou jij ook niet moeten doen, stond er op haar gezicht te lezen. Ze keek nog afkeurender toen ik beneden een sigaret opstak. 'Dat is wel het ergste wat je kunt doen. Als je bronchitis krijgt bovenop een paniekaanval, dan kun je helemaal geen lucht meer krijgen.'

Vertraagde ontwikkeling en puntmutspuritanisme zijn een dodelijke combinatie, dacht ik en ik vroeg me af of ze mij zag als een verdorven Edwina uit *Absolutely Fabulous* en zichzelf als Saffy, die strenge dochter. Ik had zin er een grapje over te maken, maar vermoedde dat de tv ook iets afkeurenswaardigs was. Ik had niet de indruk dat er in het leven van Jess ruimte voor lol was, of als die er wel was, zou het niet het soort lol zijn dat een ander als zodanig zou herkennen.

Voor ze wegging, vroeg ik waar ik haar bereiken kon. 'Waarom wil je me bereiken?' vroeg ze.

Voor hulp... 'Om je te bedanken.'

'Dat hoeft niet. Ik weet wel dat je me dankbaar bent.'

Ik besloot eerlijk te zijn. 'Ik weet niet wie ik moet bellen als er iets misgaat,' zei ik met een voorzichtig lachje. 'Ik denk niet dat de makelaar de Aga aan had gekregen.'

Ze glimlachte nogal onwillig terug. 'Ik sta in het telefoonboek. Onder J. Derbyshire, Barton Farm. Ik neem aan dat je hulp nodig hebt met die verlengsnoeren voor je telefoon?'

Ik knikte.

'Dan ben ik hier om halfnegen.'

Dat was de volgende dagen het patroon. Jess bood steeds met enige tegenzin aan me met iets te helpen, kwam het de volgende ochtend doen, zei bijzonder weinig en ging weer weg en dan kwam ze 's avonds weer langs om op iets nieuws te wijzen wat ze voor me kon doen. Af en toe zei ik dat ik het zelf wel kon, maar zo'n hint begreep ze niet. Peter zei dat ik haar nieuwe huisdier was – geen slechte omschrijving, want ze bracht me regelmatig eten van haar boerderij – maar het feit dat ze voortdurend inbreuk op mijn leven maakte en haar bazigheid begonnen me te ergeren.

Niet dat ik haar goed leerde kennen. We voerden niet het soort gesprekken dat twee vrouwen van in de dertig normaal met elkaar voeren. Zij gebruikte zwijgen als een wapen – of omdat ze heel goed begreep wat dat zwijgen teweegbracht bij iemand, of juist omdat ze daar absoluut geen weet van had. Op die manier kon ze ieder gezelschap de wet voorschrijven – en met gezelschap bedoel ik haar en mij, want ik zag haar nooit in een grotere groep, behalve die enkele keer dat Peter langskwam – omdat je ofwel meedeed met haar zwijgen, of losbarstte in een nietszeggende monoloog. En geen van beide maakte de sfeer er prettiger op.

Het was moeilijk vast te stellen in hoeverre dit gedrag opzettelijk was. Soms dacht ik dat ze bijzonder manipulatief was; maar dan weer zag ik haar als een slachtoffer, door omstandigheden geïsoleerd en vervreemd. Peter, die haar het beste kende van iedereen, vergeleek haar met een verwilderde kat – onafhankelijk en onvoorspelbaar, met scherpe klauwen. Het was een aparte vergelijking, maar wel toepasselijk, aangezien het doel van Winterbourne Barton leek haar te 'temmen'. Non-conformisten mogen dan broodnodig zijn voor de media, en geliefd bij de opiniemakers, maar in een kleine dorpsgemeenschap worden ze eruit gepikt om kritiek op uit te oefenen.

In de loop der tijd heb ik allerlei omschrijvingen van Jess gehoord, van 'dierenrechtenactiviste' tot 'agressieve lesbo' – en zelfs 'met een chromosoom te veel' vanwege haar platte gezicht en ver uiteenstaande ogen. Dat ze aan het syndroom van Down zou lijden was duidelijk onzin, maar ik was minder zeker wat de dierenrechten en haar seksuele geaardheid betrof. Ze was op haar best als ik haar iets over de vogels en de in het wild levende dieren in het dal vroeg. Ze kon op grond van mijn beschrijvingen direct zeggen welk dier het was en ze werd zelfs lyrisch als ze over zijn leefgebied of gedrag vertelde. Ook heb ik me wel eens afgevraagd of haar bezoekjes twee keer per week een vorm van hofmakerij waren. Ik wilde niet dat ze haar tijd verspilde en liet dus overduidelijk merken dat ik heteroseksueel was, maar daar trok ze zich net zo weinig van aan als van de hints om me met rust te laten.

Na een paar weken was ik bijna zover dat ik de deuren wilde afsluiten, de Mini in de garage verstoppen en net doen of ik weg was. Ik was er inmiddels achter dat ze mij had uitverkoren voor een speciale behandeling, want ze ging bij niemand anders langs, zelfs niet bij Peter, en ik begon me af te vragen of Lily haar net zo benauwend had gevonden als ik. Een paar mensen opperden dat Jess gehecht was aan Barton House, maar zo zag ik dat zelf niet. Ik vond Peters verklaring, dat ze me als een gewond vogeltje zag, aannemelijker. Op haar wonderlijk afstandelijke manier leek ze in de gaten te houden of ik geen tekenen van een nieuwe paniek-aanval vertoonde.

Vreemd genoeg kwamen die aanvallen niet. Althans niet in het begin. Op de een of andere manier sliep ik beter in mijn eentje in dat oude huis met zijn holle geluiden dan in de flat van mijn ouders. Dat was gek. Ik had van iedere schaduw moeten schrikken. 's Nachts tikte de blauweregen tegen het raam en in het maanlicht tekenden de scheuten zich als vingers af tegen de gordijnen. De vele openslaande deuren beneden waren als ik lag te slapen een open uitnodiging om in te breken.

Met dat risico ging ik als volgt om: ik liet alle binnendeuren openstaan en naast mijn bed lag een krachtige zaklamp. Het mooie aan Barton House was dat iedere slaapkamer een kleedka-mer had met een aparte deur naar de overloop, wat betekende dat ik, als er een ongenode gast door de gang aan kwam, een tweede uitgang had. Ook had het huis twee trappen, een voorin en een achterin, die naar de bijkeuken voerde. Hierdoor vertrouwde ik erop dat ik iedere inbreker te slim af kon zijn. Ik bespoot alle bui-tensloten op de benedenverdieping met Jess' grafiet, en be-schouwde deuren en ramen eerder als een ontsnappingsroute dan als een ingang.

Maar wat echt een helende werking op me had, was Winter-bourne Valley zelf. Het contrast tussen de herrie en chaos van Bagdad en deze vredige velden met rijpend graan en geel kool-zaad kon niet groter zijn. Maar heel af en toe reed er een auto langs, en mensen zag je nog minder. Vanuit de ramen boven kon ik aan de ene kant helemaal tot het dorp kijken, en aan de andere kant tot de Ridgeway – een heuvelrug voor de kust van Dorset. Dit gaf me een veilig gevoel, want ook al kon een indringer zich verschuilen in de heggen en het duister, voor mij was het ook een schuilplaats.

Jess was uitgesproken conservatief. Ze had een afkeer van sociale verandering, en daarnaast bewerkte ze haar land grotendeels op dezelfde manier als haar voorvaderen dat hadden gedaan. Ze volgde een strikt schema van wisselbouw, gebruikte weinig pesticiden, verbouwde zeldzame soorten en beschermde de in het wild levende dieren op haar terrein. Toen ik haar een keer vroeg wat haar lievelingsboek was, zei ze dat het *De geheime tuin* van Frances Hodgson Burnett was. Het was een vreemd staaltje van ironie – ze wist dat ik haar meteen zou vergelijken met het nukkige, door niemand geliefde weesje uit het verhaal – maar het landschap van de verborgen wildernis was zeker een plek waar zij zou willen wonen.

In tegenstelling tot Jess hield Madeleine van een omgeving met veel mensen. Ze was op haar best in gezelschap, waar ze door haar vlotte babbel en manier van doen een graag geziene gast was. Peter beschreef haar als het typische product van een dure meisjeskostschool, welgemanierd, welbespraakt en niet overmatig belast met hersens.

Ik vond haar buitengewoon aantrekkelijk, de eerste keer dat ik haar zag. Ze had het lieve gezicht en het beschaafde Engelse accent van de elegante Britse filmsterren uit de jaren veertig en vijftig, zoals Greer Garson in *Mrs. Miniver* of Virginia McKenna in *Carve Her Name with Pride*. Ik zag haar de tweede zondag dat ik het huis huurde. Peter had me uitgenodigd om een paar van mijn nieuwe buren te ontmoeten bij een borrel in zijn tuin. Het was heel ongedwongen, ongeveer twintig mensen, en Madeleine kwam laat. Ik geloof dat ze niet uitgenodigd was, want Peter had van tevoren niet tegen mij gezegd dat ze kwam.

Ondanks de foto op de overloop van Barton House had ik geen idee wie ze was tot we aan elkaar voorgesteld werden. Ik nam zelfs aan dat ze Peters vriendin was, omdat ze zodra ze arriveerde haar arm door de zijne stak en zich door hem door de tuin liet meevoeren. Zijn gasten waren oprecht verheugd haar te zien. Er werd heel wat afgekust en omhelsd, er werd 'Hoe gaat het met jóú?' geroepen en ik was enigszins verbaasd te horen dat dit de dochter van Lily was.

'Je huisbaas,' zei Peter knipogend. 'Als je klachten hebt, dan kun je die nu indienen.'

Tot dat moment ging het redelijk goed met me – alleen flikkerde af en toe de angst even op als ik een mannenstem achter me hoorde – maar toen ik Madeleines hand schudde, sloeg mijn hart over. Als ik Jess mocht geloven was het een ongevoelig kreng dat haar moeder straatarm had gemaakt en haar vervolgens verwaarloosd had. Ik was persoonlijk van mening dat Jess' oordeel gekleurd werd door een onverklaarbare haat, maar ik had mijn twijfels, en Madeleine zag dat aan mijn gezicht.

Ze reageerde onmiddellijk schuldbewust. 'O help! Is het huis verschrikkelijk? Zit je er niet prettig?'

Wat kon ik anders doen dan haar geruststellen? 'Nee,' zei ik meteen. 'Het is mooi… precies wat ik zocht.'

De glimlach die haar gezicht verzachtte had niets kunstmatigs. Ze haalde haar hand van Peters elleboog af en haakte bij mij in. 'Ja, het ís mooi, hè? Ik vond het heerlijk daar op te groeien. Peter heeft me gezegd dat je een boek schrijft. Waar gaat het over? Is het een roman?'

'Nee,' zei ik voorzichtig. 'Non-fictie… over psychologie… Niet erg spannend helaas.'

'O, vast wel. Mijn moeder zou het fantastisch vinden. Ze was gek op lezen.'

Ik deed mijn mond open om haar enthousiasme te temperen, maar ze had het al over iets anders. Ik weet niet meer waarover, iets met Daphne du Maurier, geloof ik – *'een oude vriendin van mammie'* – die ze bij nieuwe kennissen als een goede vriendin van de familie presenteerde. Dit leek me enigszins onwaarschijnlijk, omdat er een aanzienlijk leeftijdsverschil was tussen de schrijfster en Lily, en omdat Du Maurier al vijftien jaar dood was, maar Madeleine stapte over dat soort details heen. In de wereld waarin zij leefde kwam een vluchtige ontmoeting met iemand op een feestje neer op vriendschap.

Ze strooide graag met bekende namen, net zo graag als haar moeder dat naar verluidt had gedaan. Ik kwam hier achter toen ik een opmerking over de schilderijen in Barton House maakte en hoorde dat Nathaniel Harrison haar echtgenoot was. Dat klopte met de opmerking van Jess dat Madeleine aan de collectie was gekomen door met de man van wie ze waren te slapen – al was 'is getrouwd met de schilder' duidelijker geweest – maar het leidde duidelijk tot een verkoeling wat Madeleine betrof.

Ze had het over Nathaniel alsof hij tussen de groten der aarden verkeerde, en om die indruk kracht bij te zetten haalde ze David Hockney aan, deed het voorkomen alsof hij een goede kennis en een groot bewonderaar van het werk van haar man was. Als je haar mocht geloven, bracht Hockney regelmatig een bezoek aan het atelier van Nathaniel en zong zijn lof, tegenover zowel kunstcritici als kunsthandelaren. Ik was oprecht geïnteresseerd, niet alleen wilde ik weten hoe ze Hockney kenden, maar ook waarom hij een schilder steunde wiens stijl en benadering van het werk zo verschilden van die van hemzelf.

'Ik wist niet dat hij zo vaak in Engeland was,' zei ik. 'Ik dacht dat hij tegenwoordig in Amerika woonde.'

Madeleine glimlachte. 'Hij komt zo vaak mogelijk over.'

'En hoe hebben jullie hem leren kennen?'

'Het schilderswereldje is maar klein,' zei ze nogal koeltjes, terwijl ze om zich heen keek op zoek naar een andere gesprekspartner. 'Nathaniel wordt voor alle exposities uitgenodigd.'

Daar had ik het bij moeten laten. Maar in plaats daarvan vroeg ik welke andere schilders zij en haar man kenden. Lucian Freud? Damien Hirst? Tracey Emin? En waar stond haar man in de Brit-art-*scene*? Had Saatchi werk van hem gekocht? Ze bleef glimlachen, maar haar glimlach bereikte haar ogen niet meer, en ik wist dat ik een of andere ongeschreven regel van de etiquette had overschreden. Ik had de niet-aanwezige Nathaniel moeten bewonderen, niet laten merken dat ik wat van schilders af wist, of dat ik mijn vraagtekens had bij Nathaniels nauwe band met hen.

Het was nogal kinderachtig, maar het amuseerde me te zien hoe ze me ontliep tot Peter ons weer bij elkaar bracht. 'Heeft Marianne je al verteld dat Jess Derbyshire haar zo geholpen heeft bij het installeren?' vroeg hij, terwijl hij haar met een hand onder in haar rug naar me toe duwde. 'Jess heeft een soort takel gebouwd, zodat Marianne via haar mobiel toegang tot internet heeft.'

Ik bekeek Madeleines gezicht nauwlettend nu Jess' naam viel. 'Het is nogal krakkemikkig,' zei ik. 'We merkten dat we bereik hadden bij het plafond in de slaapkamer aan de achterkant, dus kan ik daaronder op mijn laptop werken. Maar het is niet ideaal, en ik vraag me af of je er bezwaar tegen hebt als ik breedband laat aanleggen. Ik kan het via de telefooncentrale in Barton Regis aanvragen en het zou het leven een stuk gemakkelijker maken. Ik heb het aan de makelaar gevraagd, en hij ziet geen probleem, zolang ik ervoor betaal. En ik laat het ADSL-modem met plezier achter als ik weer wegga.'

Peter legde plagend een hand op mijn schouder. 'Voor Madeleine is dat allemaal abracadabra. Die werkt nog met perkament en een ganzenveer. Het is een klein doosje,' legde hij aan haar uit, 'dat ervoor zorgt dat je de telefoon tegelijk met de computer kunt gebruiken. Als Marianne het wil betalen, dan raad ik je aan haar onmiddellijk groen licht te geven.' Hij lachte. 'Dat oude krot van je wordt daardoor een stuk aantrekkelijker voor de volgende huurder, en het kost jou geen cent.'

Madeleines glimlach zou een mammoet nog hebben doen bevriezen, maar hij was niet voor Peter bestemd. Hij was voor mij. En ik had een sterk vermoeden dat het de hand op mijn schouder was die haar dwarszat, niet zijn opmerking.

Het verbaasde me daarom dat ze de volgende ochtend, een en al glimlach, naar Barton House kwam. 'Ik bedacht gisteravond dat ik helemaal niet heb geantwoord op je breedband-vraag,' zei ze opgewekt toen ik de voordeur opendeed. 'Hemeltje, werkt die sleutel nu goed? Mammie gebruikte alleen de grendels omdat het slot zo stroef ging.' Ze stapte langs me heen de hal in. 'Ik had een mannetje laten komen om het te smeren, maar hij zei dat het gauw weer mis zou zijn.'

Ik deed de deur achter haar dicht. 'Jess heeft me grafiet gegeven. Ik spuit er iedere dag wat in, en dat schijnt te werken.' Ik gebaarde naar de zitkamer. 'Zullen we hier gaan zitten? Of zit je liever in de keuken?'

'Mij maakt het niet uit,' zei ze terwijl ze om zich heen keek om te zien of ik veranderingen had aangebracht. Ik zag haar ogen even afdwalen naar het stuk behang dat losgelaten had en dat nu, dankzij Jess, weer stevig op zijn plek zat geplakt. 'Mammie stond er altijd op gasten in de zitkamer te ontvangen. Ze vond het ordi om van haar vrienden te vragen tegen de vuile vaat en de aardappelschillen aan te kijken. Heb je de Aga aangekregen?'

'Jess heeft hem aangemaakt.'

Madeleines mond vertrok onmiddellijk. 'Daar zal ze wel een hele toestand over gemaakt hebben.'

'Nee.' Ik deed de deur naar de zitkamer open. 'Zullen we hier gaan zitten?'

Ondanks zijn afmetingen en het feit dat de zon er binnenscheen, was de kamer te somber om als 'huiskamer' te fungeren, en ik was er sinds mijn eerste dag niet meer geweest. Jess had me gezegd dat hij vroeger vol antieke meubels stond, tot Madeleine die vervangen had door rommel uit een tweedehandswinkel.

Het tapijt, een versleten zachtroze pluche, vertoonde op verschillende plekken sporen van hondenongelukjes uit de tijd dat Lily zelf mastiffs had. Volgens Jess liet ze ze niet genoeg uit en bedekte ze de plekken met Perzische tapijtjes. Die waren nu ergens opgeslagen en zouden daar wel liggen te schimmelen, als je voor de staat waarin ze verkeerden toen ze werden weggehaald af mocht gaan op de muffe, vochtige lucht die in de kamer hing. De muren waren er nog erger aan toe. Er was in jaren niets aan gedaan en het pleisterwerk bladderde boven de plinten en onder de sierlijst langs het plafond. Plekken in een afwijkende kleur verrieden waar de schilderijen van Lily hadden gehangen.

In een poging de toestand te verhullen had Madeleine twee originele schilderijen van haar echtgenoot opgehangen, en drie reproducties van Jack Vettriano – *The Singing Butler*, *The Billy Boys* en *Dance Me to the End of Love* – maar het enige wat je ervan kon zien was het zonlicht dat in het glas weerspiegelde. Ik begreep niet waarom ze die opgehangen had, want de film-noirstijl van Vettriano paste totaal niet bij de schilderijen van Nathaniel met zijn voorstellingen van huizen vol wortels en gebladerte. Ik nam aan dat ze ze voor een spotprijsje op de kop had kunnen tikken. Overigens was het een onderwerp dat ik niet bij haar wilde aansnijden, we hadden overduidelijk een verschillende smaak.

'Wat vind je van Vettriano?' vroeg ze terwijl ze op de skaileren bank ging zitten en haar rok uitspreidde. 'Hij is razend populair. Jack Nicholson heeft drie schilderijen van hem.'

'Ik hou meer van Hockney en Freud.'

'Ja, uiteraard. Wie niet.'

Ik toverde mijn vriendelijkste lachje tevoorschijn. 'Zal ik een kopje koffie voor je zetten?'

'Nee, dank je. Ik heb net koffie bij Peter gedronken. Hij heeft een espressoapparaat. Heb je zijn koffie al geproefd?'

Ik schudde mijn hoofd terwijl ik op een stoel naast haar ging zitten. 'Gisteren was ik er voor het eerst. Hij wilde me aan een paar buren voorstellen.'

Ze leunde naar voren. 'Wat vond je van ze?'

'Ik vond ze heel aardig,' antwoordde ik. Toevallig vond ik dat echt, maar dat kon Madeleine niet weten. Onder de omstandigheden kon ik weinig anders zeggen zonder onbeleefd te zijn.

Ze keek tevreden. 'Dat is een opluchting. Ik zou het verschrikkelijk vinden als Jess je tegen hen had opgezet.' Ze zweeg even en ratelde toen door. 'Zeg, ik hoop niet dat je dit verkeerd opvat – ik weet wel dat het me niets aangaat – maar je zult het hier prettiger hebben als je je vrienden in het dorp zoekt. Jess kan heel wonderlijk doen als ze iemand aardig vindt. Daar kan ze niets aan doen... het komt natuurlijk doordat ze haar familie heeft verloren... maar ze klit aan mensen en snapt niet hoe irritant dat is.'

Het lag op het puntje van mijn tong om te zeggen dat ik dat al gemerkt had, maar dat zou verraad zijn. Ik moest de problemen die ik met Jess had met haarzelf oplossen, en geen extra roddel over haar verspreiden door tegemoet te komen aan Madeleines nieuwsgierigheid. 'Ze heeft me toen ik hier net zat met een paar dingen geholpen,' zei ik. 'En daar was ik blij mee. Ik had me niet gerealiseerd dat er hier maar één telefoonaansluiting was, en dat ik zo slecht bereik zou hebben met mijn mobiel. Daarom heb ik die breedband nodig.'

Maar zij was alleen maar in Jess geïnteresseerd. 'Peter had je moeten waarschuwen,' zei ze ernstig. 'Het probleem is dat hij paranoïde ideeën heeft over zijn beroepsgeheim. Het geklit is niet het enige... het gaat om de dingen die ze doet als ze denkt dat ze afgewezen wordt. Duidelijk een overblijfsel van dat auto-ongeluk – de behoefte om geliefd te zijn, neem ik aan – maar als het je overkomt, kan het heel beangstigend zijn.'

Ik merkte dat ik haar op dezelfde afstandelijke manier aankeek als Jess bij mij deed, omdat ik niet wist hoe ik moest reageren.

'Je zult me wel verschrikkelijk vinden,' ging Madeleine op verontschuldigende toon verder, 'maar ik zou het heel erg vinden als je er over twee maanden achter moest komen dat ik groot gelijk had. Vraag het de anderen maar.'

Ik keek nu naar mijn handen. 'Wat moet ik ze dan vragen?'

'O jee, ik pak het helemaal verkeerd aan. Misschien had ik moeten zeggen: luister. Luister naar wat de anderen zeggen.'

'Waarover?'

'Over dat lastigvallen van haar. Het begint ermee dat ze direct na je aankomst bij je op de stoep staat, en dan komt ze steeds langs. Ze neemt meestal een presentje mee, of ze biedt haar hulp aan, maar daarna kom je moeilijk van haar af. Ze heeft mijn arme moeder jarenlang lastiggevallen. Uiteindelijk kon mammie haar alleen maar ontlopen door zich boven schuil te houden als ze de Landrover op de oprit hoorde.'

'Peter schijnt geen problemen met haar te hebben.'

'Omdat ze hem niet mag. Ze is ervan overtuigd dat hij haar na de dood van haar ouders aan de valium wilde krijgen. De problemen ontstaan alleen als ze zich op iemand fixeert... en gewoonlijk is dat een vrouw.' Ze bestudeerde mijn gezicht. 'Ik wil niet onaardig zijn, Marianne. Ik wil je alleen maar waarschuwen.'

'Waarvoor? Dat Jess geen vriendschap kan sluiten... of dat ze lesbisch is?'

Madeleine haalde haar schouders op. 'Dat weet ik niet, maar ze heeft nooit laten blijken dat ze belangstelling voor mannen heeft. Mammie zei dat ze een heel sterke band met haar vader had, misschien heeft dat er iets mee te maken. De meeste mensen die haar voor het eerst zien denken dat ze een jongen is, een tiener... en zo klinkt ze ook. Mammie zegt dat haar hormonen in de war zijn geraakt toen ze het beheer van de boerderij op zich nam.'

Het gebruik van het woord 'mammie' begon me te ergeren. Ik vertrouw vrouwen van middelbare leeftijd die dat verkleinwoordje gebruiken niet. Het suggereert dat ze nooit los zijn gekomen van hun moeder, of ze doen net of ze een betere band hebben met hun moeder dan er in werkelijkheid bestaat. 'Ze kwam alleen

91

maar bij mij langs omdat haar honden mijn auto op de oprit zagen staan. Ze omsingelden me en toen heeft zij ze teruggeroepen, anders had ik haar helemaal niet gesproken.'

'Maar hoe kwam het dat ze je auto zagen?'

'Waarschijnlijk liet ze ze net uit. Misschien zagen ze me de oprit op rijden.'

'Heeft zij dat gezegd?' Ze vatte mijn zwijgen als een ja op. 'Dan loog ze. Ze fokt met die mastiffs, dus die laat ze echt niet uit op een weg waar verkeer rijdt.' Ze plantte haar ellebogen op haar knieën. 'Ik wil alleen maar zeggen, Marianne, dat je een beetje uit moet kijken. Zelfs Peter vindt het vreemd dat ze uitgerekend die dag toevallig langskwam.'

Ik knikte kort, wat Madeleine kon uitleggen zoals ze wilde. 'Je zei net dat het verergert als ze het gevoel heeft dat ze afgewezen wordt. Wat doet ze dan?'

'Midden in de nacht om je huis heen sluipen… door je ramen turen… je opbellen zonder iets te zeggen. Je moet het eens aan Mary Galbraith vragen. Zij en haar man wonen in Hollyhock Cottage, en toen Mary Jess te verstaan had gegeven dat haar geduld op was, hebben ze een verschrikkelijke tijd gehad.' Ze stak haar handen in een smekend gebaar uit. 'Je moet je toch afgevraagd hebben waarom de mensen zo op hun hoede voor Jess zijn. Daarom dus. Iedereen begint met de beste bedoelingen omdat ze medelijden met haar hebben, maar het eindigt er altijd mee dat ze dat bezuren. Vraag maar aan Mary als je mij niet gelooft.'

Ik geloofde haar. Ik had al heel wat van wat zij beschreef meegemaakt. 'Ik zal het onthouden,' beloofde ik haar, 'en bedankt voor de inlichtingen.' Ik begon weer over de breedband. 'Ik ben me er zeer van bewust hoe afgelegen ik hier zit… vooral 's nachts. Ik zou me een stuk prettiger voelen met een efficiëntere telefoonaansluiting.'

Madeleine vond het direct goed en voegde eraan toe: 'De oplossingen van Jess houden het nooit lang uit. Ze was altijd bezig dingen voor mammie in elkaar te flansen, die het een paar dagen later weer begaven. Ik weet nog dat ze een tv in haar slaapkamer probeerde te installeren, maar het beeld is nooit goed geweest.'

Ze heeft het in ieder geval geprobeerd, dacht ik, en ik vroeg me af wat voor praktische hulp Madeleine Lily geboden had. Ik haalde een pakje sigaretten uit mijn zak. 'Rook je?'

Ze keek zo gechoqueerd alsof ik haar heroïne had aangeboden. 'Heeft de makelaar niet gezegd dat er hier niet gerookt mag worden?'

'Ik ben bang van niet,' zei ik. Ik stak de sigaret tussen mijn lippen en hield mijn aansteker bij het uiteinde. 'Ik denk dat hij tegen de tijd dat ik interesse toonde al zo wanhopig was, dat hij de sleutels nog aan een bijlmoordenaar had gegeven, zolang de borgsom maar betaald werd.' Ik legde mijn hoofd tegen de stoelleuning en blies de rook de lucht in. 'Als jij het een probleem vindt, ben ik bereid meteen te vertrekken, in ruil voor een volledige restitutie van de huur. Je makelaar adverteert met een rijtjeshuis in Dorchester dat al een breedbandaansluiting heeft.'

Ze trok haar mondhoeken geïrriteerd omlaag, alsof mijn 'breedbanden' hetzelfde effect op haar hadden als haar 'mammies' op mij. 'Als je de peuken maar zorgvuldig uitmaakt. Dit huis staat op de monumentenlijst,' voegde ze er nogal gewichtig aan toe.

Ik verzekerde haar dat ik altijd voorzichtig was. 'Je zult je wel zorgen hebben gemaakt, iedere keer als je moeder hier stookte,' mompelde ik met een blik op de open haard, 'vooral toen haar geheugen achteruitging.'

Madeleine trok een zuur gezicht. 'Dat valt mee... maar ik wist ook niet hoe slecht ze eraan toe was. Ze leek altijd zo capabel als ik langskwam... een beetje vergeetachtig misschien, maar absoluut *compos mentis* als het om haar huishouden ging. Ik zou doodongerust zijn geweest als ik geweten had ze het niet langer aankon. Dit huis is al generaties lang in de familie.'

Ik denk dat ik dat ook had moeten laten passeren, maar die generaties deden eeuwen vermoeden in plaats van de ruim zeventig jaar dat het huis feitelijk van hen was. 'Je overgrootvader heeft dit huis toch gekocht? Ik heb gehoord dat hij tijdens de Eerste Wereldoorlog in de wapenhandel zat... en dat hij de hele vallei in 1935 heeft gekocht, toen hij stopte met werken.'

'Heeft Jess je dat verteld?'

'Dat weet ik niet meer,' loog ik. 'Ik heb het geloof ik gisteren gehoord. Hoe is je familie die grond kwijtgeraakt?'

'Door de successierechten,' zei ze. 'Grootvader moest grond verkopen toen zijn vader stierf. Hij heeft er natuurlijk maar een schijntje voor gekregen, en de projectontwikkelaar die het kocht, is er schatrijk mee geworden.'

'Heeft die de huizen aan Peters kant van het dorp gebouwd?'

'Ja.' Dit was duidelijk een teer punt voor haar. 'Vroeger was dat ons land, tot Haversham toestemming kreeg om erop te bouwen. En nu bezit zijn familie een van de grootste bouwbedrijven in Dorset, terwijl wij zijn afgescheept met amper een halve hectare tuin.'

'Heeft Haversham de hele vallei opgekocht?'

Ze knikte. 'Grootvader was lui. Hij had zelf geen zin om te boeren, of zelfs om pachters te zoeken, dus heeft hij alles aan Haversham verkocht, die het daarna stukje bij beetje voor het dubbele van wat hij ervoor betaald had heeft doorverkocht.'

'Aan wie?'

'Dat weet ik niet. Het gebeurde allemaal eind jaren veertig. Ik geloof dat mijn moeder me verteld heeft dat het land door vier boeren hier gekocht is, maar dat het sindsdien verschillende keren in andere handen is overgegaan. Het noordelijke stuk is drie jaar geleden door een coöperatie van Dorchester gekocht.'

'En de Derbyshires? Hebben die iets gekocht?'

'Natuurlijk niet. Daar hadden ze geen geld voor.'

'Maar Barton Farm is toch behoorlijk groot? Peter heeft me verteld dat er ruim zeshonderd hectare grond bij zit.'

Madeleine schudde haar hoofd. 'Ze pacht het... ze heeft maar twintig hectare van zichzelf, de rest is gepacht. Jess is van heel eenvoudige komaf. Haar grootmoeder werkte na de oorlog als dienstmeisje bij ons thuis.' Ze keek naar de haard. 'De oude mevrouw Derbyshire maakte vroeger iedere dag dat haardrooster schoon. Mammie zei dat ze een geplette neus had en een plat gezicht als een mongool of iemand met aangeboren syfilis.' Ze ving mijn blik op. 'Dat was ze natuurlijk geen van beide, maar het zit kennelijk in de genen, want Jess heeft hetzelfde probleem.'

Ik blies de rook in haar richting. 'En de echtgenoot van deze dame was in de jaren vijftig de eigenaar van Barton Farm?'

Ik kon Madeleine bijna horen denken 'het was geen dame'. 'Nee, het bezit daarvan heeft een generatie overgeslagen. Haar man kreeg in de oorlog polio en kort nadat hij thuiskwam is hij daaraan gestorven, en zijn jongere broer is dacht ik in Normandië gesneuveld. De vader van Jess heeft de boerderij van zijn grootvader geërfd. En toen hij stierf, heeft Jess het overgenomen... maar wat ermee zal gebeuren als zij doodgaat, weet niemand.'

'Ze krijgt misschien kinderen.'

Ze wierp me een minachtende blik toe. 'Die worden dan onbevlekt ontvangen. Ze slaapt nog eerder met een van haar mastiffs dan met een man.'

Tsssss! 'En wat is er met Jess' grootmoeder gebeurd?'

'Toen haar zoon de boerderij overnam, is ze naar Australië vertrokken om bij haar broer te gaan wonen. Daarvóór deed ze de huishouding voor haar schoonvader. Hij dronk... heeft zijn vrouw voortijdig de dood in gejaagd en het leven van zijn schoondochter tot een hel gemaakt. Volgens mammie verpestte dat de relatie met haar zoon – en daarom is ze geëmigreerd – hoewel ik denk dat het er ook mee te maken heeft dat ze hoopte op een beter leven daar.'

'Ken je haar persoonlijk?'

'Ik heb haar één keer gezien, toen ze terugkwam om Jess te helpen met het regelen van de begrafenis. Toen is ze ongeveer drie maanden gebleven. Maar het is haar allemaal te veel geweest en kort nadat ze terug was gegaan naar Australië, is ze aan een hartaanval overleden.'

'Wat treurig.'

Madeleine knikte. 'Het maakte mammie van streek. Toen mevrouw Derbyshire hier was, heeft ze veel met haar gepraat. Ze waren uit verschillende generaties... en ze hadden uiteraard een heel verschillende achtergrond... maar ze zei dat het leuk was om met haar herinneringen op te halen.'

'Het moet verschrikkelijk voor Jess geweest zijn.'

'Inderdaad,' zei ze. Even keek ze me aan, toen wendde ze haar blik af. 'Ze is hier met een vleesmes naartoe gekomen en heeft voor mammies neus haar polsen doorgesneden. Overal bloed... maar de artsen zeiden dat het eerder een schreeuw om aandacht was dan een serieuze poging zichzelf te doden. De sneden waren niet diep genoeg om echt schade aan te richten.'

Ik zweeg.

'Die arme mammie was verstijfd van schrik,' ging Madeleine verder. Haar toon had iets verontschuldigends, alsof ze het erg vond dat ze het me moest vertellen. 'Zij dacht dat het mes voor haar bedoeld was. Het was zoiets raars om te doen... helemaal naar Barton House komen om met publiek erbij zelfmoord te plegen.' Ze zweeg even. 'Daarom was ik gisteren zo ontzet toen Peter zei dat Jess je hielp je te installeren. Hij had je moeten waarschuwen voor haar geestelijke toestand in plaats van haar aan te moedigen zich aan jou op te dringen zoals ze dat bij mijn moeder heeft gedaan.'

Fragmenten uit aantekeningen, opgeslagen als 'CB15 – 18/05/04'

... Ik kan niet meer eten. Ik dwing mezelf het te proberen, maar alles smaakt hetzelfde...

Van: Dan@Fry.ishma.iq
Verzonden: zondag 11 juli 2004 14.05
Aan: connie.burns@uknet.com
Onderwerp: Godzijdank!

Waar zat je verdomme, Connie? Je hebt beloofd dat je contact zou houden als ik je op het vliegtuig zou zetten, maar bijna twee maanden lang heb ik niets van je gehoord, nul komma nul, nada... tot dat zielige e-mailtje van vijftien woorden 2 uur geleden. Ik ben ontzettend kwaad op je. Ik ben misselijk van de zorgen sinds je vertrek.

Weet dat ik Londen bestookt heb om info, maar alleen maar te horen kreeg dat zij nog minder wisten. Harry Smith moest aan een collega van een roddelblad naar het adres van je ouders vragen, omdat de gegevens over je familie in ons bestand achterhaald zijn. Het enige dat je vader wil zeggen is dat je 'buiten Londen zit' en dat hij de boodschappen doorgeeft. Maar waarom reageer je daar dan niet op? Waar zit je? Wat is er aan de hand? Ben je bij een dokter geweest? Ik had mijn mond niet gehouden als ik had geweten dat je van plan was om het in je eentje op te knappen. Heb je er enig idee van wat ik allemaal over me heen krijg?

Ik neem aan dat je mijn privéadres hebt gebruikt omdat je niet wilt dat ze op kantoor ervan weten. Goed, dat mag, alleen heb je me helemaal niets verteld behalve je nieuwe e-mailadres en dat het 'goed' met je gaat. Dat kan ik niet geloven en ik geloof het ook niet. Je moet met iemand praten. Londen had al een therapeut voor je klaarstaan – ze wilden je alle bescherming bieden die je zou wensen – maar je hebt ze weggestuurd. Waarom? Besef je niet wat de gevolgen kunnen zijn? Ik heb nog steeds nachtmerries over hoe Bob Lerwick voor mijn ogen is doodgeschoten, en dat was tien jaar geleden.

Ik ben nu vooral kwaad op mezelf dat ik je niet gedwongen heb om hier hulp te zoeken. Ik dacht dat ik er goed aan deed het stil te houden, maar nu...

Eerlijk gezegd is het een verschrikkelijke zooi aan het worden. Ik ben drie keer ondervraagd door een cynische Amerikaanse politieman die met de politie van Bagdad samenwerkt (Jerry Greenhough) en hij is tot de conclusie gekomen dat je hele 'ontvoering' volksverlakkerij is. Hij denkt kennelijk dat je enorme bedragen aan compensatie wilt vragen, of dat je een bestseller wilt schrijven over iets wat nooit gebeurd is.

Schrijf me, Connie. Of nog beter, bel me. Ik heb nog steeds hetzelfde nummer.

Liefs, Dan.

Fragmenten uit aantekeningen, opgeslagen als 'CB15 – 18/05/04'

... Doen wat je gezegd wordt, is na een poosje heel makkelijk. Doe dit. Doe dat. Vanbinnen verzette ik me. Als je mij laat leven, dan zul jij sterven. Dat was een manier om niet gek te worden...

... De waarheid was anders. Jij bent van mij. Jij sterft als ik dat zeg. Jij spreekt als ik zeg dat je moet spreken. Je glimlacht als ik zeg dat je moet glimlachen...

... Op welk moment besloot ik voor altijd mijn mond te houden? Toen ik besefte dat al die verschrikkelijke dingen die ik deed op video werden vastgelegd? Waarom weigerde ik niet? Was de verstikkingsdood zo erg dat ik bereid ben zo verder te leven?

... Er waren geen sporen die verrieden wat er gebeurd is. Ik bloedde vanbinnen, niet vanbuiten...

... Ik heb geluk. Ik leef. Ik heb gedaan wat me gezegd werd...

Van:	alan.collins@manchester-police.co.uk
Verzonden:	maandag 19 juli 2004 17.22
Aan:	connie.burns@uknet.com
Onderwerp:	Keith MacKenzie
Bijlagen:	AC/WF.doc (53KB)

Fijn van je te horen, Connie. Na je vrijlating heb ik geprobeerd contact met je op te nemen via je mobiel en een oud e-mailadres, maar zonder succes dus waarschijnlijk heeft een dief in Bagdad je spullen? Het schokte me over je ontvoering te lezen, vooral omdat het zo snel na je e-mail in mei over MacKenzie plaatsvond. Jij zegt dat er geen verband bestaat tussen deze twee gebeurtenissen, maar inderdaad, je hebt gelijk, ik vroeg me toen wel het een en ander af. Zozeer zelfs dat ik contact heb opgenomen met Bill Fraser in Basra en hem heb voorgesteld er eens naar te kijken. En toen dook jij weer op, ongedeerd, voor hij ermee door kon gaan.

Jij zegt dat je chef in Bagdad wel interesse heeft om verder te gaan met het O'Connell/MacKenzie verhaal vanaf het punt waar jij ermee op moest houden. Ik voeg mijn correspondentie met Bill volledig bij, zoals je gevraagd hebt, hoewel een aantal dingen niet zo leuk voor jou zullen zijn om te lezen. Bill laat me weten dat de situatie in Bagdad niet langer onder controle is. Buitenlanders zijn handelswaar geworden, de meeste ontvoeringen worden door professionele bendes uitgevoerd die hun gijzelaars aan de hoogste bieder verkopen. Zoals je al zei, je had 'geluk' dat jij vrijgelaten bent.

Zoals je zult zien heeft Bill het met zijn Amerikaanse collega in Bagdad gehad over de twee zaken die je in de Iraakse kranten hebt gevonden. Hij heeft ook per e-mail met Alastair Surtees over O'Connell/MacKenzie gecorrespondeerd. Verre van een doorbraak, maar wel interessant ontwijkend gedoe van Surtees.

Je vroeg of ik nog een kopie van mijn rapport over de moorden in Sierra Leone heb. Zeker, ik voeg het bij. Ik heb het ook doorgestuurd naar Jerry Greenhough (de collega van Bill in Bagdad) al was het maar om te wijzen op de overeenkomsten in de modus operandi van de moordenaar(s). Ik heb een contactpersoon bij de politie in Kinshasa die heeft toegezegd naar vergelijkbare moorden daar in 1998 te kijken. Weinig kans, denk ik: Kinshasa kent 15.000 zwerfkinderen, die aan de lopende band sterven of vermist raken en met name tienermeisjes zijn kwetsbaar. Ik laat het je weten als ik wat van hem hoor, maar reken er maar niet op. Hij heeft lippendienst bewezen aan internationale samenwerking door mijn e-mail te beantwoorden, maar ik ben bang dat mijn verzoek in een la terecht is gekomen. Oude zaken zijn niet interessant, vooral als er geen financiële prikkel is.

Met mijn vrouw en kinderen gaat het goed. Dank voor je belangstelling.

Ten slotte, aarzel niet om me te schrijven/bellen als er iets is waarmee ik je kan helpen. Heeft het een reden dat ik alleen via je nieuwe e-mailadres contact met je kan opnemen? Of dat je ervoor kiest om als tussenpersoon voor mij, Bill Fraser en je chef op te treden?

Hartelijke groet,

Alan
Adjudant Alan Collins, Greater Manchester Police

(Uittreksels van bijlagen)

E-mail van Bill Fraser aan Alan Collins

... Mijn Amerikaanse collega in Bagdad is een hoofdinspecteur van de New Yorkse politie, Jerry Greenhough. Hij is twee jaar geleden gedetacheerd in Afghanistan, en afgelopen mei tijdelijk naar Bagdad overgeplaatst. Een heel aardige kerel, maar ik ben bang dat hij zijn bedenkingen heeft over Connie Burns. Hij was niet bij de debriefing, maar hij heeft de tape gehoord en vond haar 'ontwijkend en niet overtuigend'. Op een aantal punten: a) ze heeft de politie praktisch niets verteld, waarbij ze beweerde dat ze vanwege haar blinddoek niets wist; b) ze stond erop dat haar baas, Dan Fry, bij het verhoor aanwezig was, die instructie had om de boel te onderbreken als ze ernstig van streek dreigde te raken – wat overigens niet gebeurde; c) ze is door een arts onderzocht die geen sporen heeft gevonden van mishandeling of dat ze vastgebonden is geweest. Dit heeft tot enige twijfel over het hele verhaal geleid, vooral omdat ze maar 3 dagen gevangen heeft gezeten.

Het is lastig, Alan. Ik deel de twijfels niet zonder meer – ik kan meerdere redenen verzinnen waarom een vrouw niet over zo'n ervaring wil spreken – maar volgens Jerry zaten er te veel ongerijmdheden in haar antwoorden. En de ontvoering is ook niet volgens een bekend patroon verlopen. Ik heb jouw suggestie aangaande MacKenzie nog doorgegeven, maar daar gaat niemand voor. Connie was 'flink' en 'beheerst' tijdens de ondervraging, en heeft met klem gezegd dat er niets onbetamelijks is gebeurd tijdens haar gevangenschap. De arts heeft haar compleet gezond verklaard, dus dat ondersteunt haar verhaal. Ik weet wat je over MacKenzies modus operandi hebt gezegd, maar een vrouw ongedeerd weer vrijlaten past ook niet binnen het patroon dat we kennen.

Het aardige is dat ik meer succes heb gehad met Connies suggestie dat de twee moorden in Bagdad a) verband met elkaar hielden; b) verband hielden met vergelijkbare moorden in Sierra Leone; en c) het werk kunnen zijn van Keith MacKenzie alias John Harwood alias Kenneth O'Connell. Jerry heeft met de FBI aan twee serieverkrachtingszaken gewerkt en is in ieder geval bereid rekening te houden met de mogelijkheid. Kun jij hem misschien je rapport over de slachtoffers in Sierra Leone sturen? De keerzijde is dat dit soort onderzoeken complex zijn en ik zie niet dat die nieuwe agenten dat kunnen zonder blijvende aandacht en begeleiding van hun chef. Je moet weten dat ik hier nog krap zes weken blijf en Jerry gaat eind september naar huis, en zelfs de meest competente Irakezen zullen niet over de middelen beschikken om een grensoverschrijdend onderzoek in te stellen.

Ik voeg een paar e-mails van Alastair Surtees bij (van de Baycombe Groep). Ik heb de man zelf niet gesproken, maar BG heeft ongeveer 500 man aan beveiligingspersoneel ter plaatse en ze hebben geen slechte reputatie. Instinctief ben ik geneigd Connie gelijk te geven dat Surtees 'glad' is. Zijn tweede e-mail is toeschietelijker dan zijn eerste, na mijn verzoek om kopieën van de papieren/foto van O'Connell. Tot nu toe zijn die nog niet verschenen, maar ik blijf erom vragen, omdat ik wil weten of ik een illegaal in mijn district heb zitten. Het is al moeilijk genoeg om de autochtone bevolking in de gaten te houden, zonder dat er ook nog valse Britse paspoorten aan te pas komen.

Het is natuurlijk een en al 'als', maar als de moorden verband met elkaar houden, als de moordenaar een Brit is en als hij teruggaat naar Groot-Brittannië – dan staat hij op vaderlandse bodem en hebben we de middelen om hem te pakken. Ik lig soms 's nachts wakker en dan denk ik wat een klote misdrijf dit is, Alan. Het leven is geen cent waard in deze oorlogsgebieden, en het zal iedereen een rotzorg zijn als een psychopaat aan zijn gerief komt door

104

vrouwen in stukken te hakken. We hadden weer een slechte dag. Drie peuters zijn gestorven en een kind van twaalf is zijn benen kwijtgeraakt door een alsnog geëxplodeerde clusterbom. Ik haat dit ellendige slachthuis...

E-mail (1) van Alastair Surtees aan Bill Fraser

... Ik neem aan dat uw interesse gewekt is door mevrouw Connie Burns van Reuters, die een gesprek met mij geregeld heeft om vervolgens ongefundeerde en lasterlijke aantijgingen over Kenneth O'Connell te doen. Zij beweert hem onder een andere naam in Sierra Leone gekend te hebben, maar het is inmiddels duidelijk dat aan de man die zij gezien heeft abusievelijk een verkeerde naam is gehangen. Ik sta er persoonlijk voor in dat geen van onze werknemers op de politieacademie van Bagdad was op de dag dat mevrouw Burns die bezocht. Ik vertrouw erop dat de zaak hiermee de wereld uit is...

E-mail (2) van Alastair Surtees aan Bill Fraser

... Ik vind het vervelend dat u de indruk had dat ik opzettelijk een aantal van uw vragen heb genegeerd. Het gebruik van een vals paspoort door een werknemer van BG is iets wat ik niet door de vingers zie, en ook nooit zal zien. Ik dacht echter dat mijn persoonlijke garantie genoeg zou zijn om u ervan te overtuigen dat mevrouw Burns zich vergist heeft. Ik heb O'Connell twee keer ondervraagd sinds mevrouw Burns' beschuldigingen jegens hem, en ik heb *absoluut geen enkele reden* om te geloven dat Kenneth O'Connell een alias is voor John Harwood of Keith MacKenzie. De Baycombe Groep is zeer nauwgezet in het natrekken van zijn personeel en neemt de dossiers van alle werknemers grondig door.

Kenneth O'Connell is met onberispelijke referenties bij ons in dienst gekomen. Zijn loopbaan in het kort: Sergeant, Royal Irish Regiment; Dienstplicht (veelzijdig ingezet) naar onder andere: de Falklands en Bosnië. Verliet het leger in 2000 (36 jaar oud) en ging werken bij de London Metropolitan Police (3 jaar gediend);

tekende voor de Baycombe Groep in september 2003. Hij heeft hier in Irak twee posten vervuld: 1) Hoofdtrainer in aanhoudings- technieken op de politieacademie van Bagdad van 1-11-03 tot 1- 02-04; 2) Persoonlijke beveiligingsbeambte bij Spennyfield Con- struction 14-02-04 tot heden. Spennyfield Construction is een Brits bedrijf, tegenwoordig opererend vanuit Karbala.

Het dossier van O'Connell bevindt zich in ons kantoor in Kaap- stad. Ik heb gevraagd of er een kopie gefaxt kan worden naar het nummer dat u me hebt opgegeven, onder voorbehoud dat zijn naam, gegevens over zijn familie en zijn huidige verblijfplaats on- leesbaar gemaakt worden. Faxen komen wel eens op een verkeerd adres aan of vallen in verkeerde handen, en de veiligheid van ons personeel gaat ons zeer ter harte. Ik vertrouw erop dat ik hiermee aan uw verzoek tegemoetkom en dat de eventuele verdenkingen die u nog jegens de heer O'Connell koestert, snel ongegrond zul- len blijken...

E-mail van Bill Fraser aan Alastair Surtees

... Ik heb twee weken geleden om informatie aangaande Kenneth O'Connell gevraagd. Bij ontstentenis van documenten die beves- tigen dat hij over een legaal paspoort beschikt zal zijn naam aan de Britse ambassade worden doorgegeven en zullen alle pogingen om dit land te verlaten verijdeld worden. Voorts, als ik het ver- moeden krijg dat de heer O'Connell het land onder een andere naam verlaten heeft...

Van:	connie.burns@uknet.com
Verzonden:	dinsdag 20 juli 2004 23.15
Aan:	Dan Fry (Dan@Fry.ishma.iq)
Onderwerp:	sorry!

Lieve Dan,

Ik heb je eerste e-mail ontvangen, dus je hoeft me niet met
nieuwe te blijven bestoken. Sorry dat je je zo rot hebt gevoeld
en sorry dat mijn lange periode van radiostilte dat nog erger
heeft gemaakt. Het heeft niets te maken met dat ik je niet zou
vertrouwen, ik vind het op het ogenblik gewoon heel moeilijk
wat dan ook te schrijven. De enige reden waarom ik je geen
telefoonnummer heb doorgegeven is omdat de verbinding
hier hopeloos is en ik met mijn mobiel moet e-mailen. Zodra
ik iets beters geregeld heb, laat ik je weten hoe je me bereiken
kunt.

Alsjeblieft, maak je geen zorgen. Het gaat echt goed met
me. Ik heb me verschanst in een dal in het zuidwesten van
Engeland waar een zachte wind waait en weinig mensen
zijn. Het is hier heel mooi en vredig – gouden velden met
golvend graan, een sprookjesdorpje op een kleine kilometer
afstand en een woeste zee, net uit het zicht achter een heuvelrug. De meeste dagen breng ik alleen door, en dat vind ik
echt heel prettig. Het huis is groot, maar nogal primitief. Er
is zelfs een oude put in de tuin – aan het zicht onttrokken
door een houtopslag – maar godzijdank hoef ik die niet te
gebruiken. Ik heb stromend water en elektriciteit, hoewel de
rest van de moderne gemakken véél te wensen overlaat.
Vandaar het probleem met de telefoon. Ik heb vriendschap
gesloten met wat mussen. Als ik vogelzaad rond mijn voeten strooi, duiken ze uit het niets op om dat voer te eten.
Nu pas realiseer ik me dat ik in Bagdad geen vogel gezien
heb. Er is ook een visvijver, zonder vis. Ik overweeg er een

paar te kopen, zodat ik er 's avonds naar kan gaan zitten kijken.

Wat betreft Jerry Greenhough en wat je allemaal over je heen krijgt: wil je mij alsjeblieft nog een tijdje uit de wind houden? Het interesseert me werkelijk niets wat de politie van Bagdad en een onbekende Amerikaan over me denken. Het is allemaal zo ver weg en op dit moment niet belangrijk. Ze zullen je niet ontslaan, Dan, want jij bent te belangrijk. Bovendien heb je sterke schouders en ik kan niemand verzinnen die beter geschikt is om 'rot op' tegen de mannen in pakken te zeggen!

In het vliegtuig naar huis besefte ik dat het erger zou zijn er wel over te praten dan niet. Ik weet dat jij van mening bent dat therapie je goedgedaan heeft, maar jij bent veel sterker dan ik en je vindt het niet erg je zwakheden toe te geven. Dat is een vorm van moed die jij en Adelina allebei bezitten... en ik niet. Misschien zal ik er over een tijdje anders over denken, hoewel ik dat betwijfel. Mijn nachtmerries gaan nooit over wat er gebeurd is, alleen over de manier hoe ik me in het leven van andere mensen heb binnengedrongen, op zoek naar een verhaal. De dingen zijn nu eenmaal niet ongecompliceerd, Dan. Ik word veel meer door mijn geweten geplaagd, dan door een paar gebeurtenissen in een kelder die je maar beter kunt vergeten.

Ik vind het altijd fijn van je te horen, zolang je het maar bij andere onderwerpen houdt en je zorgen over mijn geestelijke toestand in de ijskast zet. Als je dat niet doet, krijg je geen antwoord! Laat me je nogmaals bedanken voor je zorgen en goedheid, en besluiten met liefs, Connie.

8

NATUURLIJK KEEK IK OF ER LITTEKENS OP JESS' POLSEN ZATEN EN natuurlijk zaten ze er. Je kon ze alleen zien als je wist dat ze er waren en ik keek zo onopvallend mogelijk, maar ze moet gemerkt hebben dat ik erop lette want voortaan knoopte ze haar manchetten dicht. Ik compenseerde mijn nieuwsgierigheid door extra aardig tegen haar te doen, waar ze nog achterdochtiger van werd. En toen kwam ze niet meer. Het rare is dat ik in het begin helemaal niet merkte dat ze wegbleef. Net als bij kiespijn die opeens ophoudt, merkte ik pas aan het eind van de week dat die zeurende ergernis verdwenen was.

Het had een opluchting moeten zijn, maar dat was het niet. Ik schrok steeds als mijn ouders belden, en tuurde op mijn hoede door de ramen zodra het donker werd. Voor het eerst sinds ik hier gekomen was maakte ik me zorgen over het feit dat ik alleen was, en mijn moeder kreeg het door toen ik op een avond niets wilde zeggen voor zij iets had gezegd. 'Wat is er aan de hand?' vroeg ze.

Ik vertelde hoe het zat omdat ik niet wilde dat ze zich ergere dingen in het hoofd haalde. Ze was er heel goed toe in staat Dorset te bevolken met Iraakse opstandelingen en Al Qaida-terroristen. Ze luisterde zonder me te onderbreken en zei ten slotte eenvoudig: 'Zo te horen ben je eenzaam, liefje. Zullen pa en ik volgend weekend langskomen?'

'Ik dacht dat jullie naar Brighton zouden gaan.'

'Dat kunnen we afzeggen.'

'Nee,' zei ik, 'doe dat maar niet. Jullie komen toch aan het eind van de maand? Tot dan houd ik het heus wel uit.'

Ze aarzelde even. 'Ik zal het wel helemaal bij het verkeerde eind hebben, Connie, zoals gewoonlijk, maar uit wat je vertelt maak ik op dat Jess een betere vriendin voor je is geweest dan Madeleine. Herinner je je Geraldine Summers nog... getrouwd met Reggie... ze hadden twee jongens, ongeveer van jouw leeftijd, die in Amerika gingen studeren?'

'Vaag. Was dat die dikke vrouw die onaangekondigd langskwam met cakejes die niemand lustte?'

'Precies. Ze woonden zo'n veertig kilometer bij ons vandaan. Reggie was tabaksplanter en Geraldine onderwijzeres voor ze trouwden. Ze hebben elkaar in Engeland ontmoet, tijdens een van zijn verloven, en zij ging als zijn vrouw met hem mee terug terwijl ze hem niet langer dan een paar maanden kende. Het was een verschrikkelijke vergissing. Reggie had nog nooit een boek gelezen en Geraldine had er geen idee van hoe afgelegen de boerderij lag. Ze dacht dat ze in een gemeenschap terecht zou komen en weer als onderwijzeres aan de slag zou kunnen, en in plaats daarvan ontdekte ze dat Reggie en de radio haar enige bron van afleiding vormden.'

'Nu weet ik weer wie hij was,' zei ik enthousiast. 'Zo stom als het achtereind van een varken, dronk zich ladderzat aan gin en vertelde de hele avond schuine grappen.'

Mijn moeder lachte. 'Ja. Het werd erger na de geboorte van de jongens. Zij erfden de hersens van Geraldine, en hij had moeite hen bij te houden. Dat bracht hem nog meer aan de drank, omdat hij dacht dat hij geestig werd van alcohol.' Ze zweeg nadenkend. 'Ik had altijd een beetje medelijden met hem. Hij zou een stuk gelukkiger zijn geweest met een boerenmeisje en twee potige zonen die het leuk vonden om op tractors te rijden.'

Ik vroeg me af waarom ze me dit verhaal vertelde. 'Wat is er van ze geworden? Zijn ze nog bij elkaar? En zitten ze nog in Zimbabwe?'

'Reggie en Geraldine? Ze zijn naar Zuid-Afrika gegaan. De laatste keer dat ik wat van ze hoorde, ging het niet goed met Reggie. Ik heb met kerst een brief van Geraldine gekregen waarin stond dat hij afgelopen jaar ziekenhuis in ziekenhuis uit is geweest. Ik heb teruggeschreven, maar nog geen antwoord ontvangen.' Ze kwam nu terzake. 'Waar het om gaat, toen Geraldine in Zimbabwe kwam, werd ik helemaal gek van haar. Ze zag je vader en mij als een tegengif voor Reggie en ze viel ons voortdurend lastig met bezoekjes omdat ze zo ongelukkig was. Uiteindelijk moest ik behoorlijk kordaat optreden en tegen haar zeggen dat ze niet langer welkom was. Het was allemaal nogal moeilijk, en ze nam het heel slecht op.'

'Wat deed ze dan?'

'Niets wereldschokkends. Ik kreeg ongeveer een week later een anonieme brief waarin stond hoe wreed ik was, en er werd een paar keer opgebeld zonder dat iemand iets zei. Daarna heb ik haar in geen twee jaar gezien... en toen kreeg ze haar eerste kind en lukte het haar om met haar frustraties om te gaan. Die arme vrouw. We troffen elkaar op een feestje in Bulawayo en zij geneerde zich kapot... verontschuldigde zich uitgebreid dat ze zo lastig was geweest en gaf zelfs toe dat ze die anonieme brief had geschreven en de telefoontjes had gepleegd.'

'Wat heb je tegen haar gezegd?'

'Dat ik degene was die zich moest verontschuldigen, omdat ik zo onaardig was geweest. Ik voelde me veel beroerder over het feit dat ik haar pogingen om vriendschap te sluiten had afgehouden, hoe irritant die ook waren, dan zij zich ooit over die brief gevoeld kan hebben. Geraldine vond het zo geweldig dat we weer op goede voet stonden, dat ze ons weer begon lastig te vallen... En dit keer moesten we het ons laten aanleunen. Maar weet je, schat, ze bleek uiteindelijk onze beste vriendin. De Barretts en de Fortescues – mensen met wie we opgegroeid waren – meden ons als de pest toen je vader beschuldigd werd van woekerhandel, maar Geraldine en Reggie kwamen meteen en zijn tijdens de belegering gebleven. Heel dapper van ze.'

Ik was niet in Zimbabwe toen dit allemaal gebeurde, maar ik had per telefoon nauw contact onderhouden. Het was in de begindagen van Mugabes offensief om blanke boeren te onteigenen, en een plaatselijke Zanu-PF-apparatsjik had mijn vader ten onrechte beschuldigd van belastingontduiking en woekerhandel, in een poging een rel te veroorzaken. Voor de rechter had hij geen poot om op te staan omdat mijn vader zijn boeken nauwgezet had bijgehouden, maar de beschuldiging was genoeg om bij Mugabes oorlogsveteranen kwaad bloed te zetten. Een week lang heeft een groep van vijftig man op ons erf gekampeerd en gedreigd het huis te bestormen, en alleen door de moed van pa's eigen arbeiders, die een permanente picketline oprichtten en weigerden de veteranen door te laten, is de zaak uiteindelijk goed afgelopen.

Daarom was mijn moeder er zo op gebrand geweest weg te gaan. Ze wist dat de intimidaties een tweede keer nog erger zouden zijn en ze wilde de arbeiders niet nog een keer om hulp vragen. Voor de Zanu-PF kwam het neer op verraad als zwarten hun blanke werkgevers steunden, en ma was niet bereid iemand vanwege een paar hectare land te zien sterven. Mijn ouders besloten het door de vingers te zien dat de Barretts en de Fortescues hen niet hadden willen helpen – 'ze waren bang' – en schoten wel te hulp toen hún boerderijen belegerd werden. Maar in het diepst van hun hart hebben ze het hen nooit vergeven en de levenslange vriendschap kwam tot een einde toen mijn ouders naar Engeland vertrokken.

'En wat is de moraal van het verhaal?' vroeg ik glimlachend. 'Beoordeel een boek niet op het omslag?'

'Zoiets ja,' beaamde ze.

'En als Jess een vleesmes tevoorschijn haalt?'

'Dan moet die dokter van je wegens nalatigheid geschorst worden,' zei mijn moeder droogjes. 'Hij had je nooit alleen mogen laten met een gevaarlijke patiënte.'

Ik had het natuurlijk bij Peter kunnen navragen, maar ik zag het nut er niet van in. Ik kwam tot de conclusie dat de redenering van mijn moeder klopte. We nemen net zo vaak een beslissing in ons leven op grond van wíé we geloven als op grond van wát we geloven, en ik had geen redenen om aan te nemen dat de plaatselijke arts mij met een gestoorde gek zou opschepen. Ik was heel wat minder zeker van de motieven van Madeleine. Het was duidelijk dat zij en Jess een hekel aan elkaar hadden, en het spreekwoord 'de halve waarheid is een hele leugen' ging voor allebei op. Als ik Jess mocht geloven, had Madeleine haar moeder opzettelijk aan haar lot overgelaten opdat ze van verwaarlozing zou sterven; als ik Madeleine mocht geloven, was Jess een gevaarlijke stalker.

In beide verhalen zat waarschijnlijk een kern van waarheid – Madeleine had vaker bij Lily op bezoek kunnen komen en Jess kwam te vaak, wat doet vermoeden dat jaloezie de grondslag voor hun wederzijdse afkeer vormde – maar ik wist uit eigen ervaring hoe gauw een gerucht voor waar wordt aangenomen. Volgens Dan Fry's laatste e-mail liet zelfs Adelina Bianca doorschemeren dat ik mijn ontvoering verzonnen had. In een interview met een Italiaans blad werd ze als volgt geciteerd: 'Natuurlijk valt er geld te verdienen door te beweren dat je gijzelaar bent geweest – het publiek is dol op griezelverhalen – maar wie zoiets doet, bagatelliseert wat de echte slachtoffers door moeten maken.'

Ik heb geen idee of ze mij bedoelde er was een Amerikaanse deserteur die had voorgewend dat hij gekidnapt was vóór hij naar Libanon vluchtte – maar haar woorden werden wel zo geïnterpreteerd. Dan vertelde me dat vier van de belangrijkste terroristische groeperingen ontkenden mij gegijzeld te hebben, en de Arabische kranten stonden vol artikelen waarin beweerd werd dat een buitenlandse verslaggever geprobeerd had geld te verdienen door zich uit te geven als slachtoffer. Goddank negeerde de westerse pers het verhaal – of uit angst voor de rechter gesleept te worden wegens laster of omdat ze wisten dat ik helemaal geen verhaal verkocht had – maar het maakte dat ik nog minder zin had om bekend te maken waar ik zat. En het nam me tegen Adelina in. Ik wist dat haar woorden waarschijnlijk uit hun verband waren gerukt om aan het gezichtspunt van de redacteur te beantwoorden, maar ik vroeg me wel af of zij niet alleen in staat was om een interview te geven, omdat er niet zo veel met haar gebeurd was.

Toen ik uiteindelijk Jess opzocht, zei ze dat ze het altijd wist wanneer Madeleine haar gif gespoten had. Het maakte niet uit tegen wie ze het had gedaan, of hoe verstandig diegene was, ze lachten daarna gewoon nooit meer zo onbevangen als ze daarvoor hadden gedaan. Ze zei dat ik beter mijn best had gedaan dan de meesten maar dat mijn belangstelling voor haar polsen overduidelijk was. Ze had de hint na een paar dagen begrepen en mij aan mijn lot overgelaten. Er waren dingen in het leven die de moeite niet waard waren om lang bij stil te staan, en vreemden ervan overtuigen dat ze niet van plan was ze aan het mes te rijgen, was daar een van.

Het was interessant dat ze dit zei, vooral omdat ik helemaal niet tegen haar had gezegd dat ik met Madeleine gepraat had. Was Madeleine zo geloofwaardig dat iedereen op dezelfde manier reageerde? Als dat zo was, was het beangstigend. Ik vroeg Jess waarom ze halve waarheden in stand hield in plaats van ze recht te zetten, maar ze haalde haar schouders op en zei dat dat geen zin had. 'De mensen geloven wat ze willen geloven,' zei ze, 'en ik weiger om iets te zijn wat ik niet ben, alleen om te bewijzen dat ze het bij het verkeerde eind hebben.'

Ik kon haar niet volgen. 'Hoezo dan?'

'Ik minacht ze,' zei ze droog, 'en als ik wil dat ze van gedachten veranderen, zou ik moeten doen alsof dat niet zo is.'

'Misschien denk je wel anders over ze als je ze leert kennen.'

'Waarom? Dat verandert niets aan het feit dat ze Madeleine geloofd hebben.'

We bespraken dit in haar keuken, nadat ik genoeg moed had verzameld om naar haar huis te rijden. Er was geen alternatief omdat ze niet op mijn telefoontjes had gereageerd, maar ik was als de dood dat haar mastiffs los zouden lopen. Ik reed de ruim zevenhonderd meter lange weg naar de boerderij af, kwam midden op het erf tot stilstand en probeerde te ontdekken waar de voordeur was. Ik had mijn raampje omlaaggedraaid omdat het eindelijk een mooie dag was in een overigens regenachtige maand, en ik hoorde de honden als razenden blaffen zodra ik de versnelling in zijn vrij had gezet. Ze klonken te hard om binnen te zitten, en ik keek zenuwachtig om me heen waar ze waren.

Het huis werd van het erf gescheiden met een beukenhaag, die zo hoog was dat je de benedenverdieping niet kon zien, en nergens zat een opening die de ingang zou kunnen zijn. Links stond een schuur en rechts scheen het karrenspoor de lijn van de heg te volgen, rond een scherpe hoek aan het einde van het huis, maar ik ving af en toe een flits op van rondsnuffelende mastiffs achter de struiken en dat overtuigde me ervan dat het een slecht idee was om uit te stappen en rond te kijken. Terwijl ik zat te bedenken wat ik zou kunnen doen, hoorde ik het geluid van een krachtige mo-

tor. Een tractor kwam de hoek om, met een stropakmachine erachter.

Ik zag even het kwade gezicht van Jess voor ze langs me heen
zwenkte en de schuur binnenreed. Een halve seconde later kwam
ze er achterwaarts weer uit rijden en miste de achterkant van mijn
auto op vijftien centimeter met de pakmachine die de andere kant
op zwaaide als de tractor. Ze maakte een mooie U-bocht, de tractor raakte op een haar na mijn zijspiegeltje, voor ze met het hele
zaakje achterwaarts weer de schuur binnenreed. Ze was in een ge-
nadeloze bui en ik zag er ongetwijfeld doodsbenauwd uit omdat
het erop leek dat mijn Mini door een paar ton metaal geplet zou
worden.

Ze zette de motor af en sprong naar beneden, floot naar de
honden om ze te laten stoppen met blaffen. 'Je staat in de weg,' zei
ze tegen me. 'De volgende keer moet je bij de heg parkeren.'

Ik deed mijn portier open. 'Sorry.'

'Je hoefde niet bang te zijn,' zei ze kortaf. 'Ik probeerde je heus
niet te raken.'

'Dat weet ik. Ik was wel uitgeweken, alleen wist ik niet welke
kant je op zou draaien... en ik wilde het niet nog erger maken.'

'Precies de andere kant dan je zou verwachten. Ik dacht dat je
op een boerderij was opgegroeid.'

'Ik had het over de tractor.'

Ze sloeg haar armen over elkaar. 'Wilde je iets?'

'Nee, ik dacht alleen dat ik... ik wilde kijken hoe het met je
was. Je bent niet meer langs geweest en je hebt niet op mijn boodschappen op je antwoordapparaat gereageerd.'

Tot mijn verbazing bloosde ze licht. 'Ik had het druk.'

Ik duwde het portier verder open. 'Komt het slecht uit? Ik kan
later terugkomen.'

'Hangt ervan af wat je wilt.'

'Niets. Gewoon een beetje praten.'

Ze fronste haar wenkbrauwen alsof ik iets raars had gezegd.
'Ik moet de pakmachine losmaken en hem smeren. We kunnen
praten terwijl ik dat doe, als je wilt. Maar je bent er niet op gekleed. De schuur is nogal smerig.'

'Dat hindert niet. Alles kan in de wasmachine.' Ik stapte uit en zocht in mijn lange overslagrok en leren slippers mijn weg over het erf vol bandensporen. Ze bekeek me afkeurend en ik vroeg me af wat haar niet aanstond. 'Is er iets?'

'Je ziet eruit alsof je naar een tuinfeestje gaat.'

'Zo kleed ik me altijd.'

'Dat zou je niet moeten doen. Niet op een boerderij.' Ze knikte in de richting van een paar zakken met aardappels bij de ingang van de schuur. 'Ga daar maar zitten. Waar wil je het over hebben?'

'Niets speciaals.'

Ze duwde de pakmachine naar voren, maakte hem los van de trekhaak van de tractor en duwde hem naar achteren tegen de muur. Voor zo'n kleine vrouw was ze bijzonder sterk. Volgens haar kon iedereen alles als het moest. Een kwestie van wilskracht. Behalve als het op praten aankwam. Haar gezichtsuitdrukking toonde heel duidelijk dat ik, als ik verwachtte dat zij het gesprek zou openen, bedrogen uit zou komen. Ik keek toe terwijl ze een handvol vet nam en de spoelen ermee insmeerde.

'Moet je dat iedere keer doen na gebruik?'

'Het helpt wel. Het ding is twintig jaar oud.'

'Is het je enige machine?'

'Het is de enige pakmachine.' Ze maakte een beweging met haar kin naar een combine aan de andere kant van de schuur. 'Daar oogst je mee.'

Ik draaide me om om ernaar te kijken. 'Pa had er een in Zimbabwe.'

'Vandaag de dag heeft iedereen er wel een. Sommige mensen huren hem, maar ik heb hem tweedehands op een veiling gekocht.'

Ik keek toe hoe ze aan het werk was. 'Waarom heb je vandaag de pakmachine gebruikt?' vroeg ik na een tijdje. 'Ik heb ze nog nergens zien oogsten, dus dan is er ook nog geen stro.'

'Ik haal het hooi van de randen van de velden, zolang het nog mooi weer is.' Kennelijk vond ze het een intelligente vraag want ze besloot erop door te gaan. 'De weersverwachting op de lange termijn voorspelt nog meer regen in augustus dus lijkt het verstandig zo veel mogelijk te balen zolang we de kans hebben. We krijgen nog moeite genoeg om de tarwe binnen te krijgen als de voorspellingen kloppen... laat staan het stro.'

We...? 'Heb je hulp?'

Ze deed de deksel op het blik met vet en pakte een oude lap op om haar handen af te vegen. 'Wel wat. Harry, die werkt hier al jaren en een paar vrouwen werken hier parttime – de ene komt 's ochtends, de andere 's middags.'

'Uit Winterbourne Barton?'

'Weymouth.'

'Wat doen ze?'

'Wat er gedaan moet worden.'

'Ploegen?'

Ze knikte. 'Alles wat met de oogst te maken heeft. Harry en ik zorgen voor het vee, de omheining en het bos... maar we helpen elkaar allemaal als dat nodig is.' Ze keek nieuwsgierig naar me terwijl ze de doek opvouwde en hem op het blik legde. 'Hebben ze geen vrouwelijke arbeiders op de boerderijen in Zimbabwe?'

'Duizenden.'

'Waarom kijk je dan zo verbaasd?'

Ik glimlachte. 'Omdat iedereen in Winterbourne Barton je als een eenling typeert, en ik er nu achter kom dat er drie mensen voor je werken.'

'Nou en?'

'Het is dus een verkeerde typering. Ik kreeg de indruk dat je in je eentje woonde en werkte.'

Haar mond vertrok cynisch. 'Zo is Winterbourne Barton nu. Ze weten absoluut niet hoeveel erbij komt kijken om een boerenbedrijf te runnen, maar de meesten van hen hebben ook nooit eerder op het platteland gewoond.' Ze keek naar het huis. 'Ik ga sandwiches maken voor de lunch. Wil je mee naar binnen?'

'Zijn de honden daar?'

Ze kneep haar donkere ogen een beetje dicht, eerder nadenkend dan minachtend. 'Niet als jij dat niet wilt.'

Ik kwam overeind. 'Dan kom ik graag. Dank je wel.'

'Je moet je auto wegzetten voor het geval Harry of Julie terugkomt. Als je daar parkeert...' ze wees naar de heg aan de linkerkant, 'dan zie je een pad naar de achterdeur. Daar zie ik je wel nadat ik het met de honden geregeld heb.'

De boerderij was een smal, onregelmatig gebouw, opgetrokken in dezelfde Purbeck-steen als Barton House en heel Winterbourne Barton. Het hart van het huis, de kamers rond de voordeur, stamde uit de zeventiende eeuw, maar de uitbreidingen aan beide kanten dateerden uit de negentiende en twintigste eeuw. Wat oppervlak betreft was het bijna net zo groot als Barton House, maar omdat het stukje bij beetje gebouwd was, miste het de heldere contouren en elegantie van het huis van Lily.

We gingen naar binnen via de keuken, die groter, lichter en beter toegerust was dan die van Lily. Een raam keek uit op de tuin, die helemaal uit gras bestond, zonder een enkele struik of bloem. Een afrastering van bijna twee meter hoog liep langs de beukenheg om de mastiffs binnen te houden, en in een hoek stond een grote houten kennel. Op dit moment waren ze niet te zien.

'Ze zitten aan de voorkant,' zei Jess, alsof ze mijn gedachten kon lezen. 'Als je weg bent, laat ik ze weer aan deze kant. Mijn moeder had hier vroeger bloeiende borders, maar mijn eerste puppy groef alle planten uit. Dit is makkelijker.'

'Zijn ze altijd buiten?'

'Als ik aan het werk ben wel. Als ik thuis ben zijn ze binnen. Je moet ze als iets te groot uitgevallen haardkleedjes zien, dan vind je ze misschien niet meer zo eng. Mastiffs zijn heel sociaal... ze zijn graag bij mensen in de buurt. Het enige wat ze doen is tussen hun baas en een vreemde gaan staan, maar ze vallen niet aan, tenzij de vreemde aanvalt.'

Ik ging nogal abrupt op een ander onderwerp over. 'Dit is een prettige ruimte, Jess. Heel wat prettiger dan de keuken van Lily.'

Ze keek even naar me, draaide zich toen om en deed de deur van de koelkast open. 'Wil je de rest van het huis bekijken terwijl ik de sandwiches maak? Je bent vast nieuwsgierig... dat is iedereen.'

'Vind je dat niet erg?'

Ze haalde ten antwoord onverschillig haar schouders op.

Het was niet bepaald de hartelijkste uitnodiging die ik ooit had gekregen maar ik nam hem aan. De kamers die we bewonen zeggen net zo veel over ons als ons gedrag en Jess had gelijk, ik was ontzettend nieuwsgierig naar haar leefomgeving. Ik had van verschillende mensen gehoord dat het huis was blijven stilstaan in de tijd, dat het een monument voor haar familie was, vol morbide souvenirs en met de nadruk op de dood in de vorm van opgezette dieren. Die kwam ik direct tegen, want er stonden vier glazen vitrines in de gang, met daarin een fazant, een vossenjong, twee wezels en een das.

Dit was het zeventiende-eeuwse hart van het gebouw en ik geloofde best dat het in jaren niet was veranderd. Het enige natuurlijke licht kwam van een raam halverwege de trap, maar dat was niet genoeg om de sombere donkereiken lambrisering op te lichten. Langs de zoldering liepen balken en op de plavuizen was een zichtbaar pad uitgesleten tussen de voordeur en de trap.

De twee kamers die op de gang uitkwamen verdreven alle gedachten aan een huis dat in de tijd was blijven stilstaan. In de ene, duidelijk Jess' kantoor, stonden dossierkasten en een bureau met een computer, en in de andere een oude bank en een hoop zitzakken die sterk naar hond roken. Tegen de langste muur stond een design hifi-installatie met planken vol cd's, dvd's, video's en elpees, om een plasmascherm heen. Ik had niet gedacht dat Jess een muziek-, film- of tv-fanaat zou zijn, maar dat was ze duidelijk wel. Ze had zelfs een verbinding met Sky digital, te oordelen naar de bekende zwarte afstandsbediening op de bank. Hoezo monument voor het verleden, dacht ik jaloers. Had Barton House maar wat meer te bieden dan vier kanalen op een armzalig tv'tje in de achterkamer.

Bijna had ik het daarbij gelaten. Het is één ding dat je vrije toegang krijgt in andermans huis, maar iets anders om daar ook gebruik van te maken. Ik had me op verboden terrein begeven uit nieuwsgierigheid, of erger nog, uit een kinderlijk verlangen om Winterbourne Barton de loef af te steken door te kunnen zeggen dat ik binnen gevraagd was. Maar ik werd voortgedreven tussen de discrepantie tussen wat ik zag en wat me was verteld, want ik begreep niet waar de gedachte vandaan kwam dat het huis morbide was, tot ik een gang vond vol foto's van de familie van Jess.

Rij na rij met dezelfde vier lachende mensen – een man, een vrouw, een jongen en een meisje – met ongeveer om de zeventig centimeter variaties van dezelfde foto's. Portretten op posterformaat. Kiekjes op ansichtkaartformaat. Afzonderlijke afdrukken van de kinderen die naast hun vader en moeder geplakt waren en samen een lachende groep vormden. Het was een collage in zwart, wit, sepia en zinderende kleuren op het doorlopend canvas van de muren van de gang, en het was een glorieuze expressie van het leven.

Ik dacht aan de foto's die ik van mijn ouders had. De officiële huwelijksportretten en de vakantiekiekjes waarop ze ongemakkelijk lachend stonden, of afwerend omdat ze niet gefotografeerd wilden worden. Ik had maar een handjevol, onopgemerkt genomen, waar ze helemaal op stonden zoals ze waren, en ik bedacht hoeveel beter het was om extra afdrukken van die goede foto's te laten maken, in plaats van de boel op te vullen met gegeneerde, of ernstige gezichten.

'Wat vind je ervan?' vroeg Jess' stem achter me.

Ik had haar niet horen aankomen en draaide me met een verschrikt gezicht om. 'Briljant,' zei ik naar waarheid. 'Zo zou ik herinnerd willen worden.'

'Je ziet er niet erg onder de indruk uit.'

'Omdat jij zo stilletjes achter me kwam staan. Wie heeft ze genomen? Jij...?'

'Ja.' Haar donkere ogen zwierven langs de foto's. 'Lily had een hekel aan mijn galerij. Ze vond het ongezond... zei steeds dat ik afstand moest nemen van mijn herinneringen.'

Standaardadvies, dacht ik, maar ik begreep niet hoe je dat op foto's kon toepassen. Mijn moeder had foto's van haar overleden ouders op haar nachtkastje, en ik had nooit het gevoel gehad dat die daar niet zouden moeten staan. 'Waarom heb je jezelf er niet ergens bij gezet?'

'Dat heb ik wel gedaan, daar.' Ze wees naar een foto op ansichtkaartformaat aan het begin, met haar ouders arm in arm met een meisje dat ik voor haar zusje had gehouden.

Ik liep erheen om hem te bekijken. 'Ik herkende je niet. Wanneer is hij genomen?'

'Op mijn twaalfde verjaardag. Mijn ouders hadden me een camera gegeven en ik heb Rory die foto laten nemen.'

'Hoe oud was hij?'

'Toen acht… vijftien toen hij stierf. Sally was twee jaar jonger.'
'En je ouders?'
'Allebei achter in de veertig.' Ze wees op een grote foto halverwege de gang. 'Dat is de laatste foto die ik van ze gemaakt heb. Ongeveer drie weken voor het ongeluk.'

Ik liep langs haar heen om ervoor te gaan staan. Het was een kleurenfoto, er was geen zee op de achtergrond, maar de compositie en de manier waarop het zonlicht één kant van de gezichten bescheen deed me denken aan de zwart-witfoto van Madeleine in Barton House. 'Heb jij de foto van Madeleine genomen die bij mij op de overloop hangt?'

'Misschien.'

'Het is het enige in het hele huis dat de moeite van het bekijken waard is… de rest is smakeloos… de schilderijen van Nathaniel inbegrepen.'

Het was een compliment, maar Jess vatte het niet als zodanig op. 'Het lijkt voor geen meter op Madeleine,' zei ze kwaad. 'Ik heb hem alleen gemaakt om Lily een plezier te doen. Ze moest geloven dat er iets goeds van de Wrights was gekomen. Als het een oprecht beeld was geweest had dat kreng van een dochter van haar eruitgezien als het portret van Dorian Gray… zo lelijk als de hel.'

'Je moeder is mooi,' zei ik om haar af te leiden.

Jess negeerde me. 'Weet je, soms vraag ik me af of Madeleine daarop uit is. Zolang Nathaniel haar verdorvenheid in zijn schilderijen stopt, kan zij zichzelf voor lief laten doorgaan.'

Een vreemde analogie. 'Maar zijn schilderijen zijn niet verdorven, ze zijn gewoon niet zo goed. Als hij talent had, dan had hij ze wel verkocht in plaats van dat ze in Barton House verstoffen.'

'Dan is het een verdorven destructie van talent,' zei ze kortaf. 'Voor hij met Madeleine trouwde, was hij goed. Peter heeft een van zijn vroege schilderijen. Dat moet je eens bekijken.' Ze deed een deur aan het eind van de gang open. 'Ben je hier al geweest?'

'Nee.'

'Dit is de mooiste kamer.'

Ik dacht dat ze bedoelde dat het de mooiste kamer was wat betreft afmetingen en inrichting, of 'mooi' in de zin van 'speciaal voor bezoek', dus was ik niet voorbereid op wat ik aantrof. Er stond geen enkel meubel in de ruimte. Het was een grote kamer met geblindeerde ramen, vloerdelen op de vloer, witte muren en een serie smalle panelen van vloer tot plafond die asymmetrisch in het midden waren opgesteld, met minispeakers eraan bevestigd. Ik had geen idee wat het moest voorstellen tot Jess een aantal knoppen op een paneel bij de deur indrukte en de kamer met bewegende beelden en geluid tot leven kwam.

Heel even, toen de boerderij op de muur tegenover me verscheen, was ik bang dat ik haar familie zich op video zou zien herhalen. In dat geval zou ik het met Lily eens zijn geweest. Wat is er meer morbide en ongezond dan in het donker zitten en naar dode mensen kijken die activiteiten vertonen op al lang vergeten feestjes of schoolvoorstellingen?

'Het is de levenscyclus van de wezel,' zei Jess, terwijl er heel andere beelden op de schermen geprojecteerd werden. 'Dat vrouwtje heeft een jaar een nest onder het huis gehad... ze is naar Clambar Wood vertrokken toen de honden de ingang hadden ontdekt. Daar heb je haar jongen... ze leert ze jagen. Daar komt de mythe waarschijnlijk vandaan dat wezels groepen vormen. Maar in feite heeft ieder zijn eigen territorium en komen ze alleen bij elkaar om te paren. Kijk daar eens. Zie je wel hoe mooi ze zijn? Boeren zouden ze moeten beschermen in plaats van ze te doden. Ze stelen wel eieren en kippen als ze die te pakken kunnen krijgen, maar hun favoriete prooi zijn muizen en woelmuizen.'

'Fantastisch,' zei ik. 'Wie heeft het opgenomen?'

'Ik.'

'En heb je ook deze kamer ingericht?'

Ze knikte. 'Ik heb de panelen licht genoeg gemaakt om ze te kunnen verplaatsen zodat je verschillende effecten kunt bereiken. Sommige films zijn effectiever als de schermen een doorgaande boog vormen... bijvoorbeeld vogels in de vlucht. Ik heb een prachtige film van kraaien die 's ochtends hun nest verlaten. Het is verbazingwekkend om ze langs de boog te zien vliegen. De wezels doen het beter in een gespreide opstelling, omdat je dan ziet hoe territoriaal ze zijn.'

'Mag ik de kraaien zien?'

122

Ze keek op haar horloge. 'Het duurt te lang om ze op te stellen. Ik moet de projectoren ook opnieuw richten.' Ze drukte op de knoppen en hulde het vertrek weer in duisternis voor ze me de kamer uit liet en de deur sloot. 'Ik ben bezig met een soundtrack voor de wezels, maar misschien stel ik de kraaien wel op als ik daarmee klaar ben.'

Ik liet me door haar naar de keuken leiden. 'Maar waar zijn die films voor? Voor scholen? Wat doe je ermee?'

'Niets.'

'Hoe bedoel je, niets?'

Ze pakte een paar sandwiches, in huishoudfolie verpakt, van het aanrecht en stopte ze in haar zak. 'Het is gewoon een hobby,' zei ze.

Ik keek haar ongelovig aan. 'Je bent gek! Wat heeft het voor zin om films te maken die niemand ziet? Je zou ze moeten vertonen... een publiek vinden.' Ik zweeg even. 'Net zoiets als dat ik stukken zou schrijven die niemand leest.'

'Ik ben niet zoals jij. Ik hoef niet constant bewonderd te worden.'

'Dat is flauw.'

Ze haalde onverschillig haar schouders op.

'Wat is er verkeerd aan te laten zien dat je talent hebt? Je bent goed, Jess.'

'Dat weet ik,' zei ze ronduit, 'maar waarom denk je dat ik er behoefte aan heb dat jij me dat vertelt? Wat weet je van filmen? Wat weet je van wezels?' Ze lachte geringschattend toen ik mijn hoofd schudde.

'Ik gaf je alleen mijn eerlijke mening.'

'Nee.' Ze deed de achterdeur open en liet me naar buiten. 'Je was bevoogdend. Waarschijnlijk omdat je je schuldig voelt omdat je naar Madeleine hebt geluisterd. Voortaan kun je beter je mond houden.'

Het was alsof ik over eieren liep. Ik zag niet wat ik verkeerd had gedaan, afgezien van haar een compliment geven. 'Had ik moeten zeggen dat het rotzooi was?'

'Natuurlijk niet.' Ze wierp me een vernietigende blik toe. 'Leugenaars vind ik nog erger dan kontlikkers.'

Van:	connie.burns@uknet.com
Verzonden:	woensdag 21 juli 2004 13.54
Aan:	alan.collins@manchester-police.co.uk
Onderwerp:	adresgegevens

Beste Alan,

Journalisten zijn berucht zuinig op hun verhalen. Ik ben er niet gerust op dat mijn chef me niet wegschrijft uit het O'Connell/MacKenzie-gebeuren en al mijn research voor dat van hem laat doorgaan! Ik laat je mijn adres en telefoonnummer zo snel mogelijk weten als ik een vast adres heb. Op het ogenblik kampeer ik nog.

Zo gaat het nou altijd!

Hartelijke groeten,
Connie

P.S. Ongelooflijk, wat is het mobiele netwerk in dit land slecht. Ik zit bij de verkeerde provider, denk ik.

9

JESS EN IK GINGEN OPPERVLAKKIG GEZIEN VRIENDSCHAPPELIJK
uit elkaar, maar ze vroeg me niet nog eens te komen en ze knikte
neutraal toen ik zei dat ik haar in Barton House hoopte te zien.
Het was allemaal heel verwarrend. Ik ging niet meteen naar huis,
maar reed naar het dorp om te kijken of Peter thuis was. Toen ik
zijn auto langs de weg zag staan, parkeerde ik de mijne erachter
en belde aan. Terwijl ik stond te wachten, voelde ik al bedenkingen opkomen, die vooral te maken hadden met gebrek aan loyaliteit en roddelpraat, maar ik was te nieuwsgierig om eraan toe te
geven.

'Heb je het druk?' vroeg ik toen hij opendeed. 'Heb je tien minuten voor me?'

'Is dit een medisch bezoekje of gewoon?'

'Gewoon.'

Hij deed een stap naar achteren. 'Kom binnen. Maar je moet
toekijken terwijl ik eet. Ik heb helaas maar genoeg voor een, maar
ik kan je een glas wijn aanbieden of een kopje koffie.'

Ik liep achter hem aan de gang door. 'Hoeft niet, bedankt.'

'Wanneer heb je voor het laatst gegeten?'

De vraag bracht me uit mijn evenwicht. 'Vanmorgen?' opperde
ik.

Hij bekeek me bedachtzaam voor hij een stoel onder de tafel
vandaan trok. Als altijd wanneer ik in zijn buurt was, lette hij
erop dat hij me de ruimte gaf, deed eerst een stap naar achteren
voor hij me vroeg te gaan zitten. 'Ga zitten.'

'Dank je.'

Hij ging op zijn plek aan de andere kant van de tafel zitten. Zijn lunch bestond uit een magnetronmaaltijd, pasta, nog in het plastic bakje. 'Als ik weet dat er mensen komen, neem ik een bord,' zei hij terwijl hij zijn vork opnam. 'Wie onverwacht langskomt, telt niet mee. Brengt Jess je eten van de boerderij?'

Ik knikte.

'Eet je het ook?'

Ik knikte weer.

Hij geloofde me niet, maar ging er niet op door. 'Wat kan ik je over Jess vertellen? Welk deeltje van haar bijzonder irritante persoonlijkheid wil je nader verklaard zien?'

Ik glimlachte. 'Hoe weet je dat ik voor Jess kwam?'

Hij schoof spaghetti op zijn vork. 'Ik zat tweehonderd meter achter je toen je haar hek binnenreed. Was ze thuis?'

'Ik heb gekeken hoe ze de stropakmachine smeerde en toen heeft ze me mee binnen gevraagd en rondgeleid. Ik neem aan dat je wel eens binnen bent geweest?'

'Talloze keren.'

'Dus je hebt de gang met de familiefoto's gezien?'

'Ja.'

'De grote kamer met de schermen?'

'Ja.'

'Wat vind je ervan?'

Hij gaf geen antwoord tot hij zijn laatste hap op had en zijn bakje opzij had geschoven. 'Af en toe denk ik er anders over, maar over het algemeen vind ik het een goede zaak dat Jess de kunstacademie nooit heeft afgemaakt. Ze zat aan het einde van haar eerste jaar toen het ongeluk gebeurde, en ze de opleiding moest opgeven om de boerderij over te nemen. Ze heeft er nog steeds spijt van... maar ze had drie jaar verspild als ze was gebleven.'

Ik was onredelijk teleurgesteld. Als iemand kon zien dat ze talent had, moest het Peter zijn omdat hij meer met haar op scheen te hebben dan wie dan ook. 'Vind je haar dan niet goed?'

'Dat heb ik niet gezegd,' corrigeerde hij me vriendelijk. 'Ik zei dat als ze op de kunstacademie gebleven was, dat tijdverspilling was geweest. Of ze had zich aangepast en was haar individualiteit kwijtgeraakt, of ze had constant ruzie gehad met haar leraren en had toch haar eigen ding gedaan. Als je geluk hebt, laat ze je een keer haar schilderijen zien. Voor zover ik weet heeft ze sinds het ongeluk geen penseel meer aangeraakt, maar daarvóór heeft ze buitengewoon mooi werk gemaakt.'

'Heeft ze ooit verkocht?'

Hij schudde zijn hoofd. 'Dat heeft ze nooit geprobeerd. Het staat allemaal in een atelier aan de achterkant van het huis. Ik betwijfel of ze er geld voor zou willen hebben. Ze is uit de school van "schilderen voor geld is verkeerd"... zij vindt een kunstenaar die inspeelt op de wensen van de klant een middelmatige broodschilder.'

'Wat schilderde ze?'

'Landschappen. Zeegezichten. Ze heeft een heel eigen stijl – meer impressionistisch dan figuratief – ze creëert beweging in de lucht en het water met een heel klein beetje verf en een zwiepende penseelstreek. De leraren vonden het niet geweldig, daarom kan ze er zo slecht tegen als anderen er hun mening over geven. Zij vonden dat ze op Turner teruggreep, terwijl ze de idee van de conceptionele kunst had moeten aanhangen, waarbij een stuk eerst in de geest wordt gecreëerd voor het concreet wordt. Madeleines man was het type kunstenaar dat zij goed vonden.'

Mijn ongeloof moet overduidelijk zijn geweest, omdat Peter lachte.

'Hij maakte vroeger veel interessanter werk dan die schilderijen bij Lily aan de muur. Hij conceptualiseerde het irrationele in een fysieke vorm... heel wat anders dan de abstracten die hij nu maakt.'

Ik probeerde intelligent te kijken. 'Jess zei dat je een van zijn vroege schilderijen hebt. Mag ik het zien?'

Hij aarzelde even. 'Waarom ook niet? Het hangt in mijn werkkamer... tweede deur rechts. Je ziet het meteen. Het is het enige schilderij.'

Dit schilderij was druk, vol details, als Jeroen Bosch, met dezelfde nachtmerrieachtige visioenen van een gek geworden wereld. Levende huizen staken dikke wortels uit en slingerplanten boorden zich kronkelend door het metselwerk. Het schilderij glansde, alsof er zorgvuldig laag na laag verf op was aangebracht speciaal om die glans te verkrijgen, en qua stijl leek het in niets op het trieste werk in Barton House. Er zat een wervelende gekte in. Geen enkel huis stond rechtop, ze hingen dronken in alle richtingen, als gegrepen door een orkaan. Honderden piepkleine mensen, totaal niet in verhouding met de gebouwen, bevolkten de kamers achter de ramen, en ieder gezicht was een exacte kopie van *De schreeuw* van Edvard Munch. Buiten scharrelden even kleine dieren tussen de bladeren, allemaal even groot en met het bleke, taps toelopende gezicht van het schilderij van Munch.

Ik was bereid aan te nemen dat het de geconceptualiseerde irrationaliteit was (wat dat ook mocht betekenen – in mijn oren klonk het als een oxymoron), maar er stond geen titel bij en ik had er geen idee van of er een speciaal stukje redeloosheid werd uitgedrukt, of dat het de redeloosheid in het algemeen was. Waarom levende huizen? Waarom zaten er zo veel mensen in gevangen? Waarom dieren met mensengezichten? Was het de angst van de mens voor de natuur? Of kwam het in de buurt van Jeroen Bosch – een visioen van de hel? Ik had het ongemakkelijke gevoel dat als Jess er was geweest, ze zou zeggen dat mijn mening subjectief was, en daarom irrelevant. Het deed er niet toe hoe gestoord en krachtig ik het visioen vond, de betekenis ervan behoorde aan de schilder toe.

Peter stond bij het fornuis toen ik in de keuken terugkwam. 'Ik hoop dat je je koffie zwart drinkt,' zei hij terwijl hij water in twee bekers schonk. 'Ik heb geen melk meer.'

'Ik drink koffie altijd zwart, dank je.' Ik nam de kop die hij me aanbood, manoeuvreerde zo dat mijn vingers de zijne niet hoefden te raken. 'Heeft het schilderij een titel?'

'Daar heb je niets aan. *Oker*. Wat vind je ervan?'

'Mag ik het eerlijk zeggen? Of krijg ik dan meteen de kous op de kop, zoals bij Jess. Ik voelde haar hete adem in mijn nek, hoorde haar gewoon zeggen dat ik niet zo pretentieus moest zijn.'

Peter keek geamuseerd. 'Maar zij heeft nog een grotere hekel dan jij aan de gedachtepolitie. Ze noemt dat het syndroom van de kleren van de keizer. Als iemand als Saatchi bereid is een miljoen voor een onopgemaakt bed neer te tellen, dan moet het wel goed zijn... en alleen idioten snappen dat niet. Zeg het maar eerlijk,' moedigde hij me aan.

'Goed. Nou, het is stukken beter dan alles op Barton House bij elkaar, maar ik heb geen idee wat het moet voorstellen. Het heeft iets surrealistisch. Maar wat ik helemaal onbegrijpelijk vind is dat Madeleine samenwoont met de man die het gemaakt heeft. Ik bedoel, zij is zo kleinburgerlijk en conformistisch... en Nathaniel lijkt ergens op het randje te balanceren. Hoe zit dat precies in elkaar?'

Hij barstte in lachen uit. 'Nathaniel heeft het voor hun huwelijk gemaakt. Nu maakt hij heel tamme dingetjes. Jess noemt het marshmellow gebouwtjes met plantenbakken in de ramen. En dat klopt wel. Hij verkoopt amper, vandaag de dag.'

'Hoeveel heb je voor die van jou betaald?'

Peter vertrok zijn gezicht. 'Vijfduizend pond, elf jaar geleden. En nu is het amper wat waard. Ik heb het bij de scheiding laten taxeren. Als investering is het een ramp gebleken... maar als schilderij fascineert het me nog steeds. Toen ik het kocht zei Nathaniel dat de sleutel tot wat het voorstelt het zich herhalende Edvard Munch-gezicht is... de van angst vervulde schreeuw.'

Ik wachtte. 'Goed,' zei ik na een ogenblik. 'Ik zag het in de gezichten... maar daar heb ik weinig aan. Is het de hel?'

'In zekere zin.' Hij zweeg even. 'Ik dacht dat je de emotie wel zou herkennen. Het is de verbeelding van een paniekaanval. Munch heeft het grootste gedeelte van zijn leven aan angst geleden en *De schreeuw* wordt gewoonlijk omschreven als de uitdrukking van een intense angstbeleving.'

Ik trok spottend een wenkbrauw op.

'Zag je dat er niet in?'

'Niet echt. Waarom leven de huizen? Waarom zijn ze zo onstabiel? Ik dacht dat mensen met agorafobie een huis als veilig toevluchtsoord zien. En waarom hebben de dieren een menselijk gezicht? Dieren hebben geen angst... niet zo erg als mensen.'

'Ik denk dat je het niet aan de wetten van de logica moet onderwerpen, Marianne. Paniek is een irrationele reactie.'

Het 'Marianne' overviel me, zoals gewoonlijk. Ik zag het nog steeds als de naam van mijn moeder, en reageerde altijd vertraagd als iemand het zei. Ik denk dat het Peter op het puntje van zijn tong lag om toe te geven dat hij wist wie ik echt was, maar ik zei al iets voor hij dat kon. 'Hij kan het niet tijdens een aanval geschilderd hebben... daarvoor is het veel te gedetailleerd en pietepeuterig. Zijn handen zouden te veel getrild hebben.'

Peter haalde zijn schouders op. 'Wie zegt dat het zíjn paniekaanval is? Misschien was hij erbij toen iemand anders een paniekaanval kreeg.'

'Wie dan?'

Hij haalde weer zijn schouders op.

'Madeleine niet,' zei ik ongelovig. 'Zij heeft niet genoeg verbeeldingskracht om zo bang te zijn. En bovendien zou hij, als het op haar geïnspireerd is, toch nog steeds zo schilderen?'

'Ik weet niet wat zijn thema's nu zijn. Madeleine heeft het over de abstracte reflectie van het menselijk tekort... maar ik weet niet of dat haar woorden of die van Nathaniel zijn. Hoe het ook zij... het is een nogal wanhopige poging om het spectaculaire verlies aan talent te benoemen. Hij verdient nu de kost met lesgeven.'

'Hoe oud is hij?'

'Halverwege de dertig. Hij was vierentwintig toen hij mijn schilderij maakte.'

'En hoe oud is Madeleine? Negenendertig... veertig? Wanneer zijn ze getrouwd?'

'In 1994.'

Tien jaar geleden. Ik maakte wat sommetjes. 'Dat maakt van hem een beetje een speeltje. Misschien is ze toch niet zo conventioneel als ik dacht. Jess zei dat ze een zoontje van elf heeft. Is Nathaniel de vader?'

'Voor zover ik weet wel. Ze zijn een paar maanden na zijn geboorte getrouwd.'

'Wat vond Lily daarvan?'

'Precies wat jij denkt,' zei Peter glimlachend.

'Zij had liever een bruiloft en kleinkinderen in de juiste volgorde gehad?'

Hij knikte.

'Dat willen de meeste moeders.' Ik schudde droevig mijn hoofd. 'Dat bewijst maar weer hoe je het bij het verkeerde eind kunt hebben, wat mensen betreft. Ik zou er wat om verwed hebben dat Madeleine met een rijke oudere man was getrouwd en haar baby pas na een respectabele negen maanden op de wereld had gezet. Waar hebben zij en Nathaniel elkaar ontmoet? Ik had niet de indruk dat ze al haar hele leven naar exposities gaat.'

'Hier,' zei Peter droogjes, terwijl hij met zijn voet op de vloer tikte. 'Ongeveer waar jij nu staat. Ik had een gesprek met Nathaniel, toen Madeleine opeens aan kwam zetten. Hij had geen kans meer toen ze eenmaal wist wie hij was, hoewel ik niet weet wat hij in haar zag... tenzij het haar onvervalste bewondering was. Ze kon de ene penseelstreek niet van de andere onderscheiden, maar ze wist heel goed hoe ze hem moest vleien.'

Toen ze eenmaal wist wie hij was...? 'Woonde hij in Winterbourne Barton?'

'Niet echt.'

'Wat bedoel je daarmee?'

Peter tuurde in zijn koffie. 'Verzin dat zelf maar... daar hoef je geen Einstein voor te zijn.'

Ik moet wel erg traag van begrip zijn geweest, want ik zag niet wat hij bedoelde. 'Waarom vertel je het me niet?'

'De eed van Hippocrates,' zei hij met een welgemeende grijns. 'Als ik mijn mond niet kan houden, raak ik mijn patiënten kwijt... vooral in een dorp als dit waar roddels zich als een lopend vuurtje verspreiden. In ieder geval is het leven te kort om andermans strijd uit te vechten.'

Strijd...? 'Ik ken hier maar twee mensen die elkaar niet kunnen luchten...' ik zweeg toen het muntje viel. 'O, nou snap ik het! De kunstacademie... paniekaanvallen... Heeft Madeleine Nathaniel van Jess afgepakt? Hebben ze daarom zo'n hekel aan elkaar?' Ik zag aan zijn gezicht dat ik het bij het rechte eind had. 'Geen wonder dat Jess niet van complimenten houdt. Het moet een behoorlijk pijnpunt zijn als Madeleine ermee strooide.'

'Haar eigen schuld,' zei Peter weinig meelevend. 'Ze was veel te kritisch over het werk van Nathaniel, en dat is niet makkelijk om mee te leven. Madeleines schouderklopjes waren heel wat fijner.'

'Maar als hij zijn scherpte is kwijtgeraakt, had hij die kritiek misschien wel nodig.'

'Ongetwijfeld... maar hij is een veel zwakkere persoonlijkheid dan Jess. Hij gaat mokken als zijn ego niet gestreeld wordt.'

'Hij klinkt strontvervelend,' zei ik vlakweg, terwijl ik aan een paar mannen in mijn verleden dacht die net zo waren geweest. 'Hoe lang gingen ze met elkaar?'

Hij gaf niet meteen antwoord, overwoog kennelijk hoeveel hij me met een gerust geweten kon vertellen. 'Het is geen geheim. Twee jaar. Ze heeft hem in haar eerste semester ontmoet. Als ze in Londen was gebleven, had het misschien standgehouden, maar daar was geen kans op na het ongeluk. Ze heeft op de boerderij een atelier voor hem ingericht, maar na de zomer van '93 heeft hij dat niet meer gebruikt.' Hij nam bedachtzaam een slokje koffie. 'Ze heeft zich hun uit elkaar gaan alleen maar zo aangetrokken omdat hij haar voor Madeleine verliet. Als het om een ander was geweest, had het haar niets kunnen schelen.'

'Wat vond Lily ervan?'

Hij kneep zijn ogen weer geamuseerd samen. 'Waarom ben je zo geïnteresseerd in de reacties van Lily?'

Ik haalde mijn schouders op. 'Ik vraag me af waarom Jess zo nauw bevriend met haar is gebleven. Als Madeleine een man van mij had ingepikt, dan was ik haar moeders grasveld echt niet blijven maaien. Stel dat Madeleine en Nathaniel langs waren gekomen terwijl ik daarmee bezig was? Ontzettend gênant. Ik zou bang zijn dat ze me achter mijn rug uitlachten.'

'Ik weet niet of dat Jess iets zou kunnen schelen. Ze is totaal ongevoelig voor wat mensen over haar zeggen.'

'Nú misschien, maar toen niet. Als ze nooit door iets van haar stuk gebracht werd, zou ze geen paniekaanvallen hebben gehad,' merkte ik op.

Peter streek bedachtzaam met zijn hand over zijn kin, alsof ik hem aan iets herinnerd had wat hij was vergeten. 'Lily had het er nooit over,' zei hij toen, 'maar ze heeft een keer gezegd dat Madeleine de waarde die ze aan dingen toekende liet afhangen van hoe waardevol iemand anders ze vond.'

Zo te horen een rake analyse. 'En wordt Nathaniel nog steeds overladen met onvervalste bewondering?' vroeg ik nieuwsgierig, 'of is hij van zijn voetstuk gevallen toen de verkoop minder werd?'

'Ik pas.'

Ik lachte. 'Ja, dus. Hij heeft vast spijt van zijn stap. Mocht Lily hem?'

'Ze heeft hem nooit goed gekend. Madeleine kwam altijd alleen op bezoek.'

'Maar je moet toch een idee hebben.'

'Niet echt. Lily was een heel discrete vrouw, wat haar familie betreft. En daarom kon ze het waarschijnlijk zo goed met Jess vinden. Ik denk niet dat Jess haar de schuld gaf van het gedrag van Madeleine, maar ik betwijfel of ze het er ooit over gehad hebben.'

'Behalve dan dat Jess in Barton House haar polsen heeft doorgesneden,' merkte ik op. 'Wat in ieder geval doet vermoeden dat ze wilde dat Lily wist dat ze het moeilijk had.'

De opgewekte uitdrukking op zijn gezicht verdween ogenblikkelijk. 'Wie heeft je dat verteld?'

'Madeleine.'

Hij keek kwaad. 'Ik raad je aan voortaan alles wat zij je vertelt met een flinke korrel zout te nemen. Ze herschrijft de geschiedenis naar hoe het haar uitkomt.' Hij ademde diep in door zijn neus. 'Ik hoop dat je dat verhaal aan niemand hebt doorverteld?'

'Natuurlijk niet. Aan wie dan?'

'Aan Jess?'

'Nee.'

Hij ontspande een beetje. 'Als Madeleine dat verhaal van haar moeder heeft, dan moet ze Lily verkeerd begrepen hebben.' Een bijzonder ontwijkende opmerking, dacht ik.

'Is het dan niet waar?'

Hij kon zich er niet toe brengen regelrecht 'nee' te zeggen, dus praatte hij eromheen. 'Het is een belachelijke gedachte. Niemand zoekt bij zoiets toeschouwers op.'

Wel als iemand de aandacht wil trekken, dacht ik. Er bestaat een lange geschiedenis van fanatiekelingen die zich omwille van een bepaalde kwestie in het openbaar het leven benemen, en de schokgolven die daarop volgen zijn altijd enorm. Misschien was dat Jess' motief geweest, want ik twijfelde er niet aan dat het zelfmoordverhaal waar was. Peters overduidelijke ongemakkelijkheid dat ik ervan wist bewees dat, zelfs als ik de littekens op haar polsen niet gezien zou hebben.

Ik maakte wat banale instemmende opmerkingen, terwijl ik me afvroeg of hij echt dacht dat ik de enige was aan wie Madeleine het verteld had. Ik had de indruk dat hij degene was die het geheim doorverteld had, en niet Lily, en dat hij zich daarom zo ongemakkelijk voelde. Ik vond vooral zijn vraag of ik het er met Jess over had gehad raar. Dacht hij dat zij niet wist dat Madeleine op de hoogte was? Of was hij bang dat als ze aan haar zelfmoordpoging herinnerd werd, ze het opnieuw zou proberen? Ik dacht aan de terloopse manier waarop zij een opmerking had gemaakt over mijn belangstelling voor haar polsen, en hoe weinig het haar interesseerde om de beschuldiging te weerleggen dat ze 'vreemden aan het mes reeg'.

'Je leeft in dromenland als je denkt dat Jess niet weet dat dat geheim op straat ligt,' zei ik abrupt. 'Ik heb het niet tegen haar gezegd, zíj begon erover. Ze had het over de littekens op haar polsen en over hoe Madeleine haar gif spuwt, en ze zei dat ze het opgegeven heeft om de mensen ervan te overtuigen dat ze niet van plan is ze aan het mes te rijgen.' Ik zweeg even. 'Madeleine heeft haar versie van het verhaal vast zo ingekleed dat Jess er slecht van afkomt, maar het verbaast me niet dat ze erover roddelt. Die twee hebben een hekel aan elkaar.'

'Wat heeft ze je nog meer verteld?'

'Jess of Madeleine?'

'Madeleine.'

'Dat de familie van Jess arm was… dat haar grootmoeder naar Australië is geëmigreerd om bij haar zoon weg te zijn… dat Jess lesbisch is.' Ik zag de woede in zijn gezicht weer toenemen. 'Ze zei ook dat Jess een stalker was… dat ze anonieme telefoontjes pleegt en wraak neemt als ze afgewezen wordt. O, en ze vindt het schandelijk dat jij mij niet gewaarschuwd hebt hoe gestoord Jess is.' Ik glimlachte flauwtjes. 'Had je dat wel moeten doen?'

'Nee.'

'Neemt ze wraak? Madeleine heeft tegen me gezegd dat ik het na moest trekken bij Mary Galbraith van Hollyhock Cottage.'

Peter schudde geërgerd zijn hoofd. 'Nou, Mary zal het verhaal zeker bevestigen,' zei hij. 'Zij is ervan overtuigd dat Jess het op haar en haar man gemunt heeft.'

'Waarom?'

Weer die geërgerde beweging. 'Ralph Galbraith is midden in

134

het dorp tegen Jess' Landrover op gereden en Jess heeft de politie gebeld toen ze rook dat hij gedronken had.' Hij knikte toen ik hem vragend aankeek. 'Drie keer boven de limiet. Hij mag een tijd niet rijden en aan het eind van die periode moet hij opnieuw examen doen. Mary was bijzonder van streek. Ze zegt dat er geen reden was om de politie erbij te halen – het was maar een kleine botsing en er is niemand gewond geraakt – en dat de politie alleen gebeld werd omdat Jess zo wraakzuchtig is.'

Ik dacht eraan dat zij mijn autosleuteltjes in beslag had genomen. 'Ze heeft nogal uitgesproken ideeën over gevaarlijk rijden.'

'Ze heeft over alles uitgesproken ideeën,' zei hij. 'In haar woordenboek komt het woord compromis niet voor. In dit geval was het aardiger geweest een oogje dicht te knijpen. Ralph Galbraith is over de zeventig en hij reed nooit harder dan vijfendertig kilometer per uur, of verder dan naar de supermarkt en weer terug, dus is hij amper een gevaar voor de andere weggebruikers. Bovendien zal hij op zijn leeftijd dat rijexamen waarschijnlijk niet meer halen, dus zijn Mary en hij afhankelijk van vrienden of de taxi voor de boodschappen. De meeste mensen vonden het vrees ik erg onaardig van Jess... ik ook. Ze had hun hun onafhankelijkheid kunnen laten houden.'

Ik besloot mijn mening voor me te houden. Iedereen zou er heel anders over gedacht hebben als Ralph met vijfendertig kilometer per uur een kind had aangereden terwijl hij drie keer te veel op had. 'Maar waarom zou Jess het op hen gemunt hebben? Hebben zij het niet eerder op Jess gemunt?'

Hij lachte kort. 'Je moet er de logica niet achter willen zoeken. De Galbraiths zijn een van de echtparen die Lily in hun bed hebben aangetroffen, en Jess heeft ze van wreedheid beticht omdat ze haar naar huis hebben gebracht en haar daar hebben achtergelaten zonder haar hulp te bieden. De botsing was de spreekwoordelijke druppel... het gaf haar de kans om Ralph bij de politie te verlinken... tenminste, zo zag het dorp het.'

'Wanneer is dit gebeurd?'

'Vier of vijf maanden geleden.'

'En hoe lang wonen de Galbraiths al hier?'

'Acht jaar. Waarom vraag je dat?'

'Ik probeer te begrijpen hoe dat stalken in het plaatje past.' Ik herhaalde zo nauwkeurig mogelijk wat Madeleine had gezegd over Jess' fixaties en haar rancuneuze reactie als ze afgewezen werd.

'Het verbaast me dat je nog bij haar langs bent gegaan,' zei Peter ironisch. 'Was je niet bang haar volgende slachtoffer te worden?'

'Als ik Madeleine had geloofd, wel. Dan had ik haar verder genegeerd... wat alle anderen schijnen te doen.' Ik keek hem aan. 'Behalve jij. Is dat omdat je haar arts bent, of omdat je beter op de hoogte bent?'

'Waarover?'

Ik haalde mijn schouders op. 'Nathaniel? Weet iemand anders dat hij vroeger met Jess ging?'

Hij liep naar zijn stoel en liet zijn lange lichaam op de zitting zakken. 'Ik neem aan dat iedereen die hier toen al woonde, dat weet... maar het was nogal privé. Als Jess wat meer uiting aan haar gevoelens had gegeven, had het misschien wat opwinding veroorzaakt, maar ze toonde zich uiterst onverschillig toen ze hem kwijtraakte. En daarom zou je niet te veel gewicht moeten hechten aan die opmerking van Lily over waarde... of in ieder geval niet wat Jess aangaat. Op die leeftijd heb je steeds een ander vriendje. Weet jij de namen nog van de vriendjes die jij op je twintigste had?'

'Ja, feitelijk wel, zelfs al had ik ze nooit langer dan drie maanden. En ik zou me zeker iemand herinneren met wie ik twee jaar verkering had gehad.' Ik bekeek hem geamuseerd. 'Jij hebt misschien andere ervaringen. Misschien wist je sowieso al niet hoe het meisje heette.'

'Au!'

'Waarom zouden Jess en Madeleine anders een hekel aan elkaar hebben?'

Hij liet zijn kin op zijn handen rusten. 'Geen idee, maar dat was al lang voor Nathaniels overstap zo. Hij was niet meer dan een been in een voortdurend hondengevecht. Ze lagen overhoop over Lily... niet over Nathaniel.'

'Misschien is het gewoon zusterlijke rivaliteit,' opperde ik ironisch. 'Het zijn toch geen halfzusjes? Kan Lily met de vader van Jess gevreeën hebben?'

136

Peter proestte het uit. 'Uitgesloten, tenzij ze dronken was. Zijn moeder was nota bene haar dienstmeid. Dan zou ze zich in haar ogen verlaagd hebben.'

'Dat komt voor.'

'In dit geval niet,' zei hij beslist. 'Frank Derbyshire zou nooit zoiets stoms gedaan hebben. Hij was veel te gek op zijn vrouw.'

'En andersom... de vader van Madeleine en de moeder van Jess?'

Hij schudde zijn hoofd. 'Daar had Jenny Derbyshire een te goede smaak voor. Trouwens, het zou alleen maar zusjes-rivaliteit zijn als Lily Jess' moeder was geweest, en dat was ze niet. Ik kan je garanderen dat Jess een echte Derbyshire is.' Hij zei het met overtuiging, alsof de suggestie dat het anders zou kunnen zijn hem griefde. 'De jaloezie zit vooral bij Madeleine. Ze had geen tijd voor haar moeder tot Jess belangstelling voor haar toonde, en toen kwam ze opeens voortdurend langs... en Lily hapte niet. Ik weet zeker dat Lily het over zichzelf had toen ze die opmerking over waarde maakte. Madeleine is pas dol op haar geworden toen Jess na de dood van haar ouders geregeld langsging bij Barton House.'

'En waarom hapte Lily niet?'

'Omdat ze wist dat het van voorbijgaande aard was. Zodra Madeleine het gewonnen had, zou ze Lily laten zitten. Ik denk dat Lily het idee had dat het voor haar gunstiger was ze tegen elkaar op te zetten.'

'Daar had ze waarschijnlijk gelijk in.'

Peter schudde zijn hoofd. 'Ze vond het heerlijk om te stoken... maar het sloeg op haarzelf terug. Jess noemde ze haar "kleine stalker" tegenover Madeleine, en Madeleine haar "kleine parasiet" tegenover Jess. Niet erg slim van haar. Als ze elkaar hadden gemogen, hadden ze erom gelachen, maar aangezien ze elkaar niet mochten...' hij glimlachte nogal bitter, 'was het alleen maar olie op het vuur.'

'Maar waar komt het praatje vandaan dat ze lesbisch zou zijn? Ik bedoel, als Jess een verhouding met een man had, waarom neemt iedereen dan aan dat ze een pot is? Heeft ze een verhouding met een vrouw gehad?'

Even keek Peter vol afschuw. 'Ik vind niet dat dat iemand wat aangaat behalve haarzelf.'

'Maar waarom niet?' vroeg ik verbaasd. 'Het is legaal, hoor... en ze heeft mij over jouw affaires verteld. Je bent toch geen homofoob?'

Hij keek me kwaad aan. 'Natuurlijk niet.'

Ik haalde mijn schouders op. 'Hoezo "natuurlijk niet"? Iedereen hier in Winterbourne Barton is homofoob. Net als in Zimbabwe – vijftig jaar achter en ontzettend dom. Robert Mugabe tolereert geen homo's, dus doet niemand het... niet als ze in leven willen blijven.'

Peter wreef in zijn ogen. 'Twee vrouwen werken voor haar... Julie en Paula. Zij leven openlijk samen als lesbisch stel en misschien heeft het daar wat mee te maken. De jongste, Julie, is de kleindochter van Harry Sotherton – die werkte vroeger voor de vader van Jess en helpt nog steeds op de boerderij – en hij heeft Jess ongeveer tien jaar geleden gevraagd of ze Julie in dienst wilde nemen. Ze was toen vijfentwintig jaar en getrouwd, maar ze is ongeveer een jaar later bij haar man weggegaan en met haar kinderen bij Jess ingetrokken. Ze zijn daar ongeveer twee maanden gebleven, en toen is ze met Paula gaan samenwonen... en begonnen de mensen te roddelen.'

'Waarom?'

Zijn mond vertrok cynisch. 'Jess bood gelegenheid. Ze heeft ze aan elkaar voorgesteld en ze heeft Paula aangenomen, zodat Julie een flexibel rooster kreeg, waarbij rekening werd gehouden met de kinderen. En nu wisselen Paula en zij de ochtend en de middag af zodat er altijd een van hen vrij is om de kinderen naar school te brengen en te halen. Het werkt heel goed.' Hij keek alsof hij op het punt stond er een 'maar' aan toe te voegen, maar veranderde toen van gedachten.

'Maar Winterbourne Barton keurt het af dat lesbo's kinderen opvoeden?'

'Harry's vrouw zeker. Ze heeft er heel wat over te zeggen... en ze geeft Jess de schuld.'

'Omdat ze hen in staat stelt te werken?'

'Omdat ze haar kleindochter heeft ingewijd in verderf en mo-

138

reel verval. Ze wil niet accepteren dat Julie lesbisch is en denkt dat Jess het haar…' hij maakte aanhalingstekens in de lucht, '"geleerd" heeft en haar toen over heeft gedaan aan de grote, mannelijke Paula om het karweitje af te maken. Julie is heel vrouwelijk, ziet er schattig uit.'

'En wat zegt Harry erover?'

'Niets. Die gaat gewoon iedere dag naar zijn werk en bezoekt de achterkleinkinderen in zijn eentje. Mevrouw Sotherton mag van Julie niet bij ze in de buurt komen.'

'En dat maakt mevrouw Sotherton nog kwader, neem ik aan?' Peter knikte. 'En Lily? Ik neem aan dat zij moreel verval in Winterbourne Valley ook niet vergoelijkte.'

Hij glimlachte weer en dit keer bereikte zijn glimlach zijn ogen. 'Nee hoor. Daar maakte ze totaal geen punt van. Ze zei dat Jess veel te geremd was om met vrouwen te slapen, maar dat ze Julie dat wel zag doen, en over Paula had ze geen enkele twijfel. Volgens mij was ze eigenlijk nogal jaloers op hen. Ze heeft een keer tegen me gezegd dat haar leven er heel anders had uitgezien als ze een liefhebbende echtgenote had gehad, in plaats van een man die nergens voor deugde.'

'Misschien was ze dan toch niet zo erg.' Ik zweeg even, maar hij zei nicts. 'Hoe is Jess aan het etiket "eenling" gekomen? Nogal een schizofreen beeld van haar dat ze vrouwen en kinderen haar huis aanbiedt en zich tegelijkertijd als een sombere kluizenaar gedraagt.'

'Ik pas.'

'Omdat ze gek is?'

'Ze brengt haar tijd door met wezels… heeft foto's van overledenen aan haar muur… kleedt zich als een man.' Hij spreidde zijn handen toen hij me ongeduldig mijn wenkbrauwen zag fronsen. 'Meer kan ik er niet van maken. Als ze af en toe eens lachte en iemand goedemorgen wenste, zouden de mensen heel anders tegen haar aankijken.' Hij vlocht zijn vingers in elkaar. 'Maar het is vergeefse moeite dat tegen haar te zeggen. Adviezen aangaande haar levenswijze wil ze nog minder horen dan adviezen aangaande haar kunst. Lily heeft voortdurend geprobeerd haar te veranderen, en dat had geen enkel effect.'

Ik vroeg me af of hij wist hoe duidelijk zijn gevoelens voor Jess waren. 'Je vindt haar echt aardig, hè?'

Hij lachte zacht. 'Als je Lily bedoelt, nee. Het was een boosaardig oud kreng als ze in de stemming was.'

'Ik had het over Jess.'

'Dat weet ik.' Hij keek op zijn horloge. 'Ik moet ervandoor. Kan ik verder nog iets voor je betekenen?'

Hij bracht het vriendelijk, maar het was net zo afdoend als Jess' eerdere bevel om mijn mond te houden. Ik pikte de hint zonder mokken op en vertrok, maar onderweg naar Barton House kon ik niet anders dan me afvragen of Peter tegenover Madeleine ook zo duidelijk blijk had gegeven van zijn zwak voor Jess. Dat zou het een en ander verklaren.

Van:	connie.burns@uknet.com
Verzonden:	donderdag 29 juli 2004 10.43
Aan:	alan.collins@manchester-police.co.uk
Onderwerp:	Scan

Beste Alan,

Betreft: Scan van de papieren van O'Connell

Nee. Zelfs als je rekening houdt met de slechte kwaliteit van de originele fax, is de man op de foto NIFT MacKenzie/Harwood. MacKenzie is smaller in zijn gezicht, zijn lippen zijn dunner en zijn ogen veel lichter. Deze man heeft donkere ogen. En bovendien ziet hij er jonger uit. Ik kan niets zinnigs opmerken over de gegevens in de documenten omdat ze niet over MacKenzie gaan. N.B.: Aangezien de naam en het contactadres voor de naaste familie zijn weggelakt, kan deze man natuurlijk wie dan ook zijn. Bill Fraser heeft alleen maar Alastair Surtees' woord dat het Kenneth O'Connell is.

Wil je nog eens met nadruk tegen Bill zeggen dat ik niet geloof dat ze MacKenzie ten onrechte als Kenneth O'Connell geidentificeerd hebben? Onze Iraakse gids was zeer zorgvuldig en ik heb geen enkele reden om aan te nemen dat hij een fout heeft gemaakt of dat de administratie van de academie niet was bijgewerkt toen ze me de volgende dag vertelden dat Kenneth O'Connell daar nog steeds werkte. De pers kreeg gegarandeerd vrij toegang tot iedereen die op de academie werkte, en verscheidene van mijn collega's wilden individuele interviews maken, wat meteen geregeld werd. Als ze inderdaad een vergissing hadden gemaakt, dan was er geen reden voor O'Connell om niet met mij te praten. Maar als O'Connell inderdaad MacKenzie was, had hij alle redenen om niet met mij te praten. Niet het minst vanwege zijn valse identiteit.

Ik besef dat hierdoor grote vraagtekens gezet kunnen worden bij de rol van Alastair Surtees – om nog maar te zwijgen over die van het hoofdkantoor van BG in Kaapstad – maar beveiligingsbedrijven verdienen goud geld in Irak, en niemand wil de kip met de gouden eieren de nek omdraaien met de nadelige publiciteit die een onderzoek met zich meebrengt. Hierom zet ik grote vraagtekens bij die 'documenten'; ik denk dat Bill een nepdossier gekregen heeft.

Wat je moet weten: op aanraden van mijn baas in Bagdad, Dan Fry, die door wil gaan met dit verhaal, heb ik een Noorse fotograaf achterhaald, die in 2002 in Sierra Leone was. Ik wist nog dat hij een fotomontage van Paddy's Bar heeft gemaakt – ter illustratie van de belangen van multinationals in het na-oorlogse Freetown – en ik hoopte dat hij een foto van Mac-Kenzie had. Hij heeft twee afdrukken gestuurd met MacKenzie op de achtergrond, en een vriendin van me hier is bezig om van de beste een werkbaar en herkenbaar portret te maken.

Dan wil die foto op de academie laten zien, om te kijken of iemand hem als Kenneth O'Connell identificeert. Als dat gebeurt, heeft hij een verhaal over Alastair Surtees en de BG in Irak en Kaapstad, maar hij is bereid de informatie met Bill te delen voor hij het artikel publiceert. Als Bill al eerder contact met hem wil opnemen, zijn e-mailadres is: Dan@Fry.ishma.iq.

Ten slotte, als Bill MacKenzie inderdaad te pakken wil krijgen, is het dan niet verstandig om die Mary MacKenzie van de envelop op te zoeken? Zij moet wel familie van hem zijn, en ik ben er vrij zeker van dat het een adres in Glasgow was. N.B.: Alle Britten in Freetown beschrijven het accent van Harwood als Glasgows. Ik besef wel dat het net zoiets is als 'Mary Smith' in Londen zoeken, maar als de rest van de familie net als Keith is – oftewel gewelddadig – dan zijn het wellicht bekenden van de politie in Glasgow.

142

Hoop dat het goed met je gaat. Ik duim voor het eindexamen van je zoon. Wil hij ook bij de politie, net als jij?

Groeten, Connie

P.S. Je kunt MacKenzie het makkelijkst herkennen aan het gevleugelde kromzwaard onder aan zijn schedel – zoals dat van David Beckham, maar kleiner. MacKenzie heeft kennelijk wat met veren. Heb ik je al gezegd dat hij de prostituees in Sierra Leone 'duivelsveren' noemt?

Van:	connie.burns@uknet.com
Verzonden:	dinsdag 3 augustus 2004 12.03
Aan:	Dan Fry (Dan@Fry.ishma.iq)
Onderwerp:	Foto van MacKenzie
Bijlagen:	DSCo2643.JPG; W cb_surtees (28 KB)

Lieve Dan,

We zijn in de lucht! Dat komt niet op mijn conto – er is hier een vrouw die een kei is met computers en foto's en zij heeft een perfect eindresultaat bereikt. Ik heb de bewerkte versie naar een Australische vriend gestuurd die gelijk met mij in Sierra Leone zat met de vraag: 'Ken jij deze man?' En hij heeft me meteen teruggemaild: 'Het verbaast me dat je dat vergeten bent. Het is die vrouwenhater uit Freetown, John Harwood.'

Ik weet dat ik je ertoe verplicht heb informatie met Bill Fraser in Basra te delen, maar dat is belangrijk, Dan. Alsjeblieft, laat me niet zitten. Je hebt dat verhaal over de Baycombe Groep dan nog, en Bill krijgt de kans MacKenzie te lokaliseren voor Surtees hem het land uit tovert, of voordat hij het zo benauwd krijgt dat hij er zelf vandoor gaat. Misschien is dat al gebeurd, maar Bill moet toch in staat zijn erachter te komen waar hij naartoe is en welke naam hij nu gebruikt. Als ik het bij het verkeerde eind heb en O'Connell MacKenzie niet is, dan bied ik aan iedereen mijn verontschuldigingen aan omdat ik jullie tijd verknoeid heb, maar als ik gelijk heb, dan heb jij een mooi onthullend stuk over de gebrekkige personeelsscreenings bij Britse beveiligingsbedrijven.

We hebben niet veel tijd meer want Bill gaat aan het eind van de maand weg uit Basra en ik betwijfel of zijn vervanger net zo sympathiek en geïnteresseerd tegenover deze zaak zal staan als hij. En ik heb liever niet dat je informatie doorgeeft aan Jerry Greenhough in Bagdad. 1) Hij gaat eind september weg.

2) Een vervalst Brits paspoort is zijn probleem niet. 3) Hij zal jou niet betrekken in de zaak, en dus mij ook niet.

Ik duim dat we snel resultaten hebben. En alsjeblieft, wees voorzichtig. Natuurlijk maak ik me zorgen om je. Ik maak me over jullie allemaal daar zorgen.

Liefs,

Connie

Van:	Dan@Fry.ishma.iq
Verzonden:	woensdag 11 augustus 2004 10.25
Aan:	connie.burns@uknet.com
Onderwerp:	Goed nieuws/slecht nieuws

Het goede nieuws: foto 3 maal positief herkend als Kenneth O'Connell.

Het slechte nieuws: Alastair Surtees beweert nu dat hij 'naar aanleiding van gerezen vragen' een eigen intern onderzoek heeft verricht en dat hij 'Kenneth O'Connell twee weken geleden zijn congé heeft gegeven'. Hij heeft geen idee waar hij nu naartoe is of onder welke naam hij reisde, maar hij heeft hem zijn O'Connell-paspoort laten houden aangezien hij niet gerechtigd was dat in te nemen. Bill Fraser is natuurlijk woedend en hij gaat Surtees nu stevig de oren wassen. En dat ga ik ook doen.

Ik stuur mijn materiaal over de Baycombe Groep zo snel mogelijk door.

N.B.: Niets wijst erop dat Kenneth O'Connell/John Harwood/Keith MacKenzie via Baghdad Airport vertrokken is, maar Bill vermoedt dat hij waarschijnlijk meegelift is met een legervoertuig en via Koeweit Irak heeft verlaten. De Iraakse grenzen zijn zo lek als een mandje dus hij kan overal het land uit zijn gegaan.

Bill denkt dat het mijn idee was om de foto op de academie te laten zien. Ik heb hem in die waan gelaten, maar is er iets dat je me niet verteld hebt over MacKenzie/O'Connell? Heeft hij iets van doen met je ontvoering, Connie? Want ondanks het feit dat je me bezweert dat dat niet zo is, houd ik mijn twijfels.

Vertrouw je me nog steeds niet?

Liefs, Dan

Van:	Brian.Burns@Z.A.Wijnen.com
Verzonden:	donderdag 12 augustus 2004 08.52
Aan:	connie.burns@uknet.com
Onderwerp:	Telefoontjes

Lieverd,

In haast geschreven. Ik zit de hele ochtend in een vergade-
ring, maar ik zal je vanmiddag bellen als ik weer achter mijn
bureau zit. Je moeder is verschrikkelijk van streek over de ruzie gisteravond over die plaagtelefoontjes. Toen ze vroeg of
Jess Derbyshire degene kon zijn die belde, bedoelde ze gewoon of het mógelijk was – m.a.w. of je Jess ons telefoonnummer hebt gegeven of dat ze het ergens heeft kunnen zien
staan? (Wees eerlijk, C, je hebt een paar weken geleden zelf
het zaadje van achterdocht gestrooid, anders zou het nooit in
je moeders hoofd zijn opgekomen dat Jess de belster kan
zijn.)

Gezien de manier waarop je opstoof, vermoed ik dat je eerder
bezorgd dan boos bent, maar ik denk niet dat er reden is om
aan te nemen dat deze telefoontjes tegen jou gericht zijn. Een
medewerker van British Telecom zei dat het iemand kan zijn
die in het wilde weg belt – waarschijnlijk een man – en net zo
lang telefoonnummers intoetst tot er een vrouw opneemt, en
dan de redial gebruikt. We zijn door talloze mensen opgebeld
die contact wilden opnemen met jou en we hebben jouw instructies nauwgezet opgevolgd – we hebben gezegd dat je
niet in Londen zat en hun naam en telefoonnummer genoteerd om aan jou door te geven. We hebben ons niet laten verleiden verder in details te treden, zelfs niet als we de stem als
die van een vriend van je herkenden.

Dit gaat uiteraard helemáál op voor die plaagtelefoontjes.
Degene die het doet, belt alleen maar overdag en je moeder

hangt meteen op als ze niets hoort. Ze heeft er geen idee van of het een man is of een vrouw omdat er nooit wat gezegd wordt.

Tussen maandag 12 uur en gistermiddag is er zo'n 20 keer gebeld, maar het heeft geen zin om de nummermeldservice te bellen want degene die belt, heeft een afgeschermd nummer. Ik heb British Telecom nu gevraagd dergelijke nummers niet langer door te schakelen, wat betekent dat alle telefoontjes uit het buitenland automatisch geweerd worden. Dat is natuurlijk lastig, maar hopelijk verliest die lastpak zijn belangstelling als er niet opgenomen wordt.

Die arme Marianne was nooit over die telefoontjes begonnen als ze had geweten dat je zo zou reageren, en nu maken we ons zorgen dat het niet zo goed met je gaat als we dachten. *We denken allebei dat we eerder dan afgesproken bij je langs moeten komen.* Ze heeft mij gevraagd het er met jou over te hebben omdat ze denkt dat je meer geneigd zult zijn ja te zeggen als ik het vraag. Ik weet niet of dat zo is, C, maar ik bel je zodra ik kan. Wil jij ondertussen je moeder bellen? Je weet dat ze het verschrikkelijk vindt ruzie met iemand te hebben – vooral met jou.

Heel veel liefs, pa xxx

Van:	alan.collins@manchester-police.co.uk
Verzonden:	vrijdag 13 augustus 2004 16.19
Aan:	connie.burns@uknet.com
Onderwerp:	Keith MacKenzie

Beste Connie,

Het viel niet mee om je e-mail te begrijpen. Als je hem nog eens naleest, dan zul je zien dat hij erg warrig is. Ik maak eruit op dat je je over drie dingen zorgen maakt: 1) MacKenzie is weg uit Irak. 2) Hij gaat naar je op zoek. 3) Je ouders hebben plaagtelefoontjes gekregen.

Ad 1) Ik denk niet dat MacKenzie naar Groot-Brittannië zal terugkeren. Het meest waarschijnlijke is dat hij terug naar Afrika gaat waar hij weet dat hij werk kan vinden. Tussen twee haakjes, ik heb hem een tijdje terug wegens paspoortfraude laten registreren en Glasgow heeft jouw fotoreconstructie en zijn twee bekende aliassen. Datzelfde geldt voor de douane, die hem zal oppakken als hij onder een van deze namen het land probeert binnen te komen.

Ad 2) Je beweert dat hij weet dat jij hem hebt beschuldigd van seriemoord vanwege de e-mails die je aan Alastair Surtees hebt doorgestuurd. Surtees ontkent dat hij die aan hem heeft laten lezen omdat hij dacht dat jouw aantijgingen lasterlijk waren. Bill Fraser hecht hier niet veel geloof aan, maar in beide gevallen maak je je volgens mij onnodig zorgen. Jij bent degene die hem als MacKenzie kan identificeren dus blijft hij zo ver mogelijk bij jou uit de buurt – of hij nou een verkrachter en moordenaar is of alleen paspoorten vervalst. Het is niet in zijn belang om de aandacht op zich te vestigen.

Ad 3) Toeval bestaat en het zou een vergissing zijn om aan te nemen dat het tijdstip waarop die telefoontjes aan je ouders

150

zijn begonnen een aanwijzing is dat MacKenzie zich in het land bevindt. Je ouders moeten het aan de politie melden want zo te horen is iemand poolshoogte aan het nemen voor een inbraak.

Zonder overtuigend bewijs dat MacKenzie: a) hun telefoonnummer kent; b) hun huisadres weet; c) in Groot-Brittannië is – werkt het noemen van zijn naam als verdachte eerder verwarrend.

Wat betreft de duidelijke paniek in je e-mail. Je begrijpt dat mijn advies/conclusies berusten op informatie die jij mij verstrekt Om ervoor te zorgen dat er tussen ons geen misverstand bestaat over deze informatie, heb ik die als volgt samengevat:

Na de seriemoorden in Freetown, John Harwoods aanval op een prostituee en mijn opmerking over 'het expatlegioen', begon jij je af te vragen of Harwood verantwoordelijk was voor de dood van de vrouwen.

Jij deelde je verdenkingen met enkele van je collega's, die jouw ideeën afserveerden waarna jij er verder geen aandacht meer aan besteedde. Kort daarop verliet je Freetown, maar daarvóór liet Harwood je een envelop zien met de naam 'Mary MacKenzie' erop. Op dat moment herinnerde je je weer dat hij zich in Kinshasa Keith MacKenzie noemde.

Twee jaar later herkende je hem in Bagdad maar kreeg je te horen dat zijn naam Kenneth O'Connell was. Toen je het onderwerp bij Alastair Surtees ter sprake bracht, werd je afgedaan als onbetrouwbaar en kwaadwillend.

In Iraakse kranten heb je gezocht naar soortgelijke moorden als die in Freetown. Je vond er twee, probeerde daar onder Iraakse journalisten aandacht voor te krijgen, kreeg nul op het rekest en dus informeerde je mij en via mij Bill Fraser.

Je stuurde deze e-mails door aan Alastair Surtees.

Kort daarop werd je, op weg naar het vliegveld, door een onbekende groepering ontvoerd die je drie dagen later weer vrijliet. Je was de gehele tijd geblinddoekt geweest en niet in staat om de politie bruikbare informatie te geven. Omdat je ontvoering anders was dan andere en omdat je weigerde erover te praten, ben je als 'bedriegster' gebrandmerkt.

Bij je terugkeer naar Groot-Brittannië, dook je onder en je hebt nooit je verhaal verteld. Zover ik weet ben ik een van de weinigen die contact met je hebben – zeker de enige politieman aangezien je weigert je e-mailadres aan Bill Fraser te geven – maar je hebt me geen deelgenoot gemaakt van je adres en telefoonnummer.

Je mobiel en laptop zijn bij je ontvoering gestolen. *Daarom* is alle informatie die erop was opgeslagen – contactgegevens van familie en vrienden, aantekeningen/e-mails over de moorden in Freetown en Bagdad – beschikbaar voor je ontvoerder(s).

Je bent nu doodsbenauwd dat MacKenzie achter je aan zit. Op het gevaar af in herhaling te vervallen, Connie, je weet waar je me kunt bereiken als er iets is dat je nog wilt zeggen. Ik kan je hiertoe niet *dwingen*. Als ik dat gekund had, zou ik dat hebben gedaan toen je terugkeerde naar Engeland.

Ik wil niet pretenderen dat ik een positief resultaat kan garanderen aangaande een misdaad/misdaden die in het buitenland zijn begaan, maar, als MacKenzie zo gevaarlijk is als jij beweert, dan is het het proberen 100% waard. *Niet in de laatste plaats voor jouw bestwil.* Angst voor wraak is een zeer krachtig argument om je mond te houden, maar ik hoop dat je nu weet dat alles wat je tegen me zegt vertrouwelijk behandeld wordt.

Met vriendelijke groet als altijd,

Alan

Adjudant Alan Collins, Greater Manchester Police

De kelder

10

HET WAS BEANGSTIGEND HOE SNEL DE PANIEK WEER TOESLOEG IN mijn leven. Mijn moeder dacht dat ik kwaad was toen zij vroeg of Jess haar zwijgende beller kon zijn, maar het was angst die me deed schreeuwen, en ademnood die me de hoorn erop deed gooien. Ik wist precies wie die telefoontjes pleegde. Misschien zou ik niet zo zeker van mijn zaak zijn geweest als Dan me niet had verteld dat MacKenzie Irak had verlaten, maar dan nog. Ik had mezelf moed ingesproken met dwaze mantra's en met de hoop dat Bill Fraser MacKenzie eerder zou vinden dan MacKenzie mij. Maar ik had mezelf voor de gek gehouden.

Als ik erop terugkijk, schokt het me dat ik zo'n Pavlov-reactie vertoonde. Hoe konden drie dagen in een kelder gedragspatronen die zich in zesendertig jaar hadden ontwikkeld tenietdoen? Hoe konden ze mijn zorgvuldige planning van de afgelopen weken ontkrachten? Waarom zou ik me druk maken en ieder lichtknopje lokaliseren, alle sloten oliën, mezelf met zaklampen wapenen en vluchtwegen verzinnen, als mijn geconditioneerde reflex op angst was om me met mijn ogen dicht in een hoekje tot een bal op te rollen, net zoals die toegetakelde slachtoffers in Freetown hadden gedaan?

Uiteindelijk verroeren zelfs van angst verlamde dieren zich als ze merken dat ze nog in leven zijn, en dat deed ik dus ook. Maar ik kwam niet verder dan de keuken, waar ik de deur naar de gang en de deur naar de bijkeuken kon afsluiten. Om de een of andere reden vond ik dat het veiliger was om in het donker te zitten, zelfs als alle andere lichten in het huis brandden. Misschien was ik eraan gewend geraakt door de blinddoek – ik was het prettig gaan vinden dat ik niet kon zien wie of wat er voor me stond – maar op deze manier kon ik in ieder geval, zij het beperkt, logisch nadenken.

Ik gebruikte dezelfde strategie als ik op mijn eerste dag hier in de auto gebruikt had. Zolang ik bleef waar ik zat, ging het goed. Als ik zou proberen te vluchten, was ik in gevaar. Ik kon aan water en voedsel komen. Ik kon het raam barricaderen door de keukentafel op het aanrecht te zetten, en ik kon mezelf met keukenmessen verdedigen. Het kwam geen moment in me op om hulp in te roepen. Peter zegt dat ik mezelf had geleerd te geloven dat er geen hulp beschikbaar was, maar dat verklaart niet waarom ik, toen de dageraad kwam en ik de telefoon aan de keukenmuur zag hangen, wel weer wist dat er een wereld buiten mezelf en mijn angst voor MacKenzie bestond.

Natuurlijk belde ik Jess. Net als Lily was ik op haar gaan leunen. Ze was een steun en toeverlaat die niet verwachtte beloond te worden met gezelligheid of een etentje. Het was wonderlijk rustgevend, toen ik eenmaal haar manier van doen had geaccepteerd. Als ze in een spraakzame bui was, praatten we. Als ze dat niet was, praatten we niet. Ik wist niet hoe conventioneel ik eigenlijk was, tot ik leerde hoe ik Jess' stiltes kon uitzitten. Ik was het type dat altijd direct begint te praten uit angst om saai te lijken, en het was moeilijk die gewoonte te doorbreken.

Ik gaf het op om erachter te komen wat Jess dreef toen ze weer bij me langskwam. Ze kwam opdagen op momenten dat het helemaal niet schikte, maar ik vond dat nu minder irritant omdat ze het niet erg vond als ik zei dat ik het druk had. Dan ging ze vaak naar buiten, maaide de halve cirkel gazon achter het huis en vertrok zonder gedag te zeggen. Toen ik de opmerking maakte dat ik niet van haar verwachtte dat ze mijn klusjes deed, haalde ze alleen maar haar schouders op en zei dat ze het leuk vond. 'Jaren geleden, toen Lily nog een tuinman had, maaide hij het gras overal in de tuin en zijn de dieren verdwenen. Nu leven ze in het lange gras, je kunt hun sporen zien, waar ze hun schuilplaats verlaten en er weer naar teruggaan. Je hebt hier een wezel zitten, als je het weten wilt. Hij gaat naar de vijver om te drinken.'

156

'Wat zit hier nog meer?'

'Muizen, woelmuizen, eekhoorns. En onlangs was er nog een das.'

Ik trok een gezicht. 'Ratten?'

'Amper, denk ik... tenzij je je vuilnis buiten laat staan. Je wezel eet de jongen op als ze de kans krijgt, en er zit een kolonie bosuilen in de vallei die op ze jagen.'

'Heb jij ratten op de boerderij?'

Ze knikte. 'Die heb je op iedere boerderij. Ze komen op de graanvoorraad en het veevoer af.'

'Wat doe je eraan?'

'Ik maak het ze zo lastig mogelijk, bewaar het veevoer in blikken en het graan wordt overzichtelijk opgeslagen. Ze planten zich alleen voort als ze toegang hebben tot voedsel en water, en als er holten en ruimten zijn om zich te verstoppen. Ze zijn net als alle andere dieren. Ze gedijen in een omgeving die ze uit kunnen buiten.'

Net MacKenzie, dacht ik. 'Het klinkt zo eenvoudig, zoals jij het zegt.'

Jess haalde haar schouders op. 'In zekere zin is het ook eenvoudig. Je krijgt alleen een plaag als je lui of slordig bent. Als je voedsel en vuilnis laat slingeren, is dat een uitnodiging voor ratten. Ze zijn dol op dingen waar ze makkelijk aan kunnen komen, net zoals mensen dat zijn.' Ze zweeg even. 'Wat niet wil zeggen dat ik niet af en toe gif strooi, of mijn windbuks pak als er een dik exemplaar komt rondsnuffelen. Ze kunnen de ziekte van Weil overbrengen, en leptospirosis, zowel op mensen als op dieren, en voorkomen is beter dan genezen.'

Deze nuchtere benadering van ongediertebestrijding sprak me aan, maar ik zag haar nog niet zo optimistisch reageren als er een sprinkhanenplaag op haar akkers neerdaalde. Je eigen erf doorlichten op ongedierte is één ding, maar het is heel wat anders als je de dood in de ogen kijkt terwijl je oogst wordt opgevreten door een zwerm die zich honderd kilometer verderop gevormd heeft. Onder dat soort omstandigheden huil je en bid je tot God om verlossing, omdat niets ter wereld je kan helpen, behalve dan de liefdadigheid van buitenlandse overheden en hulporganisaties.

Toen ik dat zei, antwoordde ze scherp dat BSE en mond-en-klauwzeer net zoiets was. 'Ik ben als gevolg van BSE pa's hele kudde kwijtgeraakt, toen vee ouder dan dertig maanden moest worden afgemaakt en verbrand – of ze de ziekte nu wel of niet hadden – en het heeft me acht jaar gekost om een nieuwe kudde op te bouwen, nog niet half zo groot als de oude. Het heeft de vlees- en zuivelindustrie in dit land geruïneerd, maar je merkt weinig van medeleven met de boeren.'

'Hebben jullie geen compensatie gekregen?'

'Ja, maar bij benadering niet ter hoogte van de werkelijke waarde van de dieren. Het heeft pa jaren gekost zijn kudde op te bouwen – hij won altijd prijzen op tentoonstellingen – en ze hadden geen van alle BSE. Ik kreeg zestig pond extra per dier dat onnodig afgemaakt was, als de tests achteraf negatief bleken. Het was een lachertje... en nogal emotioneel. Ik was behoorlijk dol op die koeien.'

'Wat erg.'

Ze knikte. 'Je leert ermee leven. Is je vader zijn oogst aan sprinkhanen kwijtgeraakt?'

'Alleen aan de menselijke variant daarvan. Mugabe heeft zijn boerderij ingepikt.'

'Hoe lang heeft je familie daar gezeten?'

'Niet lang genoeg,' zei ik spottend. 'Drie generaties – vier als je mij meetelt – ongeveer net zo lang als Madeleines familie Barton House heeft bewoond.'

'En waarom is dat niet lang genoeg?'

'Verkeerde kleur,' zei ik wrang. 'Als je zwart bent, zit je daar al eeuwen... ook al ben je in Mozambique of Tanzania geboren. Als je blank bent, dan hebben je voorouders het land gestolen van de inheemse bevolking.'

'Hebben je voorouders het land gestolen?'

'Nee. Mijn overgrootouders hebben ons land eerlijk gekocht, maar een eigendomsakte telt niet als de Zanu-PF-bendes op je drempel staan.' Ik haalde mijn schouders op. 'Aan beide kanten zitten foute mensen en goeie, maar het land terugstelen heeft niets opgelost. Het heeft het alleen maar erger gemaakt... De broodmand van Afrika is in een stofmand veranderd. Tien jaar geleden produceerden de blanke boeren genoeg voedsel...' Ik zweeg plot-seling.

'Ga door.'

'Nee,' zei ik met een kort lachje. 'Ik word er te kwaad van. Net zoals jij en de kudde van je vader. Ik had het niet zo erg gevonden als de boerderij naar onze arbeiders was gegaan, maar hij is inge-pikt door een vriendje van Mugabe en er is de afgelopen drie jaar niets geproduceerd. Een krankzinnige situatie.'

'Ben je van plan nog eens terug te gaan?'

'Dat kan niet,' zei ik gedachteloos. 'Ik ben voor eeuwig verban-nen vanwege de stukken die ik over Mugabe heb geschreven.'

Het bleef even stil, en toen veranderde Jess van onderwerp. Dat had ze al eerder gedaan als ik een onbezonnen opmerking over mezelf maakte en ik vroeg me af of Peter haar had verteld dat ik niet was wie ik beweerde te zijn. Het was opvallend dat ze me nooit Marianne noemde, liever wachtte tot ze op een andere ma-nier mijn aandacht had getrokken voor ze iets zei. Ik was abso-luut van plan op te biechten wie ik was – in ieder geval voor mijn ouders kwamen, omdat twee Mariannes in één gezin een beetje raar overkwam – maar ik stelde het steeds maar uit. Ik was nog niet klaar om over Bagdad te vertellen – toen niet, misschien wel nooit – dus ging ik door met doen alsof ik iemand anders was om-dat dat gemakkelijker was.

Het was overduidelijk dat Peter aan Jess had verteld dat ik van haar relatie met Nathaniel wist, want de ochtend nadat ik met hem gepraat had maakte ze er een toespeling op. Dit prikkelde mijn nieuwsgierigheid naar Peters verhouding met Jess. Was hij de vorige avond bij haar thuis geweest? Had hij haar gebeld om te zeggen dat ik bij hem langs was gekomen? Het ging me niet om schending van vertrouwen, want ik had hem niet gevraagd zijn mond te houden, maar ik wilde graag weten waarom hij het no-dig had gevonden om Jess in te lichten. Het wees in ieder geval op een nauwere band dan ze wilden toegeven.

'Je hebt een crisis nodig om erachter te komen hoe iemand echt is,' zei ze met een gebaar van haar kin naar een van de schilderij-en van Nathaniel. 'Hij gedroeg zich als een complete lul na de dood van mijn ouders.'

'Wat deed hij dan?'

'Zich in Londen terugtrekken in plaats van het hoofd te bieden aan alle emoties hier. Uiteindelijk was het wel het beste. Ik had de boerderij misschien wel verkocht als ik naar hem geluisterd had. Hij wilde dat ik een huis in Clapham kocht, met een atelier op de bovenverdieping.'

'Voor hem?'

'Natuurlijk. Hij had visioenen van een heerlijk leventje als bohemien in een krap huis.' Ze glimlachte flauwtjes. 'Van het geld van mijn ouders... met hem als charismatisch kunstenaar en mij voor de afwas.'

'Heb je het overwogen?'

'Soms...'s nachts. Maar als het weer ochtend werd, was ik altijd wel zo verstandig om in te zien dat het niets zou worden. Ik moet alleen zijn, met een heleboel ruimte om me heen, en hij heeft behoefte aan publiek.' Ze zweeg even. 'Ik heb hem de deur gewezen toen ik besefte dat ik niet geschikt was om de dienstmeid uit te hangen.'

Interessante woordkeus, dacht ik. 'En is hij toen wat met Madeleine begonnen?'

'Nee... hij sliep al tijden met haar. Twee maanden nadat ik had gezegd dat ik hem nooit meer wilde zien, heeft hij haar met kind geschopt.' Jess lachte haar zeldzame lach toen ze mijn gezichtsuitdrukking zag. 'Zo noemde Lily het. Het was ongeveer het ergste wat haar had kunnen overkomen... haar enige kind dat bezwangerd werd door het afgedankte vriendje van een Derbyshire. Zoals zij tekeerging, zou je bijna denken dat Nathaniel familie van me was. Ik vond het zelf nogal grappig.'

'Omdat Lily op je neerkeek?' Dat was niet mijn idee van humor.

'Nee, ik vond het grappig dat Madeleine voor het eerst in haar leven de dienstmeid moest uithangen.'

Op dat moment gaf ik mijn pogingen om Jess te begrijpen op. Er waren ontelbaar veel vragen die ik haar wilde stellen, niet in de laatste plaats waarom ze zo goed met Lily was blijven omgaan, maar in plaats daarvan nam ik mijn toevlucht tot een banaliteit. 'Nou, mooi dat je van hem af bent.'

160

'Weet ik,' zei ze terwijl ze kritisch naar het schilderij van Nathaniel keek. 'Maar voor hem is het minder. Ik heb soms echt medelijden met hem. Hij is nog vaak naar de boerderij gekomen, wilde de klok terugdraaien, maar ik heb hem niet meer gezien nadat ik tegen hem heb gezegd dat ik zijn ballen eraf zou schieten als hij het nog eens probeerde.' Er glom een lachje in haar ogen.

Voorspelbaar was ze niet. 'Weet Madeleine daarvan?'

Jess haalde onverschillig haar schouders op. 'Ik denk het niet. Ze praten bijna niet meer met elkaar, en daarom wil zij dit huis. Het is de beste kans die ze heeft om van hem af te komen... en dat had ze allang gedaan als Lily dat niet gedwarsboomd had. Lily was tegen een scheiding.'

'Waarom heeft Madeleine het haar dan verteld?'

'Ze heeft het haar niet verteld. Dat was ik.'

Ik had het kunnen weten, dacht ik. 'Geen slechte wraak, toch?'

'Behalve dat ik het niet heb verteld om wraak te nemen. Ik heb het verteld om Lily te beschermen. Madeleine had haar vermoord, of haar in het goedkoopste tehuis gestopt dat ze maar kon vinden, als Lily niet iemand anders gevolmachtigd had om als zaakwaarnemer voor haar op te treden. De enige reden waarom Madeleine Lily geen kussen op het gezicht drukt is omdat er een notaris bij betrokken is. Als ze dit huis erft, is ze steenrijk... als ze maar eerst van Nathaniel en haar zoontje af is.'

Jess was zonder meer mijn redder in de nood toen ze binnen tien minuten na mijn telefoontje mijn oprit op denderde. Het was een beetje alsof er een ridder op een wit paard aankwam om me te beschermen, behalve dat er weinig ridderlijkheid of meelevende woordjes aan te pas kwamen. Toen ik de achterdeur van het slot draaide, kwamen haar honden achter haar aan naar binnen springen en ze viel boos tegen me uit toen ik me angstig tegen de muur drukte. 'Ik ga een inbreker niet in mijn eentje te lijf,' siste ze, terwijl ze achter de mastiffs de keuken in liep. 'Wacht hier.' Ik hoorde dat ze de deur naar de gang opendeed en toen het schuivende geluid van de groene tussendeur over de vloer, en zij en haar honden waren verdwenen, het huis in.

Pas toen ze vijf minuten later zonder de honden terugkwam zag ik dat ze een geweer droeg. Ze klapte het over haar knie open en legde het op tafel. 'Alles oké. Geen sporen van braak en ik heb de honden in de hal gelaten. Wat is er gebeurd?'

Ik weet niet meer wat voor verklaring ik gegeven heb, behalve dat ik herhaalde dat ik dacht dat ik de vorige avond iemand in de tuin had gezien. De waarheid was te ingewikkeld, en ik was te moe om mijn weg te zoeken in een mijnenveld van onthullingen. Jess was niet onder de indruk. 'Waarom heb je de politie niet gebeld? Daar zijn ze voor.'

'Ik weet het niet,' zei ik triest. Ik liet me op mijn hurken zakken in een hoekje van de keuken. 'Ik heb er niet aan gedacht.'

Ze bukte ongeduldig en trok me overeind. 'Houd eens op met dat zielige gedoe,' bromde ze en ze duwde me op een stoel. 'Laat zien dat je lef hebt.'

Ik vroeg me af of ze Nathaniel ook zo had aangepakt. Als dat zo was, was het niet zo vreemd dat hij gekozen had voor de vleierijen van Madeleine. Ik weet niet wat ik van haar verwachtte – medeleven en wat genegenheid misschien – maar het kwam geen moment bij me op dat zij wel eens bang kon zijn. Dom van me. Ik had moeten weten dat toen ik het over een inbreker had, zij direct aan de foto van MacKenzie dacht.

Toen ze met die foto bezig was, had ik verwacht dat ze me zou bestoken met vragen. Dat deed ze niet, ze vroeg alleen hoe de man heette en waarom ik die foto wilde hebben. Ze werkte aan de foto op haar computer op de boerderij, ik zat achter haar, en ze leek tevreden met de antwoorden die ik gaf – dat het iemand was die ik van gezicht kende, die in Afrika werd gezocht wegens geknoei met zijn paspoort. Ze merkte alleen op dat het raar was dat ik zijn naam niet wist terwijl ik me zijn gezicht zo goed herinnerde.

'Was het die man?' vroeg ze nu.

Ik keek naar mijn handen.

'Wie is hij? Waarom zou hij je hier komen zoeken?' Toen ik geen antwoord gaf strekte ze haar hand uit naar het draadloze telefoontoestel en hield het me voor. 'Bel de politie... Ik geef je het nummer van het plaatselijke bureau. Je moet naar Steve Banks vragen. Dat is onze dorpsagent, dit is zijn district. Een aardige vent.' Ze zette het toestel voor me op tafel. 'Je hebt een minuut. Anders doe ik het zelf.'

Ik trok de telefoon naar me toe en drukte hem tegen mijn borst. 'Het heeft geen zin. Ik heb niemand gezien.'

'Waarom heb je dat dan tegen mij gezegd? En waarom sluit je jezelf hier op?'

'Je zou niet gekomen zijn als ik had gezegd dat ik mezelf om niets opgesloten had.'

Ze draaide de kraan open en vulde de waterkoker. 'Je ziet er belabberd uit,' zei ze streng. 'Ga maar naar boven om je op te knappen, dan zet ik koffie. Ik zal de honden in de achterkamer opsluiten zodat je geen paniekaanval hoeft te krijgen als je ze ziet.' Ze wierp me een doordringende blik toe terwijl ze de waterkoker aanknipte voor ze naar de deur naar de gang liep. 'En niet zielig gaan zitten doen. Als het langer dan een halfuur duurt, ben ik weg... en dan kom ik niet terug. Ik heb een ontzettende hekel aan huilerige vrouwen.'

Ontkenning is iets geweldigs. Je kunt alles overleven zolang je 'nee' zegt. 'Ja', dat is gevaarlijk. Ja, ik wil graag werken. Ja, ik ga naar Bagdad. Ja, ik weet wie me ontvoerd heeft. Ja, ik kan MacKenzie identificeren. Ik had een oudtante die op alles 'nee' zei. Ze is op haar achtennegentigste als maagd gestorven en haar dood was het interessantste aan haar. Ze zei vlak voor ze ging: 'Waar was ik mee bezig?', en wij vragen ons dat nog steeds af.

Jess had gelijk wat mijn uiterlijk betreft. Ik zag er belabberd uit. Rode ogen, verwilderde blik, en net zo oud en uitgedroogd als een achtennegentigjarige maagd. Ik waste mijn gezicht en haalde een borstel door mijn haar, en vroeg me af waar *ik* nu eigenlijk mee bezig was. Ik had sinds mijn komst hier amper een woord geschreven – behalve e-mails aan Alan en Dan – en de enige mensen die ik regelmatig sprak waren mijn ouders, Jess en Peter. Mijn dagen bracht ik door op internet, op zoek naar informatie over psychopaten. En 's nachts droomde ik van hen.

'Stalkertype: de aan waandenkbeelden lijdende stalker heeft vaak een geschiedenis van geestesziekte die hem ertoe brengt te fanta-

seren dat zijn slachtoffer verliefd op hem is. De wraakzuchtige
stalker – de gevaarlijkste soort – zoekt wraak...'

'Sadistische verkrachter: iemand die een vrouw wil straffen met
geweld en wreedheid. Het slachtoffer is gewoonlijk niet meer dan
een symbool voor de bron van zijn woede. Hij gaat meestal zeer
bedachtzaam te werk bij zijn verkrachtingen, en bereid ze zorg-
vuldig voor. De slachtoffers zijn vaak getraumatiseerd, lijden aan
extreme fysieke verwondingen en worden in veel gevallen ver-
moord...'

'Folteraar: iemand die extreem lijden, fysiek of mentaal, toe-
brengt met het doel het slachtoffer te straffen of om aan informa-
tie te komen. De mishandeling kan omvatten: blinddoeken; ge-
dwongen onafgebroken staan of hurken; bijna-verdrinking door
onderdompeling in water; bijna verstikking door plastic zakken
die om het hoofd gebonden worden; verkrachting...'

Toen John Donne schreef dat 'niemand een eilandje op zichzelf is'
kan hij niet geweten hebben van echte introverten zoals Jess of so-
ciopaten zoals MacKenzie. Zulke mensen leven wel binnen een
gemeenschap – hoewel aan de rand daarvan – maar hun kluize-
naarschap, hun terughoudendheid, zelfs hun onverschilligheid
voor wat anderen denken, betekent dat ze op zijn best maar voor
de helft vastzitten aan het 'vasteland' van de mensheid. Als ze zich
al met de rest van ons bemoeien, is dat onder hun eigen voorwaarden en niet onder die van ons.
   MacKenzies isolement had hem tot een roofdier gemaakt –
hoewel je je af kunt vragen wat er eerst kwam, zijn sadisme of
zijn vervreemding van anderen. Het is niet waarschijnlijk dat hij
met sadistische fantasieën geboren is – welke baby is dat wel? –
maar een harde jeugd kan ertoe geleid hebben. Met Jess was het
anders, haar introvertheid schijnt ze van haar vader geërfd te
hebben, hoewel de tragedies in haar leven die karaktertrek versterkt kunnen hebben. Soms, vooral als ze niet wilde praten,
had ik het gevoel dat haar persoonlijkheid iets autistisch had.
Ze was zeker talentvol, en had dezelfde obsessieve toewijding
aan haar werk die je bij geleerden soms ziet.

Op haar manier was ze charismatisch. Ze wekte genegenheid en trouw bij degenen die ervoor kozen met haar om te gaan, en een onevenredige afkeer bij hen die dat niet wilden. En bij Jess bestond er niets tussenin. Je hield van haar of je had een hekel aan haar, en in beide gevallen accepteerde je haar reserve als onderdeel van het totaalpakket.

En dit alles dreef me ertoe binnen het halfuur weer naar beneden te gaan, want ik had haar heel wat harder nodig dan zij mij.

Fragmenten uit aantekeningen, opgeslagen als 'CB15 – 18/05/04'

... De politie in Bagdad suggereerde dat mijn zogenaamde 'onwetendheid' te wijten viel aan het Stockholm Syndroom – om in leven te blijven had ik een band opgebouwd met degenen die mij gevangen hielden en ik hield informatie achter uit dankbaarheid omdat ze me vrijgelaten hadden. Ze zeiden tegen me dat ik me daar niet voor hoefde te schamen. Het overkomt de meeste gevangenen omdat hun leven afhankelijk is van hun gijzelnemers, en het is een klassieke overlevingsstrategie om vrienden te worden met degene die je bedreigt. Toen ik het ontkende, hadden ze geen begrip meer voor me.

... De enige relatie die ik ontwikkelde was met de voetstappen. Ik verlangde ernaar omdat ik bang was dat ik aan mijn lot zou worden overgelaten om langzaam van honger en dorst te sterven... en ik was er bang voor omdat het betekende dat ik uit de kooi gehaald zou worden. Ik ontwikkelde absoluut een psychologische gehechtheid aan geluiden. Ik ben drie dagen iemands bezit geweest... en dat ben ik nog steeds.

... Ik was niet van plan ooit bijzonderheden te verstrekken over wat er was gebeurd. Hoe kon ik aan vreemden uitleggen dat ik geglimlacht had? Heb ik ooit nee gezegd? Heb ik ooit overwogen nee te zeggen?

... Weten alle sadisten wat voor macht ze hebben? Zijn alle slachtoffers geprogrammeerd om op dezelfde manier te reageren op angst en pijn?

... Kon ik dat maar geloven. Dat is dan in ieder geval een excuus voor lafheid. Waarom leef ik? Dat begrijp ik totaal niet...

11

TOEN IK WEER NAAR BENEDEN GING, KWAM IK IN EEN HERHALING van de gebeurtenissen van mijn eerste dag terecht. Ik duwde de keukendeur open en zag Peter aan de keukentafel zitten. Jess hield zich afzijdig bij de Aga en keek naar de vloer. Ik had de auto van Peter niet gehoord en verstijfde van schrik toen ik hem zag. Hij glimlachte me geruststellend toe. 'Ik zal het me niet persoonlijk aantrekken als je zegt dat ik op moet donderen, Marianne. Jess heeft tegen me gezegd dat ik als de gesmeerde bliksem hierheen moest komen. Ze zei dat het een noodgeval was, maar zoals je inmiddels ongetwijfeld weet, is een diagnose stellen niet haar sterkste punt.'

Jess keek hem kwaad aan. 'Je moet met iemand praten,' zei ze plompverloren tegen mij. 'En Peter is waarschijnlijk de meest geschikte persoon, zolang je je maar geen medicijnen voor laat schrijven. Als hij je in een zombie verandert, ben je een eitje voor elke psychopaat die maar langskomt.'

Peter fronste zijn wenkbrauwen waarschuwend. 'Houd je mond, Jess. Als dit jouw idee van tact is, dan is het geen wonder dat je vriendenkring uitsluitend uit wezels bestaat.'

'Ze is er bang voor.'

Hij kwam overeind en gebaarde naar de andere stoel. 'Kom binnen, Marianne. Je kunt er zeker van zijn dat hier niemand anders is dan Jess en ik. Ik heb haar ervan kunnen overtuigen dat dit niet het moment is om jou van je angst voor honden te genezen... dus je hoeft je niet druk te maken over een stelletje mastiffs.'

Nu keek Jess kwaad naar mij. 'Jij mag het zeggen, maar het is handiger als je een waakhond in de buurt hebt. Ik wil Bertie graag aan je uitlenen. Hij was vroeger van Lily, tot zij het niet meer aankon, dus hij zal het hier prima vinden, als jij hem eten geeft... en zolang je maar niet zo spastisch met je handen wappert. Je hoeft maar een paar commando's te leren en dan verdedigt hij je tegen ieder gevaar.' Ze keek iets vriendelijker. 'Denk er maar eens over. Je hebt veel meer aan hem dan aan antidepressiva.'

Peter glimlachte nogal grimmig. 'Wat ben jij af en toe toch verschrikkelijk vervelend.'

'Ik noem alleen maar wat mogelijkheden.'

'Nee, dat doe je niet. Je spuit alleen maar weer wat wilde theorieën, zoals gewoonlijk. Ik stel voor dat we verder gaan met plan A...' hij klemde zijn kiezen op elkaar, 'en dat was: Marianne de kans te geven ons te vertellen of we haar op de een of andere manier kunnen helpen.' Hij ving mijn blik op en deed een dappere poging de irritatie in de zijne te onderdrukken. 'Kan ik je overhalen de keuken in te komen? Of wil je liever dat een van ons of wij allebei weggaan...?'

Ik wist dat zijn irritatie niet mij gold, maar toch voelde ik mijn hart van schrik tegen mijn ribbenkast bonken. Op ieder teken van mannelijk ongeduld of ontevredenheid reageerde ik met een angstgolf. Er waren te veel associaties, niet alleen met MacKenzie. Tijdens de gesprekken met de politie in Bagdad – die me steeds meer onder druk gingen zetten – was ik zo gaan trillen dat de Amerikaanse adviseur de boel stopzette en vroeg of ik liever met een vrouw wilde praten.

Ik wees dat voorstel zo heftig af dat hij verbaasd zijn voorhoofd fronste. 'Maar je bent van streek, Connie. Ik dacht dat je je meer op je gemak zou voelen met iemand van je eigen sekse.'

Ik had mijn hand al uitgestoken naar het glas water, maar veranderde toen van gedachte want ik wilde niet dat mijn tanden tegen de rand zouden klapperen. 'Ik ben moe,' wist ik er met droge mond uit te krijgen. 'En als ik opnieuw begin met iemand anders, dan mis ik mijn vliegtuig. Ik wil echt naar huis, naar mijn ouders in Engeland.'

Hij was niet onvriendelijk. Onder andere omstandigheden had ik hem aardig gevonden. 'Dat begrijp ik, maar ik wil je niet van streek maken, en ik heb het gevoel dat ik dat wel doe. Wil je dat er een vrouwelijke agent bij komt zitten?'

Ik schudde mijn hoofd. Ik was bang voor het medeleven van een vrouw, en nog banger voor haar intuïtie. Het was makkelijker tegen mannen te liegen. Ik liet mijn tong langs de binnenkant van mijn mond glijden en produceerde een overtuigend glimlachje. 'Alles is goed met me, ik ben alleen maar uitgeput. Het was beangstigend... en je slaapt niet als je bang bent.'

Hij keek naar mijn gezicht toen Dan een arm om mijn schouders sloeg om me te troosten. Ik bleef glimlachen – met moeite – maar ik kon er niets aan doen dat mijn ogen wijd opengingen. Misschien hebben mannen net zo'n goede intuïtie als vrouwen, want de frons kwam onmiddellijk terug. 'Het zit me niet lekker, Connie. Weet je zeker dat je ons alles verteld hebt?'

Ik kon hem alleen maar aanstaren. Mijn hele lichaam verzette zich tegen de nabijheid van Dan. Dat was de eerste keer dat ik moeite had met ademhalen, hoewel het toen meer een gedwongen vorm van mijn adem inhouden was – twintig seconden geblokkeerd – dan de paniek die later kwam. Het schijnt een tijdje te duren voor de bom van doodsangst zonder waarschuwing afgaat. Misschien functioneren we vlak na een trauma op de automatische piloot, en ervaren we alleen angst als het lichaam rust nodig heeft en de geest die vraag overstemt uit angst om weer overrompeld te worden.

Dan kwam me te hulp. 'Laat haar even met rust, Chas. Ze heeft je alles verteld. De mannen die haar uit de taxi haalden droegen bivakmutsen, en haar ogen zijn meteen met tape afgeplakt. Toen ik haar vond had ze zo lang in het donker gezeten dat ze haar ogen niet open kon krijgen... en dat was nog geen vier uur geleden. Je moet blij zijn dat ze überhaupt met jullie wilde praten. Als het aan mij had gelegen, had ze op het eerste het beste vliegtuig naar Londen gezeten en hadden jullie daar om inlichtingen moeten vragen.'

'Dat weet ik wel.'

'O ja? Je hebt de dokter gehoord. Die zei dat ze vierentwintig uur de tijd zou moeten krijgen om bij te komen voordat ze jullie vragen kon beantwoorden, dus was het veel handiger geweest als jullie het aan Londen hadden overgelaten. Dan had je je informatie nog steeds gekregen... maar het oponthoud had die info minder waard gemaakt. Connie begrijpt dat en daarom is ze hier.'

'Ik weet het en ik waardeer het, Dan, maar helaas is Connie niet in staat geweest ons ook maar iets te vertellen.' Hij richtte zijn aandacht op mij. 'Weet je of er een video van je gemaakt is? De home-movie schijnt het handelsmerk te zijn van gijzelnemers... ze willen hun vijftien minuutjes roem, net zoals westerlingen. Weet je nog of je een camera hebt horen lopen?'

Ik slaagde erin 'nee' te zeggen, en te glimlachen, maar mijn hart ging als een razende tekeer. Het hele idee was te verschrikkelijk om onder ogen te zien. Ik zou nog iets van mijn waardigheid behouden hebben, als er niet was vastgelegd wat ik had gedaan. Hij had close-ups van mijn gezicht genomen – '*laat zien dat je het lekker vindt, veertje...*' – dus zat er op het gehoorzame lappenpoppenlijf een herkenbaar menselijk gezicht, ook al waren de ogen afgeplakt.

Wat wilde hij doen met die tape? Hoeveel mensen zouden hem zien? Was ik herkenbaar als Connie Burns? Zou Dan hem zien? Mijn ouders? Mijn vrienden? Mijn collega's? Al het andere leek triviaal vergeleken met een publieke onthulling in de bazaars van Bagdad, of nog erger, op al-Jazeera tv of internet. Is het leven wel de moeite waard als je erom hebt moeten smeken? Hoe kun je nog functioneren als je geen gevoel voor eigenwaarde meer hebt? Waar vind je de moed om naar buiten te gaan?

'Waarom ben je volgens jou zo snel vrijgelaten, Connie? Dan heeft ons gezegd dat er niet onderhandeld is, omdat Reuters niet wist wie je gevangen hielden... Wij ook niet... en geen enkele religieuze groepering wist het. Waarom hebben ze je vrijgelaten?'

'Ik weet het niet.'

'Tegenwoordig duurt een gijzeling gemiddeld twee weken. Aan het eind van die periode, afhankelijk van hoeveel druk er is uitgeoefend, worden gijzelaars óf vrijgelaten óf onthoofd. We denken dat de meesten worden meegenomen naar Fallujah – of een van de andere verboden gebieden – maar jij bent blijkbaar in Bagdad vastgehouden... en na drie dagen vrijgelaten zonder actieve bemiddeling. Dat past niet in het patroon dat we kennen, Connie.'

'Dat spijt me.'

'Ik verwijt jou niets,' zei hij zuchtend. 'Ik probeer duidelijk te maken waarom we ieder flintertje informatie nodig hebben dat je ons kunt geven. Ons enige aanknopingspunt is die chauffeur – en die is verdwenen – dus we hebben geen idee met wie we te maken hebben. Misschien is het het begin van een nieuw patroon... of een nieuwe groep, wiens enige verdienste is dat ze nog niet hebben geleerd om te doden.' Hij zag mijn ogen wijd opengaan toen Dan uit solidariteit mijn schouder onhandig drukte. 'Je wilt toch niet dat iemand anders hetzelfde als jou overkomt, Connie?'

Ik kon niets uitbrengen, zelfs als ik dat gewild had.

'Wat is dat nu voor vraag?' zei Dan kwaad. 'Je weet verdomme heel goed dat de kans om die klootzakken te pakken te krijgen, nul is. Er staat een beloning van tien miljoen op Zarqawi... en niemand heeft hem aangegeven. Als je er vijfentwintig miljoen van maakt, doen ze het nog steeds niet. Wat kan Connie jou vertellen om daar verandering in te brengen?'

'Wat Zarqawi betreft, niets. Ik ben best bereid aan te nemen dat ze gepakt is om door te verkopen, maar als dat zo is, waarom heeft hij haar dan niet gekocht?' Hij keek mij even aan en wendde zich toen weer tot Dan. 'Er valt heel wat te halen met vrouwelijke journalisten. Hun collega's kennen hen, en vrouwen die bedreigd worden zijn goede kopij. Connie en Adelina hebben samen meer tekst opgeleverd dan alle andere gijzelaars bij elkaar.' Hij wierp weer een blik op mij. 'Waarom zou Zarqawi – waarom zou welke terrorist dan ook – zulk soort publiciteit laten lopen? Ik begrijp er geen bal van.'

Dan ook niet, maar hij verdedigde mij zoals hij beloofd had. Ik had krediet bij hem, omdat we elkaar al jaren kenden. Ik had hem in Zuid-Afrika leren kennen toen ik bij de *Cape Times* kwam werken als eindredacteur, vers van Oxford, en hij daar verslaggever was. We waren een jaar collega's, waarna hij naar het buitenland vertrok om voor Reuters te werken, maar we zagen elkaar regelmatig als hij voor een reportage naar Afrika werd gestuurd. Hij kwam uit Johannesburg, maar zijn vaste adres, volgens zijn belastingopgave, was County Wexford in Ierland, waar hij met zijn Ierse vrouw Ailish en hun dochter Fionnula 'woonde'.

Het was een vreemde relatie. Zijn bezoeken aan Ierland waren nog spaarzamer dan de incidentele opdrachten die hem en mij bij elkaar brachten. Ik had hem een keer gevraagd hoe het kwam dat hij met een Ierse was getrouwd, en hij zei toen dat het een moetje was geweest toen ze zwanger was geraakt. 'Ze studeerde in Londen en ze durfde niet zonder ring thuis te komen. Haar vader gelooft in hel en verdoemenis. Hij had haar het huis uit geschopt.'

'Waarom liet ze geen abortus plegen?'

'Omdat Ailish nog meer dan haar vader in hel en verdoemenis gelooft.'

'Toch is ze met jou naar bed gegaan.'

'Tja... sommige zonden zijn minder erg dan andere...', hij grijnsde, 'en wellicht kwam het door mijn charme. Uiteindelijk heeft het heel goed uitgepakt. Fee is een geweldig kind. Het zou een misdaad zijn geweest haar te laten aborteren.'

'Maar als je er zo over denkt, waarom doe je dan niet je best om haar vaker te zien?'

Hij haalde zijn schouders op. 'Dat geeft zo veel problemen. De familie heeft nooit ruzie, alleen als ik er ben. Ze vinden mijn maandelijkse toelage prima, maar mijzelf niet.'

'Woont ze bij haar ouders?'

'Niet echt. Drie huizen verderop. Ze zijn erg aan elkaar verknocht. Ze heeft drie broers die op minder dan drie kilometer wonen en die met z'n allen aan komen zetten als ik langskom om ervoor te zorgen dat ik mijn verantwoordelijkheden niet ontloop. Als ik daarheen ga voel ik me een beetje als Daniël in de leeuwenkuil.'

Ik vond het allemaal heel vreemd. En nogal triest. 'Slaap je nog steeds met Ailish?'

Er verschenen lachrimpeltjes in zijn ooghoeken. 'Ik mag in de logeerkamer slapen, verder gaat de gastvrijheid niet... en ze houdt zolang ik er ben haar minnaar buiten de deur.'

'Je bent gek,' zei ik ongelovig. 'Waarom ga je niet scheiden?'

'Waarom zou ik? Er is niemand met wie ik wil trouwen... behalve met jou... en jij wilt me niet hebben.'

'Je kunt niet koken.'

'Dat kun jij ook niet.'

172

'Precies, en daarom zouden we zo'n beroerd stel zijn. We zouden verhongeren.' Ik grijnsde mijn tanden bloot. 'Weet je zeker dat het geen zwendel is om geen inkomstenbelasting te hoeven betalen? Iedereen weet dat schrijvers en schilders in Ierland vrijgesteld zijn.'

'Alleen schrijvers van literatuur... en je moet zes maanden per jaar in het land doorbrengen om ervoor in aanmerking te komen. Journalisten vallen erbuiten.'

Dat leek me voor hem geen onoverkomelijk probleem. Hij had ergens in zijn carrière bij Reuters op de economische redactie gezeten en beweerde dat hij alle manieren kende om belasting te ontduiken. 'Ben je van plan daar te gaan wonen als je je grote roman schrijft?'

'Daar heb ik wel eens aan gedacht.'

'Met Ailish?'

Dan schudde zijn hoofd. 'Ik heb liever een huisje in Kerry, met uitzicht op Dingle Bay. De vorige keer dat ik daar was heb ik Fee er mee naartoe genomen... en het was prachtig. We hebben langs het strand gelopen. Tegen de tijd dat ik die stap zet – als ik hem al zet – dan is zij volwassen. Wat zou ze dan van haar vader vinden? Zou ze nog steeds met me over het strand willen lopen?'

Hij zei het op dezelfde geamuseerde toon die hij de hele tijd had gebruikt, maar de woorden deden anders vermoeden. Gevoelens voor zijn kind die hij beantwoord wilde zien. Het verbaasde mij. Ik dacht dat hij net als ik was, dat hij zich absoluut niet wilde binden omdat dat de enige manier is om niet gek te worden in een zwervend bestaan. Misschien had zijn dochter hem wortels gegeven. Ik benijdde hem plotseling.

En ik benijdde Fee. Wist ze wat Dan voor haar voelde? Wist ze wie hij was? Wat hij gedaan had? Wat hij geschreven had? Hoe er tegen hem aan gekeken werd buiten het kleine kringetje van de familie van haar moeder?

'Ze zou een rare vrouw zijn als ze dat niet zou willen,' zei ik. 'Het ligt in de aard van de vrouw om nieuwsgierig te zijn... omdat we eeuwenlang niets anders te doen hadden dan het mannelijk gedrag analyseren. En wat ze van je zal vinden...' ik zweeg even, 'ik hoop dat je voor haar altijd een mysterie zult blijven,

Dan. Op die manier zal ze steeds terugkomen om meer te horen.'

Hij maakte nog een vluchtige opmerking over dat gesprek van ons toen hij op Baghdad Airport met me op mijn vlucht wachtte. 'Hoe kan ik je bereiken? Ik heb alleen het nummer van je mobiel... en die is weg. Ik merk nu dat ik eigenlijk heel weinig van je weet, Connie. Ik moet het adres van je ouders hebben.'

Ik dwong mezelf te glimlachen. 'Ik heb hun adres en telefoonnummer op het notitieblok in je flat geschreven toen ik ze belde,' loog ik, 'en je kunt ze altijd in de personeelsadministratie vinden, onder naaste familie.' In feite had ik die gegevens niet laten bijwerken sinds het vertrek van mijn ouders uit Zimbabwe, dus was het enige adres dat bekend was dat van de Japera Farm, en ik zag de maat van Mugabe de post nog niet doorsturen.

Dan knikte. 'Goed. Is alles naar je zin geregeld? Harry Smith komt je op Heathrow afhalen en helpt je met de persconferentie. Daarna zal hij de pers verzoeken je met rust te laten... hoewel ze je zeker zullen bellen wanneer Adelina Bianca vrijgelaten wordt, áls ze tenminste vrijgelaten wordt.' Hij pakte mijn hand. 'Kun je dat aan?'

Ik probeerde niet te laten merken hoe erg ik het vond om aangeraakt te worden. 'Ja.'

'Ze zullen je vragen hoe lang je bent vastgehouden. Dat onderwerp is interessant voor ze. Waarom maar drie dagen? Heb je te horen gekregen waarom je bent vrijgelaten? Wie heeft je vrijlating bewerkstelligd? Is er losgeld betaald?' Hij drukte mijn hand geruststellend. 'Misschien handig om daar tijdens je vlucht al over na te denken. Het is je goed recht om over het meeste te zeggen dat je het niet weet, maar ze zullen willen weten wat je tegen je ontvoerders hebt gezegd en of je denkt dat dat invloed heeft gehad op de manier waarop je behandeld bent.'

Zes meter verderop gaf een vrouw een peuter een klap tegen zijn achterhoofd. Ik kon niet zien wat hij gedaan had, maar de harde klap leek buitenproportioneel voor welk vergrijp van een tweejarige dan ook. Ik voelde verdriet in mijn keel opwellen – voorbode van tranen – maar ik kon niet meer huilen en keek met droge ogen naar Dan terwijl ik mijn hand onder die van hem uit werkte en mijn schouders in mijn geleende jasje optrok. Ik droeg nog steeds mijn 'ontvoeringskleren': een katoenen rok en bloes, die ik had gewassen vóór Dan me naar het politiebureau bracht. Ik had het jasje van een vrouwelijke collega gekregen voor het geval het koud was in Londen.

'Bedoel je dat ik iets moet verzinnen?'

Hij keek een andere kant op. 'Ik raad je aan met een kloppend verhaal te komen, Connie. Je hebt tegen de politie gezegd dat je niet kon praten omdat er tape over je mond zat, maar even daarna zei je dat je regelmatig water kreeg. Dat kan alleen maar als de tape werd weggehaald, dus waarom heb je toen niets gezegd?'

'Omdat dat niets had uitgemaakt. Als ze me hadden willen doden, dan hadden ze me gedood.'

'Goed, ja,' zei hij plotseling ongeduldig, 'dan bedoel ik inderdaad dat je iets zult moeten verzinnen. Je weet hoe het gaat. Zij willen de krant vullen, dus geef ze het beste verhaal dat je hebt.'

Ik duwde mijn handen diep in mijn zakken. 'En anders?'

'Ze zullen je met Adelina vergelijken, Connie, en kijken of je blauwe plekken hebt. Ze zullen vragen naar de bevindingen van de arts – je mankeerde niets – alleen wat blauwe plekken op je polsen en de huid om je mond en ogen was rood vanwege de tape – en ze zullen willen weten waarom je er zo gemakkelijk van af bent gekomen. Wat ga je ze vertellen?'

Ik liet mijn tong langs mijn lippen glijden. 'Ik weet het niet.'

'En als ze je vragen wat je droeg – en dat zullen ze zeker vragen – wat zeg je dan?'

Ik trok het jasje strakker om mijn middel en heupen. 'Wat ik aanheb.'

'Houd je dan aan het verhaal dat we tegen de politie hebben opgehangen... dat je je kleren hebt gewassen omdat je niets anders had om te dragen. Ik zal de kritiek wel over me heen laten komen,' besloot hij nogal grimmig, 'hoewel ik er als een absolute idioot op sta.'

Hij had de wind van voren gekregen van Chas, omdat hij had toegelaten dat ik mijzelf en mijn kleren waste voor we naar het politiebureau gingen. Het was al erg genoeg dat hij mijn vrijlating drie uur lang geheim had gehouden, en nog erger dat hij niet stil had gestaan bij de implicaties die het vernietigen van het bewijsmateriaal zou hebben. Voor mijn gedrag waren er excuses, ik was getraumatiseerd, maar voor Dan gold dat niet. Hij had beter moeten weten. Hoe konden de autoriteiten tot een veroordeling komen als er geen forensisch bewijsmateriaal was?

Dan had me gesteund – in zoverre dat hij de kritiek gelaten aanhoorde en niet zei dat hij had geprobeerd me tegen te houden – maar nu hield hij zijn achterdocht niet langer voor zich. 'Waarom moest je die kleren trouwens wassen?'

'Ze waren vuil.'

Maar we wisten allebei dat dat niet zo was. Ze hadden niet eens gestonken, en daarom had ik ze gewassen. Ik had met de gedachte gespeeld om te zeggen dat ik een oranje overall had gekregen, net zo een als Adelina op haar video droeg, maar ik was bang dat dat alleen maar tot meer vragen zou leiden. Waarom zaten er geen oranje vezels op mijn huid of in mijn haar? Waarom zouden ze me als een gevangene hebben gekleed als er toch geen video werd gemaakt? Het was minder traumatisch ervan beschuldigd te worden bewijsmateriaal te hebben vernietigd, dan toe te geven dat ik niets had gedragen.

Ik vroeg me af of Dan de waarheid vermoedde, want hij ging niet verder op het onderwerp door. In plaats daarvan vertelde hij me wat hij van plan was te zeggen als hij mijn vrijlating aan de pers in Bagdad zou melden. Hij zou benadrukken dat ik volledig met de politie had samengewerkt, dat ik niet te veel wilde zeggen uit angst Adelina's leven in gevaar te brengen, en dat ik 'moedig en professioneel' was geweest. Duidelijk een instructie om me in Londen aan dat verhaal te houden, zodat Reuters in Bagdad niet door iets onverwachts overvallen kon worden.

Ik wierp af en toe tersluiks een blik op de klok die de seconden wegtikte voor het moment waarop ik met goed fatsoen naar de gate kon gaan. De enige bagage die ik had was een stoffen heuptasje (van Dan geleend) met daarin mijn ticket, instapkaart en noodpaspoort (door Reuters betaald), en vijfentwintig pond in prachtige Engelse biljetten van vijf, uit de fondsen van Reuters in Bagdad.

'Hoor je me wel, Connie?'

Ik knikte weer. Maar omdat ik niet van plan was voor de pers op te treden, deed het er niet toe of ik het wel of niet hoorde. Als ik niet op kwam dagen, zou de enige informatiebron de persconferentie van Dan zijn, en zonder foto's zou het verhaal naar de laatste pagina's worden verwezen. Misschien zou er gespeculeerd worden waarom en waar ik me schuilhield, maar het zou niet veel om het lijf hebben. Verhalen zonder inhoud en zonder plaatjes bloedden dood op de redactie.

Ik had besloten de benen te nemen toen ik mijn ouders vanuit Dans appartement belde om te vertellen dat ik in veiligheid was. Mijn moeder nam op in het Swahili. Letterlijk. Als kind had ze de taal van Adia, haar Keniaanse kindermeisje, geleerd en wat ze zich nog herinnerde had ze weer aan mij doorgegeven. Ze sprak voor ik iets kon zeggen. 'Jambo. Si tayari kuzungumza na mtu mie.' *Hallo, ik kan op dit moment met niemand spreken.*

Het was een truc die we gebruikten toen we moeilijkheden kregen op de boerderij. Mijn vader was ervan overtuigd dat hij afgeluisterd werd, direct en via de telefoon. Swahili wordt in Zimbabwe niet algemeen verstaan. Engels is daar de officiële taal en de inheemse talen zijn het Shona en het Ndebele. Ik nam aan dat mijn moeder een telefoontje van mijn vader verwachtte en hem waarschuwde dat er iemand bij haar in de kamer was.

Ik antwoordde: 'Jambo, mamangu. Mambo poa na mimi. Sema polepole!' *Hallo, moeder van mij. Alles is in orde met me. Wees voorzichtig met wat je zegt.*

Even bleef het stil. 'Bwana asifiwe. Nakupenda, mtoto wangu.' *Godzijdank. Ik houd van je, mijn kind.* Er klonk emotie door in haar stem, die ze onmiddellijk onderdrukte. 'Sema fi kimombo.' *Jij kunt Engels spreken.*

Dat was, in de weken na mijn vrijlating, het moment dat ik er het dichtst bij was om me te laten gaan. Als zij bij me in de kamer was geweest was ik weer haar 'mtoto' geworden, en had ik haar, weggedoken in haar warme omhelzing, alles verteld. Toen ik haar in Londen zag, was die gelegenheid voorbij. Ik haalde diep adem. 'Wie is er bij je?'

'Msimulizi.' *Een journalist.*

'Jezus! Niet laten merken dat ik het ben.' Ik hoorde de bibber in mijn eigen stem. 'Niemand weet nog dat ik bevrijd ben... behalve Dan... Ik ben in zijn flat. Ik heb tijd nodig om... begrijp je dat?'

'Ni sawasawa.' *Het is in orde.* Ze klonk zo geruststellend dat ik denk dat ze glimlachte naar degene die in de kamer was. 'Nasikia vema.' *Ik begrijp het volkomen.*

'Vanavond vertrek ik, ik vlieg via Amman, en morgenochtend vroeg ben ik in Londen.' Ik keek naar de deur van de kamer, vroeg me af of Dan meeluisterde. 'Die journalist, is dat er een, of worden jullie voortdurend lastiggevallen?'

Het bleef weer even stil, terwijl ze nadacht hoe ze dit zou aanpakken. 'Inderdaad, het is veel makkelijker voor me om Engels te spreken. Ik vind het heel fijn dat u me van Connies krant in Kenia belt. De hele wereld toont zijn belangstelling. Op dit moment staan er drommen journalisten en fotografen voor onze deur... allemaal berichten ze over Connies toestand. We zijn bijzonder dankbaar dat iedereen ons zo steunt en helpt.'

De moed zonk me in de schoenen. 'Maken ze het jullie erg lastig?'

'Ja.'

'En hoe houdt pa zich?' Ik herstelde me meteen omdat ik wist dat ze daarop geen antwoord kon geven. 'Laat maar, ik kan het wel raden.' Na de gebeurtenissen op de boerderij had mijn vader nog maar een heel kort lontje wanneer er inbreuk op zijn leven werd gemaakt. Hij vond het vooral verschrikkelijk als hem gevraagd werd wat er was gebeurd, alsof andere mensen het recht hadden zijn vernedering te aanschouwen. 'Wordt hij kwaad?'

'Ja. Mijn man zit vandaag op de Zimbabwaanse ambassade. De Britse overheid weigert te onderhandelen met gijzelnemers, maar er is een kans dat Robert Mugabe wil bemiddelen, omdat Connie een dubbele nationaliteit heeft. Brian probeert alles.'

'O god!' Mijn vader zou nog liever zijn arm afhakken dan Mugabe om hulp vragen. Hij haatte die kleine dictator meer dan wie dan ook. 'Wat erg! Wat een ellendige klotetoestand.'

'Haidhuru. Kwa kupenda kwako.' *Het hindert niet. Hij doet het omdat hij van je houdt.* Weer bleef het even stil. 'Misschien is het handiger als u met Brian praat? Hij kan u veel meer vertellen dan ik. Hebt u een nummer dat hij kan bellen als hij terugkomt? Misschien een mobiel?'

'Nee... die is gestolen... en ik weet niet waar ik de komende uren zal zijn. Kunnen jullie wachten tot ik in Londen aankom?' Ik keek weer naar de deur. 'Dan regelt een persconferentie op Heathrow...' Ik zweeg en hoopte dat ze begreep waarom.

'Wordt dat moeilijk voor u?'

'Ja.'

'Is uw collega nu bij u?'

'Dat weet ik niet zeker. Het kan.' Ik zweeg even. 'Reuters houdt het nieuws van mijn vrijlating nog even vast tot de persconferentie... en dat betekent dat jullie moeten doen alsof jullie nog niets van me gehoord hebben. Het is belangrijk, mam. Ik wil niet dat er allemaal camera's staan als ik aankom. Beloof je me dat je niemand iets zegt tot je van me hoort?'

'Natuurlijk. Het enige wat we willen is de behouden terugkeer van Connie.'

Ik wilde dat ik haar kon vertellen dat ik niet naar hun flat kon komen zolang er nog fotografen voor hun deur stonden maar ik wist niet of Dan meeluisterde of hoe goed zijn Swahili was. Ik zei niets en hoopte maar dat ze de hint zou begrijpen. Ik lachte trillerig. 'Ik begin te begrijpen hoe pa zich voelde toen jullie van de boerderij weg moesten. Weet je nog wat hij het ergste vond?' ('*Erover praten. Wat moet ik zeggen? Voelen mensen zich beter als ik toegeef dat ik bang was?*')

Mijn moeder aarzelde even voor ze nogmaals zei: 'Nasikia vema.' *Ik begrijp het volkomen.* 'U wilt een gesprek onder vier ogen. In een hotel, wellicht... bila wasimulizi na maswala. *Zonder verslaggevers en vragen.* Klopt dat? Heb ik goed begrepen wat u wilt?'

'Ja.'

'Mijn man wacht uw telefoontje af. Ik verzeker u dat hij zijn uiterste best zal doen u te helpen. Onze dochter heeft alle steun nodig die ze krijgen kan.'

Ik haalde nogmaals diep adem om niet te trillen. 'Het gaat echt goed met me, hoor... ga je nu niet van alles in je hoofd halen... het enige wat er gebeurd is, is dat ik drie dagen geblinddoekt ben geweest. Geef pa een knuffel, ik zie jullie morgen.'

'Tutaonana baadaye, mtoto wangu. Nakupenda.' *We zullen elkaar gauw weer zien, mijn kind. Ik houd van je.*

Het is nogal verschrikkelijk als je er op je zesendertigste achter komt dat je meer empathie hebt voor je moeder dan voor de man aan wie je de afgelopen vijftien jaar je lichaam gegeven hebt. Ik vroeg me af wat er gebeurd zou zijn als de rollen omgedraaid waren geweest en het Dan aan de andere kant van de lijn was geweest. Zou hij net zo subtiel en vlug van begrip zijn geweest als mijn moeder? Of zou hij er meteen overheen gewalst zijn zoals hij nu deed.

'Ik weet dat je dit niet wilt horen, Con, maar een paar tranen zouden geen kwaad kunnen. De afgelopen dagen heeft iedereen erg met je meegeleefd, maar dat zal snel veranderen als je weigert je best te doen voor de camera's. Niemand zal geloven dat je de afgelopen drie dagen gekneveld en geblinddoekt bent geweest, als je je niet een beetje kwetsbaar opstelt.'

Ik richtte met moeite mijn aandacht weer op hem. 'Maak je geen zorgen, als het moet, doe ik dat wel. Ik kan heel goed acteren.'

Hij fronste zijn wenkbrauwen. 'Bedoel je daar iets mee?'

Ik haalde mijn schouders op. 'Ik heb de rol van vriendin heel goed gespeeld, Dan. Geen eisen. Geen verwachtingen. Goedkoop. Me nooit met je liefdesleven bemoeid als ik er niet was. Nooit reden tot zorgen gegeven.' Ik glimlachte naar hem. 'Je zou er toch op moeten vertrouwen dat ik een goede voorstelling zal geven. Ik heb meer slachtoffers gezien in mijn leven dan jij.'

Hij deed een onhandige poging zijn armen om me heen te slaan, maar ik stapte naar achteren. 'Ga je me nog vertellen wat er aan de hand is?' vroeg hij dwingend. 'Ik heb alles gedaan wat je vroeg... en ik word als vuil behandeld. Wat is er? Iets wat je me niet verteld hebt?'

'Nee.'

'Wat is het probleem dan?'

'Niets,' zei ik onverschillig. 'Ik ben een herstellende gijzelaar.'

Hij zuchtte. 'Praat er dan over. Je weet dat ik luister.'

Dit hadden we in zijn flat ook al meegemaakt. Hij betuttelde me, moedigde me aan mijn angsten onder woorden te brengen, zei me dat hij gevraagd had of Londen een therapeut voor me wilde regelen, vertelde van zijn eigen schuldgevoelens nadat zijn vriend voor zijn ogen doodgeschoten was. Zelfs als ik in de verleiding was geweest hem de waarheid te vertellen – wat niet zo was – dan zou de verstikkende manier waarop hij aandrong me weerhouden hebben. Wat zou ik nog overhebben als hij – als wie dan ook – alle geheimen uit me getrokken had?

'Er valt verder niets te vertellen. Het was beangstigend zolang het duurde, maar ik heb meer geluk gehad dan Adelina.' Ik produceerde met moeite nog een glimlachje. 'En daarom kan ik misschien geen krokodillentranen voor de camera's tonen, Dan. Ik leef... ik ben ongedeerd... en er is me weinig overkomen. Het zou nogal min zijn om te doen of het anders was, vind je niet?'

'Ja,' zei hij langzaam. 'Dat is wel zo.'

En daar bleef het bij, vijftien jaren sporadische intimiteit lagen aan scherven op de vloer van een door oorlog geteisterd vliegveld. Dan hield zijn persconferentie in Bagdad, en ik ontliep de mijne door in een groep toeristen van een andere vlucht langs Harry Smith te glippen. De belangstelling was al heel snel voorbij. Afgezien van de aankondiging van mijn bevrijding was er weinig meer behalve de speculaties in een aantal Iraakse kranten dat ik mijn ontvoering verzonnen had. Mij kon het niet schelen. Ik kwam er heel snel achter dat het leven draaglijker was als iedereen dacht dat ik geluk had gehad... of een bedriegster was.

De mensen die mijn verhaal geloofden, die kon ik niet verdragen, dat was het probleem. Het is een vorm van verraad als mensen die je na staan direct geloven wat je ze vertelt.

Zouden ze je niet beter moeten kennen...?

Fragmenten uit aantekeningen, opgeslagen als 'CB15 – 18/05/04'

... Ik heb nooit beseft hoe breekbaar vertrouwen is. Kan een enkele persoon in zijn eentje werkelijk andermans geloof in iedereen en alles vernietigen?

... Als ik van wraak droom is het altijd als vergelding voor de relaties die mij ontstolen zijn. Wat geeft iemand het recht om mij achterdochtig te maken jegens mensen die ik aardig vond en van wie ik gehouden heb? Of hen jegens mij?

... Ik kan rationaliseren tot ik een ons weeg, maar ik weet dat niets ooit meer hetzelfde zal zijn. Wat er ook gebeurt, ik ben niet meer de persoon die ik was ...

12

PETER ZEI NIETS TOEN IK EINDELIJK DE KEUKEN BINNEN KWAM, maar ging in zijn eigen stoel zitten voor ik ging zitten. Hij schoof hem onmiddellijk achteruit, alsof hij wist dat zijn nabijheid me kon hinderen. Ik weet niet meer precies wat ik die ochtend heb gezegd, hoewel ik nog wel weet dat ik ze heb verteld dat ik Connie Burns was en dat ik drie dagen gevangen was gehouden door een man die Keith MacKenzie heette en naar wiens verleden ik onderzoek had gedaan. Ik zei dat hij een seriemoordenaar was die had gedreigd om me op te komen zoeken als ik ooit zou vertellen wat er gebeurd was.

Peter, die naar zijn spreekuur moest, drong erop aan dat ik met de plaatselijke politie zou praten, maar dat wilde ik niet, ik zei dat dat het alleen maar ingewikkelder zou maken omdat een politieman uit Manchester al aan de zaak werkte. Jess benaderde het van een praktischer kant. Ze zei dat ze tot de lunch bij me bleef, tot Peter terug zou komen om verder te praten. Ondertussen zouden haar honden in de tuin de wacht houden.

Later is me door een politieman uit Dorset gevraagd wat Jess en ik gedurende die vijf uur die we samen doorbrachten hebben besproken, en ik zei tegen hem dat ik me dat niet meer kon herinneren omdat het niets belangrijks kan zijn geweest. Jess was niet het type om vragen te stellen, en ik had al meer verteld dan me lief was. Jess zou het zich ook niet meer herinneren...

Ik herinner me het gesprek dat ik later met Peter gevoerd heb nog wel. Hij voelde zich niet geremd om vragen te stellen, vooral

toen Jess er niet bij was. Hij had de blanco plekken al grotendeels ingevuld met wat hij over mijn ontvoering had gelezen, en
uit mijn gedrag had hij een aantal juiste gevolgtrekkingen gemaakt.

Hij vertelde me dat mijn angst voor hem van het begin af aan
heel duidelijk was geweest, al scheen ik zelf niet te beseffen dat ik
die toonde. Het was een onwillekeurig me terugtrekken – ik bleef
heel rechtop staan, zorgde ervoor dat er altijd een flinke afstand
was, sloeg mijn armen over elkaar zodra ik hem zag, ging nooit
zitten als hij nog stond – en dat ik tegenover Jess totaal geen blijk
gaf van een dergelijke aversie.

Soms liet ik haar zelfs naast me zitten, hoewel nooit zo dichtbij
dat ik haar per ongeluk zou kunnen aanraken. Volgens Peter was
een onrijpe vrouw, die moeite had om haar gevoelens te tonen,
het ideale gezelschap voor mij. Ik verlangde misschien wel naar
iemand die gevoeliger was en er meer van begreep, maar ik zou de
bedreiging die zo iemand vormde, niet aankunnen. 'Als dat wel
het geval was geweest, was je bij je moeder gebleven,' merkte hij
op. 'Die had haar armen om je heen geslagen en de waarheid eruit
getrokken… maar dat wilde je niet.'

'Soms denk ik dat Jess juist de meest fijngevoelige persoon is
die ik ken. Ze weet altijd wanneer ze niet moet doorvragen.'

'Maar ze is nog steeds praktisch een vreemde voor je, Connie…
en het kan je niet schelen wat vreemden van je vinden. Dat hebben de meeste mensen. Ons zelfbeeld hangt af van hoe de mensen
die we kennen en van wie we houden ons zien, niet van de vluchtige kennissen die we nooit meer zullen tegenkomen. Voor de
meesten van ons is de wereld heel klein.'

Ik dacht dat hij er weinig van begreep. 'Tenzij je leven op de
voorpagina van de kranten wordt bekritiseerd.'

'Maak je je daar zorgen over?'

Ik gaf niet meteen antwoord. Zijn vragen deden me denken aan
Chas en Dan in Bagdad – '*Maar je lijkt zo van streek, Connie*'
'*Vertel het me maar*' – en ik begreep waarom mijn vader kwaad
was geworden toen goedbedoelende mensen hem met goedbedoe-
lende stokken prikten. Nieuwsgierigheid heeft zoiets arrogants.
Het suggereert dat de luisteraar door niets verrast kan worden,

maar hoe zou Peter hebben gereageerd als ik de schreeuw die al weken in mijn hoofd zat eruit had gegooid? Hoe zou Dan hebben gereageerd?

Ik dook in elkaar op mijn stoel. 'Ik denk steeds aan alle spreekwoorden die over vergelding gaan. Oogsten wat je gezaaid hebt... wie het zwaard opneemt... oog om oog. Ik word midden in de nacht wakker terwijl ze door mijn hoofd razen. Het lijkt zo onvermijdelijk.'

'Waarom?'

'Omdat ik mijn brood heb verdiend met het exploiteren van andermans leed. Ik moet steeds denken aan een vrouw uit Sierra Leone die haar hele gezin door de rebellen heeft zien afslachten. Toen ik haar zag was ze zo gestoord dat ze raaskalde, maar ik heb haar zonder aarzelen voor een verhaal gebruikt.' Ik zweeg. 'Toch een toepasselijke straf als mij hetzelfde overkomt.'

'Dat kan ik niet met je eens zijn.'

'Waarom niet? Iedereen krijgt uiteindelijk zijn deel. Dat zal jou ook gebeuren, Peter. We worden allemaal met gelijke munt terugbetaald.'

'Wat zijn jouw munten dan?'

'Dood. Onheil. Andermans leed. Ik ben verdomme oorlogscorrespondent.' Ik drukte mijn vingers tegen mijn ogen. 'Niet dat dat veel verschil maakt. Wat voor verslaggever je ook bent, het komt allemaal op hetzelfde neer. Er bestaat niet iets als "goed nieuws". Niemand is geïnteresseerd in andermans geluk. De lezers worden alleen maar jaloers als ze horen dat iemand anders het beter heeft dan zij. Omhoogsteken om ze neer te kunnen halen, dat wil Jan Publiek. Als je het zelf niet kunt maken, waarom een ander dan wel?'

'Dat is erg cynisch.'

'Maar ik bén cynisch. Ik heb zo veel onschuldige mensen voor niets zien sterven. Elke waardeloze dictator weet toch dat je een land het snelst onder controle krijgt door de haat en angst voor een boeman op te zwepen... en hoe kan hij dat zonder de pers? Journalisten zijn te huur, net als alle andere mensen.'

Hij keek even naar me. 'Jij kent je eigen beroepsgroep natuurlijk beter dan ik,' zei hij toen voorzichtig, 'maar je lijkt wel het allerzwartste scenario te schetsen van hoe jij behandeld zult worden.'

Ik voelde de irritatie over zijn zelfgenoegzaamheid in me opwellen. 'Dat zou jij ook doen, als een van die oude dametjes van je zou overlijden en haar familie zou zeggen dat jij verantwoordelijk was. Stel dat Madeleine het opeens in haar hoofd haalt jou ervan te beschuldigen dat je Lily verwaarloosd hebt? Dan zou jij degene zijn die bekritiseerd wordt... je scheiding wordt erbij gehaald... relaties met andere vrouwen enzovoort... om aan te tonen dat je je gedachten niet bij je werk had.'

Maar hij wilde niet aannemen dat ik op zo'n manier te kijk gezet zou worden, en voerde geduldig aan dat hoe slecht de pers ook was – hij gebruikte het woord 'rioolpers' – dat Britse kranten altijd slachtoffers beschermden. Als de seksuele geheimen van politici en beroemdheden werden onthuld, was dat omdat ze partij konden geven. Ze gebruikten de publiciteit om hun carrières verder te helpen, en hadden er alleen maar bezwaar tegen als ze er geen controle meer over hadden.

'Jij valt niet in die categorie, Connie. De enige gelegenheid waarbij je de publiciteit uit had kunnen melken om je carrière een zetje te geven, ben je opzettelijk uit de weg gegaan. Waarom zouden je collega's je dan kapotschrijven?'

Ik waardeerde wat hij probeerde te doen – de paranoïde stoelpoten wegzagen vanonder de logica om onder een aangenomen naam voor de rest van mijn leven onder te duiken – maar hij was naïef en sprak in clichés. 'Omdat het publiek recht heeft over MacKenzie te horen.' Ik zuchtte. 'En daar ben ik het mee eens. Inderdaad heeft het publiek het recht dat te weten. Als MacKenzie hier vrouwen gaat vermoorden, is het mijn schuld.'

'Maar dat is niet waar,' ging hij ertegen in. 'Uit wat je vanmorgen hebt verteld, leid ik af dat je er alles aan hebt gedaan om de politie op zijn spoor te zetten. Als hij gepakt wordt, is dat dankzij jou.'

'En dan kom ik weer in de krant,' zei ik met een wrang lachje. 'Het leven is klote. Als hij berecht wordt, moet ik getuigen.'

'Je wordt niet bij naam genoemd, Connie. Slachtoffers van verkrachting blijven in dit land gegarandeerd anoniem.'

'Ik heb niet gezegd dat hij me verkracht heeft,' zei ik kortaf. 'Ik heb niets gezegd over wat hij heeft gedaan.'

Peter zweeg even. 'Vanmorgen had je het over een verkrachter. Je noemde hem een serieverkrachter en vrouwenmoordenaar.'

Ik wist niet meer precies wat ik gezegd had. 'Het maakt niets uit. Mensen worden heus niet alleen door hun naam geïdentificeerd. Als ik het stuk zou schrijven, zou het ongeveer zo gaan: Gisteren onthulde een zesendertigjarige journaliste in de Old Bailey in Londen de sensationele details van haar ontvoering in Bagdad. In flagrante tegenstelling tot de gelukkig-leef-ik-nog-versie die ze direct na haar vrijlating gaf, ging het om een drie dagen durende beproeving van martelingen en sadisme, die haar ertoe brachten van naam te veranderen en onder te duiken. De blonde Zimbabwaanse zei dat de littekens heel diep zaten en dat ze nog steeds voor haar leven vreest en noemde de gedaagde, Keith MacKenzie, als haar ontvoerder. Ze beschreef hoe ze twee-enzeventig uur lang geblinddoekt gevangen was gehouden in een kelder. Toen de advocaat van de verdachte vroeg of ze haar ontvoerder had gezien...' Ik stopte plotseling.

'Heb je hem gezien?'

'Nee... dus dan is het allemaal voor niets, want hij wordt niet veroordeeld.'

Peter liet zijn kin op zijn handen rusten. 'Even een vraagje. Hoeveel versies van dat verslag heb je al verzonnen? Heb je er een geprobeerd die niet onthult wie je bent? Of nog beter... waarin je er goed afkomt?'

'Wat dacht je van: De *aantrekkelijke* blondine (36) vertelde tot in de details hoe deze traumatische ervaring haar leven beïnvloed heeft en hoe ze haar toevlucht heeft gezocht in de West Country. Ze betuigde haar dankbaarheid voor de plaatselijke huisarts (45). "Zonder zijn niet-aflatende steun," zei ze, "zou ik de moed niet hebben gehad te getuigen."' Ik maakte een uitnodigend handgebaar. 'Laat eens horen, wat ga je ze vertellen als ze een microfoon onder je neus duwen?'

'Hoe kunnen ze weten dat ik het ben?'

'Als ik hier nog woon, zal ik mijn adres moeten opgeven. Als ik hier niet meer zit, zal iemand er toch wel achter komen. Waarschijnlijk Madeleine. Je hoeft geen genie te zijn om blonde schrijfster, Zimbabwaans accent en een huisarts in de West Country bij elkaar op te tellen.'

'Ik kan weinig zeggen zonder mijn beroepsgeheim te schenden... behalve dat ik je dapperheid kan prijzen.'

'Wat saai. Dat is al gebeurd. Mijn chef in Bagdad heeft mijn dapperheid al uitgebreid bejubeld, om te verdoezelen dat ik minder dapper dan Adelina Bianca ben geweest. Ze zullen je net zo lang lastigvallen tot je met iets nieuws komt.'

'Zoals?'

'Wat ze maar uit je los kunnen krijgen. Hoe, wanneer, waar en waarom hebben wij elkaar ontmoet? Dus dan krijg je: Dokter C. was bij de doodsbange vrouw ontboden toen ze een zenuwinzinking kreeg na een confrontatie met een meute honden. Ze had zich in haar auto opgesloten en weigerde eruit te komen. "Ze probeerde haar angst te bedwingen door in een papieren zakje te blazen," zei hij.'

'En dan?'

'Dan gaan ze bij me voor de deur liggen. Bellen. Foto's. Ze zullen zeggen dat mijn anonimiteit toch al aan barrels ligt omdat iedereen er dankzij Google al achter is wie ik ben, en dat ik dus net zo goed voor de camera kan poseren in plaats van met een telelens genomen te worden terwijl ik het niet doorheb. En dan moet BBC-news nog komen om een persconferentie af te dwingen.'

Hij zweeg even voor hij zei: 'Is dat het? Of wordt het nog erger?'

'MacKenzie ontloopt zijn straf en ik krijg het etiket van zieke fantaste opgeplakt. Ik ben er al van beschuldigd dat ik die ontvoering heb verzonnen.' Ik leunde naar voren, met mijn armen om mijn schouders geslagen. 'Hij heeft geen sporen achtergelaten, dus kan ik niet bewijzen dat het gebeurd is... en het is een beetje vaag inmiddels. Als je niet kunt zien, kun je de dingen kennelijk niet zo goed registreren.' Ik keek even naar hem. 'Op die manier kan ik geen getuigenis afleggen. Elke advocaat die maar een knip voor zijn neus waard is maakt gehakt van me.'

Peter haalde een stapeltje aan elkaar geniete A4'tjes uit een map die op de tafel lag. Die, en een paar boeken, had hij meegenomen toen hij van zijn spreekuur terugkwam. Ik verdacht hem ervan dat hij een dossier over me wilde aanleggen, maar hij zei dat het alleen maar wat onderzoek van hem betrof. 'Ik ben een doodgewone huisarts, Connie. Ik heb vanwege Jess wel wat ervaring met posttraumatisch stresssyndroom, maar ik moet de literatuur raadplegen als ik je echt wil kunnen helpen.'

Vreemd genoeg vond ik dat geruststellend. Ik stel nu eenmaal meer vertrouwen in mensen die toegeven dat ze niet alles weten. Nogal ironisch omdat Jess tot vervelens toe volhield dat Peters enige antwoord op alles chemische interventie was. In feite had ik het gevoel dat zij en Dan degenen waren met oogkleppen op. Dan bleef ervan overtuigd dat een paar weken consulten met een meelevende therapeut hét middel voor alle kwalen was. En Jess bleef zweren bij de hardere benadering, dat je je angsten onder ogen moest zien en de gevolgen daarvan met een papieren zakje te lijf moest gaan. Misschien ligt het in de menselijke natuur om aan te nemen dat als iets voor jou gewerkt heeft, het voor iedereen zal werken.

Peter duwde het stapeltje papieren naar me toe. 'Heb je ooit van het Istanbul-protocol gehoord? Dat is een verzameling internationale richtlijnen voor onderzoek naar en documentatie van marteling, die gebruikt wordt om bewijsmateriaal voor een proces te beoordelen en samen te stellen. Ik heb dit exemplaar van internet uitgedraaid.'

'Ik heb toch niet gezegd dat ik gemarteld ben?'

'Toch wil ik dat je het leest. Het helpt misschien om je ervan te overtuigen dat je serieus genomen zult worden. Het bevat onder andere een uitvoerige lijst van de psychologische gevolgen van mishandeling en misbruik. Ik heb een paar van de meest voorkomende symptomen op het eerste blad gezet – het afgelopen kwartier heb je van een flink aantal daarvan blijk gegeven – hoewel je paniekaanvallen de duidelijkste aanwijzing zijn dat er iets verschrikkelijks is gebeurd.'

Ik schoof een eindje naar voren om te lezen wat hij geschreven had. '*Flashbacks. Nachtmerries. Slapeloosheid. Vervreemding. Eenzelvigheid. Agorafobie. Het mijden van mensen en plekken.*

Diepe angst. Wantrouwen. Irritatie. Schuldgevoelens. Gebrek aan eetlust. Niet in staat zijn zich belangrijke aspecten van het trauma te herinneren. Doodsgedachten.'

'Jess vertoont heel wat van deze symptomen,' merkte ik op, 'en zij zegt toch niet dat ze mishandeld is?'

'Nou en? Het trauma van het verlies van haar familie was heel groot.'

'Dan kan ieder trauma wel dergelijke symptomen veroorzaken. Het bewijst niet dat mijn versie van de gebeurtenissen klopt. Misschien ben ik sneller bang dan de meeste mensen, en heeft alleen het feit dat ik drie dagen geblinddoekt ben geweest tot die paniekaanvallen geleid.'

'Waarom ben je er zo vast van overtuigd dat niemand je zal geloven?'

'Omdat ik er eerst over gezwegen heb.'

'Dat maakt niet uit. Er gaat gewoonlijk enige tijd overheen voor een slachtoffer kan praten over wat er gebeurd is. Je zult dit stuk hier en daar confronterend vinden – vooral waar het gaat over lichamelijke uitschakeling en persoonlijkheidsdesintegratie van het slachtoffer – maar hoe meer je jezelf informeert over hoe men omgaat met bewijsmateriaal in combinatie met een getuigenis, hoe meer je erop gaat vertrouwen dat je geloofd zult worden.' Hij zweeg even. 'Voor wat het waard is... Ik zou zeggen dat jij sterker bent dan de meeste mensen – geestelijk sterker in ieder geval – en daarom ben je erin geslaagd dit zo lang op te kroppen.'

'Dat is niet omdat ik sterk ben,' zei ik somber, 'maar omdat ik doodsbang ben. Ik dacht dat als ik er niet over zou praten en niemand zou weten waar ik was, ik me goed zou voelen... en nu wilde ik maar dat ik Jess niet had gebeld. Ik schrik de hele ochtend al van het minste of geringste. Het is een oud gezegde: drie kunnen een geheim bewaren, als er twee dood zijn.'

'En hoe zit het met die politieman in Manchester?'

'Die weet lang niet alles.'

'En over welk geheim hebben we het nu? Je huidige verblijfplaats... of wat er met je gebeurd is?'

Ik gaf geen antwoord en Peter keek me zorgelijk vanonder zijn

190

gefronste wenkbrauwen aan terwijl ik verder in elkaar dook op mijn stoel.

'Ik geloof best dat je honderden redenen hebt verzonnen waarom het beter is de bijzonderheden voor jezelf te houden in plaats van je mond open te doen,' ging hij voorzichtig door, 'maar dat je niet geloofd zult worden, is niet overtuigend. Ik neem aan dat je ons maar de helft van wat er gebeurd is hebt verteld... minder dan de helft misschien wel... maar Jess en ik twijfelen niet aan je woorden. En ook...' hij zocht naar het goede woord, 'veroordelen we je niet. Wat je ook gedaan hebt, daar ben je toe gedwongen... maar dat je je daarover schaamt, versterkt eenvoudigweg het recht van deze man om jouw leven te beheersen.'

Eenvoudigweg? Wat was er eenvoudig aan schaamte? Hoe vaak was Peter midden in de nacht wakker geworden, badend in het zweet terwijl hij iedere seconde van zijn vernedering opnieuw beleefde? Het was erger omdat ik het me niet meer goed kon herinneren, en me er een voorstelling van maakte hoe het er voor een buitenstaander zou uitzien. In mijn verbeelding was mijn overgave gretig en overdreven, mijn daden vernederend en weerzinwekkend, en mijn lichaam iets belachelijks.

'Hij heeft een video van me gemaakt. Ik controleer steeds op internet of hij hem ergens openbaar heeft gemaakt. Als hij aangeklaagd wordt... en hem nog steeds heeft... dan wordt die in de rechtszaal vertoond.'

'Dat hoeft niet.'

'Het is het enige bewijs van wat hij heeft gedaan. Natuurlijk vertonen ze hem.'

Peter was veel te opmerkzaam. 'Maar je maakt je er meer zorgen over dat dat het bewijs is van wat jij hebt gedaan?' Hij zweeg, wachtend op antwoord. 'Vind je het erg als ik zeg dat je heel erg optimistisch bent als je aanneemt dat niemand anders hier die blonde Zimbabwaanse en die schrijfster bij elkaar heeft opgeteld? Toentertijd was je voorpaginanieuws en je lijkt nog best op de foto die ze afgedrukt hebben. Er is een hoop geschreven over het feit dat je ouders gedwongen waren hun boerderij te verlaten, en over dat deel van je verleden ben je heel eerlijk geweest.'

Ik voelde het kippenvel op mijn arm. 'Weet Madeleine het?'

'Het maakt niet uit als ze het weet, want er valt geen cent aan je te verdienen. Een kleine gemeenschap als de onze is natuurlijk nieuwsgierig naar een nieuwkomer, maar verder is er geen belangstelling voor jou. Het laatste artikel waarin je genoemd werd dat ik kon vinden, bevatte een korte verwijzing naar jou toen Adelina Bianca vrijgelaten werd.'

Wat was hij naïef. Ik zag Madeleine mijn naam al in heel Londen rondbazuinen. Herinner je je Connie Burns nog? Die verslaggeefster van Reuters die gegijzeld is maar haar verhaal nooit heeft verteld? Ze heeft mijn moeders huis in Dorset voor een halfjaar gehuurd om een boek te schrijven. We zijn hele goede vriendinnen.

'Wat dat betreft heb je bereikt wat je wilde bereiken, Connie. Jouw ontvoering was...' hij gebruikte het woord dat ik eerder gebruikt had – 'voor niemand sensationeel genoeg om je op te sporen, anders hadden ze je allang gebeld en je voordeur belegerd.' Hij maakte een geruststellend gebaar. 'Je begrijpt wat ik zeg? Als iemand dacht dat je een verhaal te vertellen had, dan was je nu al onder druk gezet... maar dat is niet zo. Dus is het helemaal aan jou hoeveel je wilt onthullen, als je überhaupt iets wilt onthullen. Niemand zal je dwingen.'

Ik had zin om hem precies te vertellen wat ik van zijn psychologische geleuter vond. Het is de genetische band met mijn vader, dat onvermogen om bevoogdende praatjes te verdragen. Had Peter een hoger IQ dan ik? Was hij hoger opgeleid? Was hij meer belezen? Ging hij zo prat op zijn eigen bekwaamheid dat hij aannam dat ik niet in staat was het zelf te verzinnen? Natuurlijk wist ik dat ik greep had op mijn verhaal. Wat had ik anders de afgelopen maanden gedaan, dan ervoor waken dat iemand erachter kwam?

Als ik ergens moeite mee had, dan was het met Peters al te rake opmerking dat MacKenzie me in zijn macht had. Door een video. Als het alleen om mijn woord tegenover dat van een stomme verkrachter uit Glasgow zou gaan, had ik zo dapper als een leeuwin kunnen zijn. Ik had alles kunnen zeggen wat ik wilde. Dat ik geschreeuwd had, ruzie gemaakt, geweigerd mee te werken, dat ik voor mijn leven had gevochten. Ik had kunnen doen alsof ik nog wat waardigheid bezat. Wie zou MacKenzie geloven zonder beeldmateriaal?

192

Ik.

'Ze lieten een tijdje geleden een stukje van de video van Adelina op tv zien,' zei ik tegen Peter. 'Ze hadden een close-up van haar gezicht – met de gezwollen ogen – om de kijkers een indruk te geven van wat er waarschijnlijk gaat gebeuren met een Koreaanse vrouw die net ontvoerd is. Ik ken Adelina vrij goed. Ze is niet langer dan een meter vijfenvijftig – zoals Jess ongeveer – maar ze zag er zo… onverschrokken uit. Hoe doet ze dat?'

'Ze zag er helemaal niet onverschrokken uit,' zei Peter bot. 'Ik heb die video ook gezien en ik zag een bange vrouw. Je legt er iets in dat je je verbeeldt, maar dat er helemaal niet was. Adelina was doodsbang, en terecht. Ze had er geen idee van wat er daarna zou gebeuren, en dat kun je aan haar gezicht zien.' Hij leunde naar voren. 'Waarom zouden gijzelnemers een video vrijgeven waarop een slachtoffer er onverschrokken uitziet, Connie? Beeldmateriaal is propaganda, en terroristen zijn alleen geïnteresseerd in het vertonen van doodsangst.'

'Nu lacht ze erom.'

'Omdat dat kan. Haar ergste angsten zijn geen van alle uitgekomen. En een blauw oog is hoe dan ook een eretekenn. Het bewijst dat je gestraft bent.' Hij duwde zijn vingertoppen tegen elkaar en richtte ze op mij. 'Jij zou het toch ook veel gemakkelijker hebben gevonden als je blauwe plekken had gehad. Je had misschien niet meteen willen zeggen hoe je eraan gekomen was… maar ze zouden opgevallen zijn. De politie zou erop gestaan hebben ze te fotograferen, en het bewijsmateriaal was bewaard gebleven tot jij had willen vertellen hoe je aan die plekken kwam.'

Ik kruiste mijn armen voor mijn borst en stopte mijn handen onder mijn oksels om te voorkomen dat ik hem zou slaan. Waarom trapte hij steeds maar open deuren in? Waarom bleef hij maar insinueren dat ik te stom was om dit zelf te verzinnen? Ik vond hem onuitstaanbaar zelfingenomen, maar was bang dat als ik irritatie liet blijken, dat een zelfvoldaan 'dat heb ik toch gezegd' zou oproepen. De kreten die door mijn hoofd raasden gingen allemaal over wat ik had moeten doen.

'Zeg het maar,' moedigde Peter me aan.

'Wat?'

'Wat je denkt.'

'Ik zat te denken hoe de taal verarmd is. "Collateral damage" voor burgerdoden, "shock and awe" voor niet-afhoudende bombardementen, "coalition of the willing", "surgical strike" – dat is propaganda. Het is allemaal bedacht om de waarheid een draai te geven. Weet je dat iedere keer als ik schreef: "Iraakse verzetsstrijders" dat door de tekstredactie veranderd werd in "opstandelingen"? De woorden zijn min of meer synoniem, maar dat "verzet" klinkt gunstig. Het doet de mensen aan "het Franse verzet" denken, en de coalitie wil niet dat die associatie gelegd wordt.' Ik zweeg.

'Ga door.'

'Woorden zijn zonder betekenis tenzij je weet waarom ze gebezigd worden. In een oorlogscontext zou "collateral damage" het per ongeluk doden van eigen mensen moeten betekenen, maar het Amerikaanse leger heeft daar "friendly fire" of "blue on blue" voor bedacht.' Ik keek hem even aan. 'De favoriete uitdrukking van MacKenzie was "shock and awe". Hij definieerde het als "murw maken" en vond het heerlijk die twee begrippen te combineren – doodsangst verbonden met respect. Hij vond het normaal dat de zwakke kruipt voor de sterke.'

'En het was jouw rol om hem die illusie van kracht te geven?'

'Het was geen illusie,' zei ik. 'Het was de werkelijkheid. Ik was zijn duivelsveer.'

'Wat betekent dat?'

'Wat je wilt. Dat het mijn eigen schuld was... dat ik vernietigd kon worden... dat ik er niet toe deed.'

Peter liet de stilte even hangen voor hij het opnieuw probeerde. 'Je was een gevangene. De werkelijkheid is dat je in een toestand van zwakte bent gebracht door een man die je op geen enkele andere manier onder controle kon krijgen. Ik probeer jouw reactie daarop niet te bagatelliseren, maar je moet in ieder geval inzien dat hij een dominantiefantasie uitspeelde.'

'Het was geen fantasie. Hij is ongelooflijk intimiderend. In Sierra Leone was iedereen bang voor hem.'

'Behalve andere soldaten. Je zei toch dat een stelletje paratroepers hem hebben gedwongen om die prostituee een schadevergoeding te betalen?'

Ik stopte mijn handen nog wat steviger onder mijn armen. 'Ja... nou ja, soldaten zijn dapperder dan journalisten. Ik neem aan dat het helpt als je over een rudimentaire kennis van de ongewapende vechttechnieken beschikt.' Ik haalde diep adem. 'Zeg, dit is allemaal nogal zinloos, Peter. Je kunt het geloven of niet, ik heb echt een goed idee van waar ik sta en wat ik moet doen. Ik waardeer je hulp, en ik zal dit protocol zeker lezen...' ik knikte naar de papieren op tafel, 'maar, op dit moment...' Ik zweeg abrupt toen angst de adrenaline door mijn aderen deed stromen. 'O god!'

Nu ik erop terugkijk, verbaast Peters reactie me nog steeds. Je zou toch verwacht hebben dat hij zich er op de een of andere manier mee zou bemoeien, al was het maar verbaal door te zeggen 'rustig maar'. Maar hij deed niets behalve zijn handen gevouwen op tafel leggen en ernaar kijken terwijl ik een papieren zak uit mijn zak trok en met uitpuilende ogen in- en uitademde. Uiteindelijk, toen mijn ademhaling zo rustig was geworden dat ik de zak in mijn schoot kon leggen, keek hij op zijn horloge.

'Niet slecht. Een minuut en vijfendertig seconden. Hoe lang duurt het gewoonlijk?'

Mijn gezicht gloeide en het zweet droop over mijn wangen. 'Wat kan jou dat schelen,' hijgde ik.

'Mm. Nu ja, we hebben altijd de antidepressiva nog. Als je erop staat om je in zelfmedelijden te blijven wentelen, schrijf ik ze misschien wel voor.'

Ik zocht in mijn zak naar tissues. 'Jess had gelijk, met wat ze over je zei,' snauwde ik. 'Jij bent net zo veel waard als een stel tieten op een stier.'

Hij glimlachte. 'Hoe lang heb je die neusbloedingen al?' vroeg hij, toen ik mijn hoofd naar achteren hield en de prop papier tegen mijn neusgaten drukte.

'Dat gaat je niet aan.'

'Wil je ijs?'

'Nee.'

'Wat gebruikte hij om je te verhinderen adem te halen? Plastic zakken?'

Hij vroeg het precies zoals ik het zelf gevraagd zou hebben. Op een ongeïnteresseerde toon en volkomen onnadrukkelijk. En ik antwoordde omdat ik het niet verwachtte. 'Meestal verdrinking,' zei ik.

Van:	connie.burns@uknet.com
Verzonden:	zaterdag 14 augustus 2004 10.03
Aan:	alan.collins@manchester-police.co.uk
Onderwerp:	Extra informatie

Beste Alan,

Ik heb de hele nacht over deze e-mail nagedacht. Er zijn talloze redenen waarom ik hem niet wil schrijven, en maar één waarom wel: omdat het om mijn ouders gaat. Ondanks de artikelen die ik door de jaren heen geschreven heb, waarbij ik de nadruk legde op de tragedies van vrouwen en kinderen in een oorlog, geloof ik echt dat ik duizenden anonieme vrouwen zou hebben laten sterven zonder mijn mond open te doen. Het is het bekende moralistische verhaal over de dodende straal en de oude Chinees. Ken je het?

Een rijke man laat je een machine met een dodelijke straal zien en belooft je een miljoen als je op de knop drukt. Het vervelende eraan is dat een oude man in China zal sterven als je het doet; het prettige dat niemand zal weten dat jij hem gedood hebt. Het slachtoffer is de enige die erop achteruitgaat. Zijn familie is het zat om voor hem te zorgen en bidt regelmatig om zijn dood, en bovendien heb jij alleen het woord van de rijke man dat die machine daadwerkelijk iemand kan doden — ook nog een man die je nooit hebt gezien. Je hebt drie keuzes: op de knop drukken en de rest van je leven met een miljoen erbij doorbrengen, ervan overtuigd dat het hele verhaal onzin is... de knop indrukken en de rest van je leven met een miljoen erbij met een moord op je geweten doorbrengen... of weigeren op de knop te drukken en dat miljoen aan je neus voorbij te laten gaan. Wat kies je?

Ik denk dat de moraal is dat de eerste keus onmogelijk is omdat er niet zoiets als een gratis ritje bestaat. Je zult altijd geplaagd worden door twijfels of het echt onzin was, en de rijke man zul je nooit vergeten. De tweede en derde keus zijn de enige eerlijke keuzes – een miljoen ontvangen voor een moord met al zijn consequenties, of nee zeggen.

Ik heb geprobeerd de eerste keus uit te voeren. De beloning (mijn leven) in ontvangst nemen en mezelf ervan overtuigen dat ik geen verantwoordelijkheid draag voor de dood van een ander – maar daar ben ik niet in geslaagd omdat ik die keus niet kon maken. Ik ging voor optie twee – ik nam de beloning, terwijl ik heel goed wist dat ik een verantwoordelijkheid had, maar ik hoopte dat ik met de consequenties zou kunnen leven. Ook dat lukt niet. Niet omdat mijn geweten mij plaagt – dat geweten is op sterven na dood sinds ik al mijn energie erop heb gericht om te overleven – maar omdat mijn ouders erbij betrokken zijn. Misschien kunnen we allemaal wel van een afstandje doden – zo vechten we tegenwoordig een oorlog uit – maar het is iets anders als we de gezichten van onze slachtoffers kennen.

Hoewel de informatie waarschijnlijk overbodig is – ik denk dat je de waarheid altijd wel geweten hebt – graag de volgende feiten voegen bij die ik je al gegeven heb:

1. Keith MacKenzie, alias John Harwood, alias Kenneth O'Connell was mijn ontvoerder. Hij heeft ten minste twee handlangers – de chauffeur en de andere man die me uit de auto heeft getrokken. Ik kan de chauffeur beschrijven want ik heb zijn gezicht in de achteruitkijkspiegel gezien – vrij donkere huidskleur, geen snor, ongeveer dertig jaar oud. De andere twee mannen droegen bivakmutsen. Ik weet niet wat voor nationaliteit ze hadden, omdat alleen de chauffeur iets gezegd heeft (hij bevestigde in het Engels maar met een accent dat hij me naar het vliegveld reed). Maar afgaande op de bouw van een van de gemaskerde mannen denk ik dat het MacKenzie was.

2. Ik weet nog dat er iets onder mijn neus werd gedrukt (ether? chloroform?). Het volgende dat ik weet was dat ik in een kist/kooi/kennel zat, naakt, gekneveld en geblinddoekt, met mijn handen achter mijn rug gebonden. Ik heb geen idee waar dat was en hoe ik daar gekomen ben. Vanaf dat moment was de enige met wie ik iets te maken had MacKenzie, hoewel ik hem nooit gezien heb omdat mijn ogen de hele tijd afgeplakt waren.

3. Het materiaal waarmee ik vastgebonden zat, voelde zacht aan. Ik heb foto's van andere gijzelaars gezien die voor hun ogen een lint hadden dat met tape was vastgemaakt, en ik denk dat ik zo vastgebonden ben. Ik heb een paar keer geprobeerd om mijn handen los te krijgen, maar de arts die me na afloop onderzocht heeft kon alleen 'minimale kneuzing aan de polsen' vinden.

4. Het lint voor mijn ogen is een paar keer drijfnat geworden en is toen vervangen – waarschijnlijk omdat de tape niet meer plakte – maar ik herinner me niet wanneer dat gebeurd is en hoe. (Sedatie?)

5. Ik herinner me ook niet meer dat ik naar het gebombardeerde gebouw ben gebracht waar Dan Fry me op maandagochtend gevonden heeft. Dan beschreef me als 'trillerig en gedesoriënteerd', maar toen de arts me drie uur later onderzocht, had ik niet veel last meer van die symptomen.

6. Ik ben misschien vastgehouden in, of in de buurt van, een inrichting waar ze honden hielden. Toen ik MacKenzie op de academie in Bagdad zag, instrueerde hij agenten van de hondenbrigade, en tijdens mijn gevangenschap zijn er regelmatig honden naar de kelder gebracht. Bovendien was het enige geluid van buitenaf dat ik regelmatig hoorde geblaf. N.B.: In Sierra Leone was het algemeen bekend dat een Rhodesian Ridgeback MacKenzies compound bewaakte.

7. Mijn theorie is dat ik vastgehouden ben in de kelder/souterrain van het huis waar MacKenzie/O'Connell op dat moment woonde; of in de kelder/souterrain van een leeg gebouw dat hij gedurende mijn verblijf betrokken had. Ik ben ongeveer 68 uur gevangen gehouden, en ik geloof dat ik me tien keer kan herinneren dat hij naar de kelder gekomen is. Ik heb enige moeite om de verschillende keren uit elkaar te houden, wellicht is het vaker gebeurd. In ieder geval zeker tien keer.

8. Als je rekening houdt met de tijd die hij met mij heeft doorgebracht (ik schat minstens 45 min. per keer) dan zat er steeds niet meer dan 6 uur tussen zijn bezoeken, als we aannemen dat ze tijdens die 68 uur met vaste tussenpozen voorkwamen. Het is niet onmogelijk om binnen dat tijdsbestek weg te rijden en weer terug te komen, maar het lijkt me onwaarschijnlijk, omdat de patrouilles of checkpoints van de coalitie het patroon van de ritjes van zijn auto opgemerkt moeten hebben. Bovendien denk ik niet dat hij die ritten onder spertijd zou ondernemen, dat zou de aandacht nog meer op hem gevestigd hebben. N.B.: Ik heb maar bij twee gelegenheden een voertuig horen wegrijden en weer terugkomen.

9. Ik heb nooit het gevoel gehad dat er iemand anders in het gebouw aanwezig was. Het hondengeblaf was hoorbaar, maar er waren geen 'menselijke' geluiden – gepraat, radio, tv, ringtones van een mobiel, voetstappen, meubilair dat verschoven wordt enzovoort. Kort na de twee gelegenheden dat ik een voertuig hoorde, heb ik iets te eten gekregen. Dat waren de enige keren dat ik tijdens mijn gevangenschap te eten kreeg. N.B.: In Sierra Leone kwam nooit iemand in de buurt van de compound van MacKenzie, omdat hij erom berucht was bezoekers of personeel vijandig te bejegenen. Hij had de gewoonte 'buiten de deur' te eten, meestal in Paddy's Bar.

10. MacKenzie heeft een video van mijn gevangenschap ge-maakt. Als we aannemen dat de microfoon aanstond, zal zijn stem opgenomen zijn toen hij mij en de honden comman-deerde. Ik denk dat die video een 'trofee' was voor zijn eigen plezier, omdat hij kennelijk nergens opgedoken is. Als dat zo is, dan heeft hij hem wellicht bij zich wanneer/als hij gearres-teerd wordt.

11. Ik heb bij mijn vrijlating alleen de kleren teruggekregen die ik aan had, en MacKenzie weet dus het adres en telefoonnum-mer van mijn ouders, want die waren in mijn laptop en mo-biel opgeslagen. Als hij die gegevens genoteerd heeft, kan hij die ook in zijn bezit hebben wanneer/als hij gearresteerd wordt. N.B · Ik kan je een lijst geven met de inhoud van mijn koffer/lunchpakketje/handtas voor het geval hij iets ervan be-waard heeft.

12. Er is geregeld iemand in mijn hotelkamer geweest in de dagen vóór mijn ontvoering. Ik kan niet bewijzen dat het Mac-Kenzie was, maar mijn laptop stond een keer open na zo'n in-sluiping, met mijn brief aan Alastair Surtees met bijzonderhe-den over de moorden in Sierra Leone op het scherm.

13. Ik denk dat de bedoeling van die inbraken in mijn hotelka-mer was om me zo bang te maken dat ik met het verhaal zou stoppen en Irak zou verlaten (mogelijk om mijn ontvoering makkelijker te maken). Dat is gelukt. Ik denk dat het doel van mijn ontvoering was me ervan te weerhouden het verhaal in Engeland opnieuw op te pakken. Tot vandaag is dat ook gro-tendeels gelukt.

14. Ik kan MacKenzie niet aanwijzen als mijn ontvoerder, om-dat ik hem nooit gezien heb. Hij heeft zich ook niet als zoda-nig bij mij bekendgemaakt. Maar ik herkende zijn stem en hij zei bepaalde dingen die terugverwezen naar een gesprek dat ik in Freetown met hem heb gehad. Zoals: 'Ziet u wel dat u

mij nog eens nodig hebt' en 'Mag u me nu wel, mevrouw Burns?' en 'Ik heb u toch gewaarschuwd me niet dwars te zitten'.

15. Alles wat ik bij een proces kan getuigen, kan door de verdediging weerlegd worden. Vlak voor hij mij vrijliet, heeft hij me mee naar buiten genomen en me op een stuk plastic met een tuinslang afgespoten om alle sporen van mijn gevangenschap en contacten met hem en de honden te verwijderen. Toen Dan Fry me vond, was het materiaal waarmee mijn polsen gebonden waren verwijderd, was de tape voor mijn ogen en mond verwisseld (het lint was weg) en waren mijn kleren gewassen. Afgezien van wat rode plekken waar Dan de tape wegtrok, had ik geen zichtbare tekenen die erop wezen dat ik 68 uur gevangen had gezeten.

16. Ik ben er vast van overtuigd dat degene die mijn ouders steeds opbelt Keith MacKenzie is en dat hij weet dat ik verantwoordelijk ben voor de publicatie van zijn foto. Het is al te toevallig dat hij kort nadat Dan een positieve identificatie van de foto als O'Connell had gekregen, opeens weer 'opdook'. Wat betekent dat als Surtees de waarheid sprak dat hij MacKenzie eind juli zijn congé heeft gegeven? Dat MacKenzie nog steeds nauw contact onderhoudt met de staf of studenten op de academie, of met collega's bij BG, of met Surtees zelf. Ik denk dat het Surtees zelf is, en dat hij weet waar MacKenzie zit en hem kan bereiken.

17. Het is mogelijk dat MacKenzie uit het buitenland belde, maar voor het geval hij weer in het land is, heb ik mijn ouders overgehaald hun flat te verlaten en alles wat een aanwijzing voor mijn huidige adres is te verwijderen. Ik maakte me vooral zorgen om de veiligheid van mijn moeder, want MacKenzie zou haar doden als hij in de flat inbreekt terwijl zij daar is. Helaas stonden de gegevens van mijn vaders kantoor ook op de laptop en mijn mobiel, maar omdat ik hem gewaarschuwd heb

dat hij gevaar loopt, heeft hij zijn bureau en computer van persoonlijke gegevens ontdaan en is hij van plan via een omweg naar hun tijdelijke onderkomen te gaan. Hun bezoek aan mij is voorlopig uitgesteld.

18. Mijn vader vindt dat hij de plaatselijke politie moet inlichten, maar ik heb hem laten beloven dat niet te doen. Ze zullen om meer uitleg vragen dan hij kan geven. Hij weet alleen wat ik hem verteld heb – voor de rest vertrouwt hij op mij – en ik wil niet naar Londen gaan om zelf met de politie te praten, of mijn vader mijn adres aan hen laten doorgeven zodat zij hiernaartoe kunnen komen. Wat ik in deze e-mail heb gezegd, is alles wat ik op dit moment zeggen kan, en ik wil niet ontwijkend en niet-overtuigend overkomen door niet iedere vraag die mij gesteld wordt te willen beantwoorden.

Dat is het, Alan. Ik kan niet aannemen dat jij mijn vertrouwen niet zult schenden, want dat kan niet – het is je plicht om al mijn onthullingen door te geven – en daarom moet, voor ik meer zeg, onomstotelijk vaststaan dat: a) MacKenzie gearresteerd is en b) mijn getuigenis noodzakelijk is om hem veroordeeld te krijgen. Anders heb ik mijn geheimen voor niets prijsgegeven.

Veel groeten,

Connie

P.S. Ik neem aan dat je maandag pas weer op je werk bent, maar ik zou wat suggesties over mijn ouders en de plaatselijke politie op prijs stellen. Begin niet met goede raad over therapie, want daar begin ik niet aan en alsjeblieft, verspil geen tijd met het verzinnen van tactvolle woorden. Dat is niet nodig. Ik weet dat je me alle goeds toewenst zonder dat je dat hoeft te zeggen.

Van:	BandM@freeuk.com
Verzonden:	zaterdag 14 augustus 2004 12.33
Aan:	connie.burns@uknet.com
Onderwerp:	stalker

Lieve C,

Dit is mijn nieuwe e-mailadres. Nogal een werk om het te installeren, dus ik hoop dat het echt nodig was. Ik weet wel dat je zegt dat deze man zichzelf voor kan doen als een van onze vrienden omdat je namen en adressen van hen op je laptop had, maar ik ben niet zo naïef dat ik e-mails beantwoord waar ik niet om gevraagd heb, zelfs als ze zogenaamd uit Zimbabwe komen. Maar... aangezien je je zorgen maakt om je moeder, heb ik gedaan wat je vraagt.

Nu het stof weer enigszins is neergedaald, zou ik een verklaring van jou op prijs stellen. We zitten in een krappe kamer in een bijzonder middelmatig hotel en het zou prettig zijn als we wisten hoe lang dat nog nodig is. Je moeder heeft bedacht om ons goede goed in te pakken en de makkelijke spullen achter te laten, dus zitten we er op deze zaterdagochtend tot in de puntjes gekleed en bijzonder slecht gehumeurd bij. Het enige alternatief is de hele dag in pyjama rond te lopen, maar we doen elkaar nog wat aan als we niet naar buiten kunnen.

We zijn hier niet gelukkig mee, C. We hebben gedaan wat je gevraagd hebt omdat je dat met emotionele chantage hebt afgedwongen, maar we hebben een heel goede reden nodig, willen we hiermee doorgaan. Je moeder maakt zich ernstig zorgen en is depressief omdat ze niet weet waarom je bang bent voor deze man, en ik voel me om dezelfde reden machteloos. Ik ben geneigd over jouw bezwaren heen te stappen en naar de politie te gaan. Je hebt me in zoverre waar je me hebben wilt omdat ik hun zijn naam, achtergrond of persoonsbe-

schrijving niet kan geven. Maar ik kan ze wel jouw adres geven, C. en misschien doe ik dat inderdaad, in jouw eigen belang!

Ik vind het vervelend om zo'n mopperpot te zijn, maar je
vraagt veel van ons. Jij bent misschien gewend om een noma-
denbestaan te leiden maar wij zijn veel te oud om dat nog
leuk te vinden. Voor het geval je dat vergeten bent, je moeder
wordt aan het eind van deze maand vierenzestig, nog een reden waarom ze zo knorrig is. Afgezien van het feit dat we niet
bij jou kunnen logeren, is het licht in de badkamer hier minder vriendelijk dan het licht thuis(!).

Alsjeblieft, doe niet wat je gewoonlijk doet, laat dit niet dagenlang in je postvak zitten. Ik ga niet weg, ook al negeer je me.
Als ik morgen nog geen antwoord heb, met een verklaring
waarom dit allemaal nodig is, ga ik naar de politie. En dat is
geen emotionele chantage, het is een dreigement.

Dit is emotionele chantage: als we nog langer op deze kamer
moeten zitten, is de scheiding van je ouders jouw schuld.

Heel veel liefs, pa xxx

Van:	alan.collins@manchester-police.co.uk
Verzonden:	zaterdag 14 augustus 2004 14.19 uur
Aan:	connie.burns@uknet.com
Onderwerp:	Aanvullende informatie

Beste Connie,

Omdat ik weekenddienst heb, kreeg ik je e-mail vanmorgen al onder ogen. Zal ik je vertellen wat mijn vader tegen mij zei toen ik negen jaar oud was en gepest werd op school? *'Vrijheid is het geheim van geluk en het geheim van vrijheid is moed.'* Toen ik tegenwierp dat ik geen moed bezat, zei mijn vader: 'Natuurlijk heb je moed, jongen. Moed heeft niets te maken met dat je iemand probeert te raken die groter en sterker is – dat is dommigheid – het gaat erom dat je doodsbenauwd bent en het niet laat merken.' Hij was een mijnwerker die zichzelf van alles geleerd had en hij stierf aan longemfyseem toen ik 15 was. Ik vertel je bij gelegenheid wel eens wat meer over hem. Hij zal de geschiedenisboeken niet halen, maar hij was een goed mens die veel zinnige dingen zei.

Als mijn vader nu tegen jou sprak, zou hij zeggen dat moed je in leven heeft gehouden, maar ook dat de keerzijde van je groot houden is dat je helemaal in je eentje je angst moet verwerken. En je hersens hebben een gevaarlijke neiging om feiten te verdraaien.

Je zult wel verschillende redenen hebben bedacht waarom MacKenzie je niet heeft gedood – en daarbij zul je je eigen rol daarin hebben gebagatelliseerd. In misbruiksituaties onderschatten de slachtoffers zichzelf steeds en ze overdrijven het intellect en de kracht van hun misbruiker. Dacht hij dat Surtees een en een bij elkaar op zou tellen? Vertrouwde hij zijn handlangers niet? Heb je hem vals beschuldigd en is hij helemaal geen moordenaar? Allemaal flauwekul, Connie. Elke man die bereid is om een vrouw gevangen te houden en te mishandelen is zeker in staat tot moord. Er was niets dat hem tegen zou houden om zijn beproefde werkwijze te volgen van je te verminken (of zelfs onthoofden), Irak te verlaten, zijn identiteit te veranderen en de terroristen de schuld in de schoenen te schuiven.

Ik wilde dat je jezelf zou zien als wat je was – een machteloze gevangene – maar ik ben bang dat jij de geschiedenis aan het herschrijven bent om jezelf in het kwalijkste daglicht te zetten. Ik kan me vergissen, maar ik veronderstel dat je gedwongen werd om dingen te doen waar je je voor schaamt. En nu ben je in je hoofd druk bezig om je bereidheid om mee te werken fors te overdrijven. Je denkt waarschijnlijk dat ik je ervaring bagatelliseer als ik zeg dat deze gevoelens normaal zijn bij iedere vrouw, man of kind die misbruikt is, verkracht of aangerand. Het is ontzettend moeilijk om een gevoel van jezelf vast te houden omdat het doel van misbruik is om het slachtoffer terug te brengen tot het niveau van slavernij.

Aangezien het duidelijk is dat MacKenzie in die opzet gefaald heeft – (je zou geen contact met me hebben gezocht/niet de foto boven water hebben gehaald als dat niet zo was) – kan ik dan niet met een gerust hart beweren dat de reden dat je nog leeft het gevolg is van je afgedwongen respect bij hem? De manier waarop je hebt gereageerd, op wat dat ook was, heeft in je voordeel gewerkt. Ik weet zeker dat jij denkt dat dat komt omdat je meegewerkt hebt – dat doen alle slachtoffers die het overleven – maar zo moet je niet denken, Connie. Zonder enige twijfel zijn de twee vermoorde vrouwen, wier lichamen ik in Sierra Leone zag, begonnen met meewerken. Elke ervaren onderzoeksrechercheur kon dat afleiden uit hun kamers – vanaf het gebrek aan bewijs voor boeien tot aan de duidelijke aanwijzingen dat de geslachtsgemeenschap/verkrachting op het bed heeft plaatsgevonden. Ze zijn begonnen met zoete broodjes bakken en slaagden er alleen in om hem juist uit te dagen.

Waarom is dat niet met jou gebeurd? Wat heb jij goed gedaan dat zij verkeerd deden? Ik kan alleen maar aannemen dat hij jou meer als een persoon heeft gezien dan als een object. Misschien heb jij je angst beter kunnen verbergen dan zij dat konden. Misschien heeft hij nooit volledig greep op jou gekregen. Wie zal het zeggen? Maar ik dring erop aan dat je niet voetstoots aanneemt dat het was omdat je blank bent en zijn taal spreekt. Voor een man als hij vertegenwoordigt elke weerloze vrouw een middel tot zelfverheffing en hij weet misschien zelf niet eens waarom hij niet is doorgegaan.

Dat je geblinddoekt was en 'ongedeerd' wegkwam wil absoluut niet zeggen dat hij nooit de intentie heeft gehad om je te doden, die conclusie moet je niet trekken. Dan denk je misschien dat je een aantal van de dingen die hij eiste had kunnen/moeten weigeren, en dat zou een verkeerde gevolgtrekking zijn uit de feiten die je me hebt doen toekomen. Als je mijn rapport over de Sierra Leone-moorden nog eens leest, dan zie je dat er verschillende aanwijzingen zijn dat de moordenaar een behoorlijke tijd in de kamer van zijn slachtoffers is geweest – laatste keer dat de slachtoffers zijn gezien, verplaatsing van meubilair, bewijs dat er voedsel is genuttigd, et cetera.

Ik deed in het rapport de suggestie dat de moordenaar 'speelde' met zijn slachtoffers voordat hij zijn laatste slag toebracht omdat hij genoot van hun reacties. Het moet een achtbaan van hoop en angst zijn geweest en hoe minder verwondingen hij hun toebracht, hoe groter de hoop moet zijn geweest het te overleven. Ik denk dat hij dit ook met jou heeft gedaan, Connie, en de reden waarom je nog leeft is dat jij het 'spel' beter speelde dan zij dat hebben gedaan.

Tussen twee haakjes, een van de redenen waarom ik een patholoog-anatoom naar Freetown wilde halen was omdat beide vrouwen petechische bloedingen in hun ogen vertoonden (kleine onderhuidse plekjes bloed). Het is mogelijk dat die veroorzaakt zijn door het geweld waarmee de moorden gepaard gingen, maar petechiae worden gewoonlijk aangetroffen bij gevallen van verstikking – bijvoorbeeld met een plastic zak – en ik vroeg me af of het 'spel' van de moordenaar dit soort marteling bevatte. Het wordt vaak toegepast door totalitaire regimes aangezien het geen sporen achterlaat. Bijna-verdrinkingen komen eveneens veel voor... maar dan wordt een eventuele blinddoek ook drijfnat.

Als het een troost mag zijn, niets in wat je verteld hebt hoor ik nu voor het eerst. Er zit een deprimerende overeenkomst in de manier waarop onvolwaardige mannen hun zelfbeeld op poetsen en altijd gaat het om een poging een ander mens te vernederen. In jouw geval ben ik blij te zien dat die poging geen succes heeft gehad, ondanks dat jij (hopelijk tijdelijk) daar anders over denkt.

Tot slot heb ik MacKenzies signalement en foto aan de Londense politie doorgegeven en gevraagd om een verhoogde waakzaamheid in de buurt van de flat van je ouders en het kantoor van je vader en ik zou ze ook graag doorgeven aan de politie in jouw regio als je tenminste bereid bent me te vertellen waar je zit. Ik heb MacKenzies status opgewaardeerd tot 'uiterst gevaarlijk en mogelijk gewapend' en ik vind dat je daar over na moet denken voordat je besluit 'alleen verder' te gaan. Ik kan me heel goed voorstellen dat je je veiliger voelt als niemand je adres kent, maar je bent dan wel geisoleerd en kwetsbaar als MacKenzie erin slaagt om je te traceren.

Als altijd de jouwe,

Alan

Adjudant Alan Collins, Greater Manchester Police

Van:	connie.burns@uknet.com
Verzonden:	zondag 15 augustus 2004 02.09
Aan:	BandM@freeuk.com
Onderwerp:	Correspondentie met DI Alan Collins
Bijlage:	Alan.doc (356 KB)

Lieve pa,

Ik vind het echt heel erg dat ik jou en mam zo'n last bezorg, en ik neem het je absoluut niet kwalijk dat je moppert. Ik heb peentjes gezweet bij mijn poging een verklaring op te stellen, maar ik kan het niet. Het is twee uur 's nachts en ik ben uitgeput, dus daarom voeg ik in plaats van die verklaring een paar stukken bij die ik heb geschreven, en mijn correspondentie met een politieman uit Manchester, Alan Collins. Alles is dan wel duidelijk. Wat je moet weten: de conclusies van Alan in zijn laatste e-mail (van gisteren) zijn in de roos. Hij is duidelijk een hele goede politieman.

Liefs, C xxx

P.S. Ik heb geen behoefte aan medelijden, dus houd dat voor je. Ik wil hier niet meer met jullie over praten als jullie er emotioneel van worden. Je weet wel dat ik het niet onaardig bedoel, maar het is nu eenmaal gebeurd en het heeft geen zin erover te jammeren.

13

ALS IK EROP TERUGKIJK, WEET IK ZEKER DAT DE VOORNAAMSTE
reden om mijn mond te houden was dat ik wist hoe moeilijk het
zou zijn om hulp te accepteren. Misschien ben ik bijzonder tegen-
draads, maar ik begon alles te zien als een gezagskwestie: goede
raad of aangeboden hulp waren eufemismen voor 'ik weet het beter' en ik worstelde met woede zoals ik dat nooit eerder had gedaan. En toch werd die woede nooit gericht op degene die het toekwam: MacKenzie.

Ik was nog steeds geobsedeerd door de angst dat hij me zou
komen opzoeken, maar mijn nieuwe voorwerpen van achterdocht en afkeer waren Alan, Peter en mijn vader, die allen op hun
eigen manier er gedurende de daaropvolgende week bij mij op
aandrongen de strijd aan te gaan. De enige die het zo ronduit zei
was pa, maar toen ik hem ervan beschuldigde dat hij via mij zijn
eigen demonen probeerde uit te drijven, trok hij zich gekwetst
van het toneel terug. Wat mijn irritatie verergerde, omdat ik het
als een truc zag om me een schuldgevoel te bezorgen.

Mijn moeder probeerde de kloof te overbruggen door steeds
boodschappen met veel liefs op mijn antwoordapparaat achter
te laten. Alan stuurde rationele e-mails, die een beroep deden op
mijn intelligentie, en die ik in mijn postvak liet staan; en Peter
bracht me stapels onderzoeken tot ik alle deuren op slot deed en
niet meer reageerde op de bel. Aan het eind van de week was ik
zo gestrest, dat ik overwoog weer een verdwijntruc op te voeren. Op een groteske manier was hun grootmoedigheid en liefde indringeriger dan het sadisme van MacKenzie. Ik had wreed-

heid overleefd, maar ik zag niet hoe ik vriendelijkheid kon overleven.

Jess kwam de eerste paar dagen langs en bleef in de buurt maar zei weinig, maar ze bleef weg toen ik niet meer op de bel reageerde. Ik liet een boodschap op haar antwoordapparaat achter, waarin ik zei dat het om Peter ging, dat ik die probeerde te mijden, maar ze belde niet terug en kwam ook niet meer naar het huis. Dat was een van de redenen waardoor ik overwoog te vertrekken. Het leek weinig zin te hebben te blijven als de enige persoon bij wie ik me op mijn gemak voelde, niet meer in mij geïnteresseerd was. Ook al was dat mijn eigen schuld.

Ze joeg me de stuipen op het lijf toen ze de volgende zaterdag mijn slaapkamer binnen kwam. Het was zeven uur 's avonds en voor zover ik wist zat elke buitendeur op slot. Ik had de groene deur niet open of dicht horen gaan en ook haar voetstappen op de trap niet gehoord, en er geen flauw idee van gehad dat er iemand in huis was. Het maakte dat ik de dichtstbijzijnde hoek in dook. Ik stond met mijn rug naar de deur, ik was bezig kleren op het bed uit te zoeken, en in de seconde tussen dat ik voelde dat er iemand was en dat ik me omdraaide en Jess zag, dacht ik dat het MacKenzie was.

'Niet zielig gaan doen,' waarschuwde ze me, 'want ik ben niet in de stemming om de kleuterjuf uit te hangen. Stel dat ik die kerel was? Was je van plan in dat hoekje te blijven zitten en hem je weer te laten pakken?'

Ik kwam wankel overeind. 'Je hebt me aan het schrikken gemaakt.'

'En denk je dat je van die klootzak niet geschrokken was?' Haar blik dwaalde af naar de lege wijnfles naast het bed, en ze kneep haar ogen afkeurend samen. 'Als ik jou was, zou ik overal in mijn huis wapens hebben liggen, en vierentwintig uur per dag een honkbalknuppel bij me dragen. Jij moet niet degene zijn die op de vloer terechtkomt, maar hij... liefst met een ingeslagen schedel.'

Ik knikte naar het vleesmes op het bed. 'Ik heb dat steeds bij me.'

'Waarom gebruikte je het dan niet?'

'Ik herkende je.'

'Nee, je herkende me niet,' zei ze botweg. 'Je zat al in je hoek voor je zag wie het was... en je hebt er geen seconde aan gedacht dat mes te pakken.' Ze kwam de kamer binnen en pakte het op. 'Een wapen waar je trouwens niets aan hebt. Hij zal het je afpakken zo gauw je dichtbij genoeg bent om hem te steken.' Ze liet het op haar handpalm balanceren. 'Het is te licht. Je zult er niet genoeg kracht mee kunnen zetten... als je al het lef hebt om het te gebruiken, wat ik betwijfel. Je hebt iets langers en zwaarders nodig, waarmee je kunt zwaaien...' ze keek naar me, 'dan doet het er niet toe of je dronken bent. Je hebt dan nog steeds vijftig procent kans hem te raken.'

Ik steunde tegen de muur. 'Ik haal maandag een honkbalknuppel,' zei ik.

'Dan moet je nuchter zijn.'

Het was een geluk dat ik niet zo dronken was als zij dacht, anders had ik misschien agressiever gereageerd. Ik had nog nooit iemand meegemaakt die zo zelfingenomen en intolerant was. Voor een geheelonthoudster als zij betekende een lepeltje wijn al hel en verdoemenis; maar een hardwerkende, nuchtere journaliste als ik moest een paar flessen op hebben voor ze uitgeschakeld was. Maar ze had in zeker opzicht gelijk. Ik was misschien niet ladderzat, maar ik was ook niet nuchter. Het kalmerende effect van alcohol was makkelijker te verkrijgen dan valium of prozac. Zolang ik het anonieme verkooppunt met mijn creditcard betaalde, werd het met dozen tegelijk bij de deur afgeleverd.

Toch gaf ik haar een sneer. 'Wat ben je toch een puritein, Jess,' zei ik vermoeid. 'Als het aan jou lag, dan liepen we allemaal rond met een bezemsteel langs onze ruggengraat. Jouw wereld kent geen plezier.'

'In die van jou zie ik ook niet veel lol,' zei ze geringschattend.

Ik haalde mijn schouders op. 'Vroeger wel, en als ik in een optimistische bui ben, weet ik dat het wel weer zal komen. Maar kun jij dat zeggen? Zul jij ooit wat minder star worden zodat je iemand anders met al zijn zwakheden kunt accepteren?' Ik keek haar recht in haar wonderlijke ogen. 'Ik zie dat nog niet gebeuren.'

Het deed haar niets. 'Ik help je toch?' zei ze ongeduldig. 'Ik heb Lily geholpen. Wat wil je nog meer?'

Ja, wat wilde ik? Goedkeuring? Bemoediging? Medeleven? Alles wat ik van de rest absoluut niet wilde, leek van Jess veel begeerlijker te zijn, omdat het niet in de aanbieding was. Misschien is er altijd een kloof tussen dat wat we willen en dingen die we als vanzelfsprekend beschouwen. 'Niets,' zei ik. 'Beter wordt het niet.'

Ze keek me onderzoekend aan. 'Wanneer heb je voor het laatst gegeten? Je bent de hele week het huis niet uit geweest, en je koelkast was leeg toen ik er laatst wat eieren in legde.'

Voor iemand die niet de kleuterjuf uit wilde hangen, leek ze er toch behoorlijk op. Ik vroeg me af hoe ze wist dat ik de deur niet uit was geweest. 'Houd je me in de gaten?'

'Alleen om er zeker van te zijn dat je nog leeft,' zei ze. 'Je auto heeft al mos op zijn banden en je bent zo vaak bezig je ramen en deuren na te lopen dat iedereen je kan zien… vooral 's avonds, als je alle lichten aan hebt. Er zijn misschien betere manieren om te zeggen: "Ik ben hier, ik ben alleen, kom me maar halen," maar ik kan er zo een-twee-drie niet een verzinnen.'

Een beetje laat stelde ik de voor de hand liggende vraag. 'Hoe ben je binnengekomen? Alle deuren zitten op slot.'

Ze haalde een sleutelring uit haar zak en hield hem omhoog. 'Extra sleutels voor de bijkeuken. Lily was bang dat ze zou vallen en haar heup breken, dus hebben we een extra set aan een haakje achter de olietank in de schuur gehangen.' Ze schudde haar hoofd toen ze mijn gezichtsuitdrukking zag. 'Maar als die er niet waren geweest, was ik naar binnen gekomen door het raam van de wc beneden. Dat raam is het makkelijkst van buitenaf te openen. Je hebt alleen maar zo'n ding nodig…' ze liet het mes op het bed vallen, 'om het haakje op te lichten. Fluitje van een cent.'

Mijn lach verraste haar, hoewel ze met haar puriteinse aard die lach aan de alcohol weet, en niet aan de gedachte aan al die tijd die ik verspild had met de sloten om de twee uur te controleren. 'Er is dus weinig hoop meer. Wat moet ik doen volgens jou? Het mes voor mezelf gebruiken en MacKenzie de moeite besparen?' Ik hief verontschuldigend mijn hand op. 'Sorry, dat was geen steek onder water aan jouw adres... gewoon smakeloze galgenhumor.'

'Je zou kunnen beginnen met iets te eten,' zei ze streng. 'Ik heb eten meegenomen. Het zal je in ieder geval helpen helder na te denken.'

'Wie zegt dat ik dat wil?' vroeg ik, terwijl ik op de rand van het bed ging zitten. 'Je krijgt geen paniekaanvallen als je bezopen bent.'

'Daar heb je helemaal gelijk in,' mompelde ze grimmig, terwijl ze me voor de tweede keer in tien dagen overeind trok. 'Als je zo doorgaat, maakt die klootzak gehakt van je.' Ze schudde me kwaad door elkaar. 'Maar daardoor zal het niet minder pijn doen. Je zult zo nuchter zijn als wat als hij je hoofd in een emmer duwt... maar dan is het te laat. Dan speelt hij niet meer met je... dan vermoordt hij je.'

Het was een interessante combinatie van ideeën. Ik had het tegen Peter over verdrinking gehad, maar Alan had geopperd dat MacKenzie met zijn slachtoffers 'speelde'. Het enige wat Jess kon weten – als we tenminste aannemen dat de eed van Hippocrates en politievertrouwelijkheid nog iets voorstellen – was wat ik haar en Peter tien dagen geleden in de keuken verteld had. Mijn ontvoerder was Brits, ik had zijn verleden uitgeplozen, het werd nog stilgehouden omdat er een onderzoek naar hem was ingesteld wegens serieverkrachtingen en moord, en de reden waarom ik ontvoerd was, was om me de mond te snoeren.

Peter had zijn eigen conclusies getrokken – 'Je snoert mensen niet de mond door ze drie dagen lang champagne te schenken' – en was later met een print van het Istanbul-protocol komen aanzetten. Jess had er niets meer over gezegd, het alleen over wezels en kraaien gehad tot ik de deur niet meer opendeed. Ik was bereid om aan te nemen dat Peter per ongeluk tegen haar het woord verdrinking had laten vallen – ik verwachtte in feite niets anders –

maar hoe konden ze achter Alans ideeën gekomen zijn? Dat was onmogelijk.

Ik bleef op de overloop staan en schudde Jess' hand van mijn arm. 'Goed, wat is er aan de hand? Heb je contact gehad met Alan Collins?'

Ze nam de moeite niet erom te liegen. 'Je moeder, ik niet... Maar ik heb de e-mails van Collins gelezen. Ze heeft ze vanochtend aan me doorgestuurd... met jouw e-mails aan hem.'

'Daar had ze het recht niet toe,' zei ik kwaad, 'en jij had ze niet mogen lezen. Ze waren niet aan jou gericht.'

'Nou, ik heb ze wel gelezen,' zei ze rustig, 'dus daar valt niets aan te doen tenzij je me aan wilt klagen. Je moeder heeft het echt niet gedaan om je dwars te zitten.'

'En hoe heeft ze jou achterhaald?'

'Ze heeft Inlichtingen gebeld. Jij hebt kennelijk mijn naam tegen haar genoemd en haar verteld dat ik een boerderij had aan de weg langs Barton House. Zo moeilijk was het dus niet.'

'Maar jij neemt nooit op,' zei ik achterdochtig. 'En je belt ook nooit terug.'

'Dit keer wel. Ze heeft net zo lang gebeld tot ik opnam.' Jess keek me even strak aan. 'Eerst dacht ik dat jij het was, omdat ze zich Marianne noemde. Jullie stemmen lijken nogal op elkaar, alleen is haar accent zwaarder.'

'Is ze hier?'

'Nee. Daarom heeft ze mij die e-mails gestuurd. Om uit te leggen waarom ik dit moet doen en niet zij. Ze is bang dat ze die klootzak naar je toe leidt.'

'Wat moet je doen?'

'Je vertellen hoe stom je bent... en je overhalen niet meer te zwelgen in zelfmedelijden.' Ze vertrok haar mond. 'Ik heb tegen haar gezegd dat ik niet zo goed was in praten, maar ze wilde niet luisteren. Ze geeft het niet snel op, hè? Ze zou me je hele levensgeschiedenis verteld hebben als ik niet gezegd had dat ik zou gaan...' Jess zweeg plotseling. 'Je moeder heeft me een lijst opgegeven met dingen die ik moest zeggen. Ze zei dat je die wilde horen.'

'Laat me eens raden,' zei ik droogjes. 'Mijn vader is diep gekwetst, mijn moeder kan zijn humeur niet meer verdragen en wil dat ik hen opbel, ze vinden het hotel verschrikkelijk... Wat nog meer? O ja, ik ben hun enig kind en al hun liefde en hoop is op mij gericht.'

Jess rommelde in haar zak en haalde er een vel papier uit. 'Zo banaal was het niet,' zei ze, terwijl ze het papier openvouwde en de punten met haar vinger langsliep. 'Je vader gaat terug naar de flat. Je moeder denkt dat hij iets probeert te bewijzen inzake demonen. Hij wil er niet over praten en ook niet zeggen of de politie ervan weet. Hij zegt alleen steeds tegen haar dat Jaspera een vergissing was en dat hij geen herhaling wil. Hij heeft je moeder in een ander hotel ondergebracht en haar verboden hem te bellen. Hij heeft de laptop bij haar gelaten, en ze wil dat jij haar e-mailt of belt. Ze heeft me het nummer van haar nieuwe hotel gegeven.' Ze keek op. 'Dat was het. Ze zei dat je de verwijzing naar demonen en Jaspera wel zou begrijpen.'

Boos trok ik het papier uit Jess' handen. 'Ik wist wel dat ik er met niemand over had moeten praten. Alles ging goed, zolang niemand ervan wist. Waar denkt hij verdomme dat hij mee bezig is?'

Jess deed een stap achteruit. 'Zoals je moeder hem beschrijft... zal hij bezig zijn een val op te zetten... dat zou jij trouwens ook moeten doen.'

'Hij maakt geen enkele kans,' siste ik. 'In november wordt hij vijfenzestig.'

'Hij doet in ieder geval zijn best.'

Als ze niet met iets beter kon komen, zou dit gesprek niet lang duren. 'Ik heb mijn best gedaan, Jess. Ik heb het aan Alan Collins verteld. En dit...' ik schudde het vel papier heen en weer, 'is het resultaat. Mijn vader probeert te bewijzen dat hij geen lafaard is. Hij schaamt zich omdat hij denkt dat hij te gemakkelijk afstand heeft gedaan van de boerderij... dus probeert hij zijn trots te herwinnen door zich als een idioot te gedragen.'

Ze haalde haar schouders op. 'Dat zit dan in de familie. Jij bent toch net zo bezig? Je schamen en je als een idioot gedragen, behalve dat jij niet bepaald van trots getuigt.'

'Zo ga ik heus niet doen wat jij wilt,' snauwde ik.

'Wat kan mij dat schelen? Je bent mijn verantwoordelijkheid niet.' Ze begon de trap af te lopen. 'Ik leg thuis de hoorn van de haak, dus als je niet wilt dat je moeder de politie belt als ze mij niet kan bereiken, dan moet je haar bellen.'

Ik denk dat ze half en half verwachtte dat ik haar zou smeken te blijven, omdat ze op de onderste tree bleef staan en naar boven keek, maar toen ik niets zei verdween ze door de groene deur. Ik hoefde ook niets te zeggen. Ik wist dat ze terug zou komen.

Ik besloot eerst mijn vader te bellen, omdat mijn moeder me immers zou vragen dat te doen. Ik had die avond liever elk gesprek met hem vermeden omdat het zeker zou uitlopen op een fikse ruzie, maar ik voelde me verantwoordelijk voor hem. Niettemin was ik zo paranoïde dat mijn vaste lijn als laatste telefoontje vastgelegd zou worden, dat ik eerst de code 141 belde om het nummer niet te laten verschijnen. Ik bedacht pas dat afgeschermde nummers geblokkeerd zouden worden toen me dat door het bandje meegedeeld werd. Ik probeerde zijn mobiel, maar hij nam niet op.

Ik had dus de keus om hem zonder 141 te bellen of om mijn mobiel te gebruiken, maar ik was te achterdochtig om voor de eerste optie te kiezen. Niet dat ik verwachtte dat MacKenzie in de flat zou zijn – dat dacht ik helemaal niet – maar eerder dat de wet van Murphy nu eenmaal inhield dat mijn nummer nog geregistreerd zou zijn als hij daar inbrak en de nummers van de bellers zou controleren. Als ik mijn mobiel zou gebruiken, zou er geen code van de telefooncentrale zijn en niets waaruit bleek dat ik vanuit Dorset belde.

De tweede optie waar ik voor stond was of ik Jess' piramide weer in de slaapkamer aan de achterkant moest opbouwen – ik had hem afgebroken nadat ik breedband had laten installeren – of dat ik naar de vliering zou gaan. Ik koos de vliering omdat dat het minste werk was, en ging op zoek naar de pikhaak waarmee je de vlieringtrap omlaag kon trekken. Ik vond hem achter de deur in de slaapkamer naast de mijne en toen ik hem pakte, bedacht ik dat het een goed wapen was. Het was een zelfgemaakte constructie van twee zware houten stokken, die je dubbel kon klappen om hem op te bergen. De bovenste helft had de haak bovenop en de onderste een schroef van vier centimeter.

Jess zou gezegd hebben dat hij niet zwaar genoeg was, dus ik begon te bedenken wat ik verder nog in huis had – de bijl in de houtopslag, harken, schoppen en hooivorken in de schuur, een hamer in de bijkeuken, lege wijnflessen die als super scherpe slagwapens konden dienen. Ik kan niet verklaren waarom ik dit niet allemaal eerder bedacht had, behalve dan dat ik altijd van plan was geweest door de dichtstbijzijnde uitgang te vertrekken en een plek te zoeken om me te verstoppen.

Peter weet het aan het feit dat MacKenzie mijn 'fight or flight'-reactie gemanipuleerd had. Eenvoudig gezegd: ik was geconditioneerd om me over te geven in plaats van me te verzetten, maar dat verklaart niet waarom een van mijn terugkomende dromen een intens lichamelijke strijd was waarin ik MacKenzie met een knuppel doodsloeg. De wens om hem te vermoorden was steeds aanwezig.

Misschien kan angst maar stukje bij beetje worden toegelaten. Misschien moet de geest genezen voor die van de ene automatische reactie kan overstappen op de volgende. Misschien moeten we allemaal eerst de minachting van een Jess Derbyshire verdragen voor we ons herinneren dat vechten een optie is. Wie zal het zeggen? Ik weet in ieder geval dat ik een nieuw gevoel had van wat ik wilde toen ik de ladder naar de vliering op klom.

De ruimte onder het dak liep over de hele lengte van het huis. Ik vond een lichtknopje naast het luik van de trap, waarmee ik een aantal lampen aanknipte die aan de dakbalken hingen. De helft van de peertjes was kapot, maar er waren nog genoeg lampen die het deden om het ergste duister weg te nemen. Een pad van planken was over de vloerbalken gelegd om makkelijker te kunnen manoeuvreren, maar ik moest mijn weg langs twee schoorstenen zoeken voor ik bereik met mijn mobiel vond. Het was er smerig en vol spinnenwebben, en uit geritsel bij de dakrand af en toe, begreep ik dat ik gezelschap had van vleermuizen en muizen.

Uiteindelijk was het allemaal moeite voor niets geweest. Er werd niet opgenomen in de flat. En pa's mobiel stond ook uit. Ik wilde geen boodschap achterlaten, haalde Jess' papier uit mijn zak en belde het nummer van mijn moeders nieuwe hotel, maar toen ik vroeg of ik doorverbonden kon worden met de kamer van Marianne Burns, zeiden ze dat ze vertrokken was.

'Weet u dat zeker?' vroeg ik verbaasd. 'Vanochtend was ze er nog en ze heeft me dit nummer gegeven om haar te bellen.'

'Momentje.' Het bleef even stil. 'Ja, mevrouw Marianne Burns heeft om drie uur vanmiddag uitgecheckt.'

'En heeft ze nog gezegd waar ze heen ging… heeft ze een nummer achtergelaten waar ik haar kan bereiken?'

'Mag ik uw naam, mevrouw?'

'Connie… Connie Burns. Ik ben haar dochter.'

'Ik zal even kijken.' Weer een stilte. 'Het spijt me, mevrouw Burns. Er zijn geen berichten en ze heeft geen nieuw adres achtergelaten. Kan ik u nog ergens mee van dienst zijn?'

'Nee… ja,' verbeterde ik mezelf onmiddellijk. 'Is ze door iemand opgehaald?'

'Dat weet ik niet.'

'Kunt u dat nagaan?'

'Wij zijn een groot hotel, mevrouw Burns. Gasten komen en gaan. We houden het niet bij.'

'Kunt u dan controleren of er naar haar kamer is gebeld? En als dat zo is, kunt u nagaan wie er gebeld heeft? Ik begrijp namelijk niet waarom ze is weggegaan.'

'Helaas,' zei de man gemaakt spijtig. 'We kunnen geen privégegevens over onze gasten verstrekken. Zal ik een notitie maken dat u gebeld hebt voor het geval dat uw moeder terugkomt?'

Ik bedankte hem en hing op, belde de flat en de mobiel van mijn vader nogmaals. Ik liet boodschappen op beide nummers achter, zei alleen 'Bel me alsjeblieft' en sms'te voor de zekerheid nog een tekst naar zijn mobiel: '*Waar ben je? Wat is er aan de hand? Mam zit niet meer in haar hotel. Ik maak me zorgen. C.*' Ik hoopte dat ze eraan zouden denken mijn vaste nummer te bellen, maar toen ik de ladder naar de vliering af klom, zette ik mijn mobiel op de rand van het luik. Er was genoeg bereik om hem te laten overgaan, hoewel ik alleen maar kon hopen dat ik er op tijd bij zou zijn voor hij op de voicemail overging. Het was in ieder geval de moeite van het proberen waard.

Natuurlijk ging ik ervan uit dat dit allemaal op de een of andere manier met MacKenzie te maken had – ik was te paranoïde om dat niet te denken – hoewel ik niet begreep dat dat erin geresulteerd kon hebben dat mijn moeder haar hotel verliet. Hoe kon hij weten waar zij zat tenzij mijn vader hem dat had verteld? Ik had genoeg vertrouwen in pa om te geloven dat hij al zijn nagels zou opofferen voor hij mijn moeder in gevaar zou brengen. En waarom zou MacKenzie hem dat trouwens vragen? Waarom zou hij zich druk maken om mijn moeder als hij mij wilde? Het sloeg nergens op.

Ik bleef mezelf voorhouden dat het veel waarschijnlijker was dat mam ook een beetje aan het muiten was geslagen en terug was gegaan naar de flat. Maar waarom namen ze de telefoon dan niet op? Ik stond te aarzelen op de overloop, vroeg me af wat ik moest doen. Een paar uur wachten voor het geval dat ze uit eten waren? Proberen contact op te nemen met Alan? De plaatselijke politie bellen en hun vragen bij de flat langs te gaan? Zelfs Alan zou me niet serieus nemen. Je moet wel stapelgek zijn om je ouders al als vermist op te geven als je een halfuur tevergeefs hebt geprobeerd ze te bereiken.

Hoewel ik ervan overtuigd was dat mijn mobiel meteen zou overgaan als ik buiten gehoorsafstand was, ging ik naar beneden om te zien of mijn moeder een e-mail had gestuurd. Dat had ze niet. Er was sinds donderdagmiddag niets nieuws. Ik controleerde het antwoordapparaat voor het geval ik een telefoontje gemist had, maar er waren alleen berichten die ik al had gehoord. Voor het geval ze naar hun vorige hotel teruggegaan was, belde ik dat maar ik kreeg alleen te horen dat meneer en mevrouw de vorige ochtend vertrokken waren. Ik probeerde zelfs het kantoor van mijn vader, terwijl ik echt wel wist dat niemand daar op zaterdagavond acht uur zou opnemen.

Er wordt gezegd dat ons brein vijftigduizend gedachten per dag kan verwerken. Ik weet niet of dat zo is, of hoe je gedachten kunt tellen, maar ik weet wel dat als je gebeurtenissen probeert in te vullen terwijl je in een kennisvacuüm zit, dat ondraaglijke zorg veroorzaakt. Het doet er niet toe hoe vaak je tegen jezelf zegt dat 'geen nieuws' 'goed nieuws' is, je geest gaat altijd van het slechtste uit. En uiteindelijk voel je intuïtief wat waar is.

Klotedingen gebeuren.

Fragmenten uit aantekeningen, bewaard als 'CB15 – 18/05/04'

... Ik denk dat ik drie honden telde en ik nam aan dat het Duitse herders waren omdat ik dat ras op de academie in Bagdad in het kantoor met MacKenzie had gezien. Ik kon hun adem op mijn dijen voelen als ze om me heen stonden, dus hadden ze de grootte van herders. Een aantal keren moedigde hij ze aan me te likken en hoorde ik de video snorren...

(daar kan ik op het ogenblik niet mee omgaan)

... De vraag was of MacKenzie ze onder controle kon houden. De vraag was of hij ze onder controle wílde houden. Ik weet niet of hij slim genoeg was om de psychologie daarvan te begrijpen, of dat hij de tactiek van folteraars en moordenaars met wie hij had gewerkt, had overgenomen, maar ik was bereid om alles te doen, als die honden maar wegbleven. Daarom begon ik van de kooi te houden. Die kooi bood me meer veiligheid dan wat dan ook...

14

IN DE NADAGEN VAN DE APARTHEID HEB IK EEN ARTIKEL geschreven over Zuid-Afrikaanse goudmijnwerkers met stoflongen en emfyseem. De statistieken toonden aan dat er meer zwarten waren die de ziekten opliepen omdat ze dieper in de mijnen werkten en meer blootgesteld werden aan silicastof na explosies, maar het was verdomd moeilijk om oudere chronisch zieke zwarten te vinden, terwijl ik wel een aantal oudere blanke mannen met klachten heb geïnterviewd.

Toen ik aan een arts vroeg waarom blanken met ademhalingsklachten langer leken te overleven – waarbij ik het antwoord verwachtte dat zij aan betere medicijnen konden komen – verklaarde hij het in termen van inspanning. 'Hoe meer eisen iemand aan zijn lichaam stelt, hoe meer zuurstof hij nodig heeft. Als een zwarte met emfyseem de hele dag in zijn stoel kon blijven zitten en aan alle kanten door een dienstmeisje bediend werd, zou hij het net zo lang uithouden. Als iemand niet kan ademhalen, gaat hij dood aan opstaan om zijn eten te maken.'

Ik moest aan die arts denken terwijl ik als door stroop wadend wapens probeerde te verzamelen. Hij had eraan toe moeten voegen dat je ook dood kunt gaan omdat je geen eten klaar kunt maken, omdat elke motor zonder brandstof vastloopt. Op mijn tochtje om de bijl te halen, bezweek ik onder de dubbele klap van onbedwingbare angst die in mijn borstkas rondfladderde en het verlies van twaalf kilo in drie maanden, en zakte ik vermoeid op een stapel houtblokken in de houtopslag neer. Het was een lachertje dat ik van plan was MacKenzie met een bijl aan te vallen, als ik amper de energie had hem naar het huis te dragen.

Vóór me, aan de andere kant van de vijftig meter gras, lag de vijver waar Jess Lily gevonden had. Ik staarde er een aantal minuten naar als iets om me op te concentreren, omdat Lily minder alarmerend was om aan te denken dan MacKenzie, en toen begon ik me weer af te vragen hoe het zat met haar. Wat had haar daar op die koude winteravond gebracht? Peter zei dat er geen logica zat achter het gedwaal van een Alzheimerpatiënte – misschien kwam het door een herinnering, of volgde ze een ingeving om de allang gestorven vissen te voeden en was ze uitgegleden en gevallen. Het had overal kunnen gebeuren.

Voor deze ene keer was Jess het met hem eens. 'Als Madeleine in de buurt was geweest, had ik haar ertoe in staat geacht Lily een duw te geven – dat had al haar problemen in één klap opgelost – maar ze was er niet.' Ze haalde haar schouders op. 'Vroeger zaten er vissen in de vijver, maar ik herinner me niet dat Lily ze ooit gevoerd heeft. Misschien wilde ze alleen kijken of ze er nog waren.'

Omdat ik in de houtopslag zat, kwam het bij me op dat Lily misschien naar buiten was gegaan om hout voor de haard te halen. Wat Peter ook zei over logica, het lag voor de hand dat ze dat op een koude avond ging doen, en de vijver was een logische afleiding geweest omdat die zo dichtbij was. Ik begreep nog steeds niet waarom ze niet in de keuken was gaan zitten. De Aga gaf meer warmte dan de haarden en zolang er nog olie in de tank zat kostte het geen moeite hem brandend te houden. Waarom had het instinct om te overleven het niet gewonnen van snobisme en dementie?

Ik vroeg me zelfs af of een vergeten herinnering haar ertoe had gedreven op zoek te gaan naar het water in de put onder me. Hij was allang overbodig en ontmanteld, bedekt met houten planken waar de houtblokken op lagen, en ik wist alleen maar dat hij daar was omdat Jess me dat verteld had. Ze zei dat vóór het huis op het waterleidingnet werd aangesloten het de taak van haar grootmoeder was geweest om het water uit de put te halen en te verwarmen als badwater. Kon Lily's dementie haar vijftig jaar mee terug in het verleden hebben genomen en haar naar buiten hebben geleid op zoek naar badwater?

Het lot heeft een wonderlijke manier om ons verder te helpen. Ik was er op dat moment bijzonder dicht bij om het raadsel rond Lily te ontrafelen, zelfs nog dichter bij toen de gedachte aan warme baden me eraan herinnerde dat ik de olie sinds ik hier gekomen was niet meer gecontroleerd had. Het leek een geschikt moment om het te doen, omdat de deur vlak achter me was. Misschien wilde ik ook wel graag zien of Jess de sleutel van de bijkeuken weer op het haakje achter de tank had gehangen. Ik zette de bijl tegen de deurpost, lichtte de klink op en trok de deur open.

De zon raakte de horizon al in de verte, maar er was nog genoeg licht om de tank in de schuur te onderscheiden, hoewel niet genoeg om het peilglas af te lezen. Ik tastte naar een lichtknopje en raakte daarbij een stapeltje dunne papiertjes die met een speld aan de houten wand waren vastgestoken. Ze dwarrelden naar beneden, en toen ik eindelijk een lichtknopje had gevonden en de papiertjes weer op kon rapen zag ik dat het bonnetjes van de olieboer waren. Ik nam aan dat ze niet belangrijk waren omdat er eentje van 1995 bij zat, maar omdat ik de speld niet kon vinden, stopte ik ze in mijn zak om ze mee te nemen naar het huis.

Na me ervan overtuigd te hebben dat het peilglas aangaf dat de tank nog voor meer dan de helft gevuld was, en dat er geen sleutels aan het haakje achter de tank hingen, deed ik het licht weer uit. Maar óf mijn ogen hadden moeite zich aan te passen óf het was buiten donker geworden gedurende de paar minuten dat ik binnen was. Ik besefte plotseling hoe weinig ik in feite kon zien. Nu er nergens licht brandde, zelfs niet in het huis omdat de zon nog scheen toen ik het verliet, was de tuin een plek van onderwereldse schaduwen.

Met trillende handen pakte ik de bijl en liep naar het pad. Toen ik dat deed, floepte het licht in de keuken aan en zag ik Jess langs het raam lopen. Mijn onmiddellijke reactie was er een van opluchting tot ik de glans van de lichte vacht van haar honden zag in de weerschijn van het licht en besefte dat ze zich tussen mij en het huis bevonden. Ik kon geen kant op dus stapte ik naar achteren en tastte naar de klink van de schuurdeur.

Mastiffs kunnen bijzonder snel zijn. Ze waren al bij me, lang voor ik de deur open had. Ik vraag me af of ik in staat zou zijn geweest om de bijl te gebruiken als ze me aangevallen hadden – ik had er waarschijnlijk de tijd niet voor gehad – maar ik hief hem tot schouderhoogte. Nu ik tegenover een tastbare bedreiging stond, kon ik het voor het eerst in weken opbrengen moed te tonen.

'Af,' grauwde ik. 'Nú! Of ik sla jullie je koppen in.'

Misschien zijn ogen inderdaad de sleutel. Misschien zagen ze dat ik het meende, want tot mijn verbazing lieten ze zich voor me op hun buik zakken. Jess beweerde achteraf dat ze hen dat geleerd heeft, maar hun gehoorzaamheid was zo onmiddellijk, dat ik de bijl liet zakken. Ik zou een wapenstilstand voor onbepaalde tijd geaccepteerd hebben, als niet een van hen naar me toe was komen schuiven.

Ik dacht er even over om Jess te roepen, maar ik wilde de honden niet met lawaai alarmeren, en koos er liever voor mezelf op hun niveau te brengen door te gaan zitten. De enige verklaring die ik daarvoor heb is dat ik het intuïtief deed, want de logica zei me dat ik meer autoriteit zou hebben als ik bleef staan. Ik weet nog dat ik dacht dat ik minder bang zou lijken als ik stevig op de grond zou zitten, met mijn rug tegen de deur van de schuur.

En zo vond Jess me, tien minuten later, huiverend, mijn benen gekruist en drie zware koppen op mijn schoot, terwijl twee van de reuen mijn schouders als steuntje gebruikten om tegen te leunen. Ik weet niet meer wat ik tegen ze zei, maar het was een lange, nogal zinloze monoloog, die gepaard ging met een hoop geaai. In de tien minuten dat ik daar zat werd ik een expert wat mastiffs betreft. Ze hebben last van kwijlen en winderigheid, ze snuiven en hijgen, en de mannetjes draaien zich voortdurend op hun rug om hun enorme testikels te laten zien.

Ik zag Jess met een zaklamp aan komen lopen. 'Alles in orde?' vroeg ze.

'MacKenzie heeft verstand van honden,' zei ik tegen haar. 'Als ik dit al kan, dan eten ze binnen een minuut uit zijn hand.'

'Ze hebben je ingesloten, toch? Probeer eens op te staan.'

'Ze zijn te zwaar.'

'Dat is het dus.' Ze knipte met haar vingers en gebaarde dat ze achter haar moesten gaan staan. 'Ze zouden geblaft hebben als je had geprobeerd weg te komen, en dan had ik je een stuk sneller gevonden. Wat doe je hier eigenlijk?'

Ik knikte naar de bijl die op de grond lag waar ik hem had laten vallen. 'Ik was op zoek naar wapens.'

Ze bukte om hem op te rapen. 'Ik was vergeten dat Lily die had. Ik heb een paar spullen van de boerderij meegebracht. Een paar honkbalknuppels die van mijn broer zijn geweest en een met lood verzwaarde wandelstok van mijn grootvader. Ik zou je wel een geweer willen lenen, maar je zou waarschijnlijk jezelf per ongeluk raken.' Ze keek naar me terwijl ik daar nog stokstijf zat. 'Kom je nog naar binnen?'

'En de honden?'

Jess haalde haar schouders op. 'Dat hangt van jou af. We kunnen ze hier buiten laten, of ze mee naar binnen nemen. Maar één ding moet je weten, als je Bertie in huis had gehad, was ik nooit in staat geweest bij je slaapkamer te komen zonder dat hij me gehoord had.'

'Ik bedoel, doen ze iets als ik me beweeg?'

'Dat weet je pas als je het probeert.'

'Kun je ze niet in de gang opsluiten?'

'Nee.' Ze draaide zich om maar eerst zag ik haar tanden blinken in een glimlach. 'Als je met hun kop in je schoot kunt zitten, dan kun je ook langs ze heen lopen.'

De meest rigoureuze therapie voor fobieën is 'flooding', waarbij een persoon wordt ondergedompeld in de angstreflex tot de angst wegtrekt. Een vorm van gewenning. Hoe langer je wordt blootgesteld aan wat je vreest, hoe minder angstig je je voelt. Het werkt niet voor iedereen en het zou voor mij ook niet werken als ik weer in een kelder werd opgesloten met een paar herders, maar ik ontspande bij de mastiffs. Je kunt moeilijk bang zijn voor een dier dat iedere keer als je zijn kop aait begint te kwispelen. 'Is dit Bertie?'

Jess keek opzij vanachter de Aga waar ze iets wilde klaarmaken. 'Nee, dat is Brandy. Er zijn twee teven, Brandy en Soda, en drie reuen, Whisky, Ginger en Bertie. Ik heb Lily gevraagd Bertie 'Jack Daniels' te noemen, maar dat wilde ze niet. Bertie ligt nu met zijn kin op je voet.'

'Vechten ze wel eens?'

'De teven hebben een keer met elkaar gevochten... daar zijn ze zelf zo van geschrokken dat ze het nooit meer hebben gedaan.'

'Wat deed jij toen?'

'Ik heb ze laten vechten. Ze hadden mij te grazen genomen als ik tussenbeide was gekomen.'

'Was je bang?'

'Behoorlijk. Er is niets ergers dan een hondengevecht. De herrie – geluiden alsof ze elkaar vermoorden – maar die hoort grotendeels bij het uiterlijk vertoon. Ze hopen elkaar bang te maken voor er echt iets gebeurt.' Ze brak een paar eieren boven de koekenpan. 'Vochten de honden van MacKenzie?'

'Ja.'

'Wat voor ras was het?'

'Ik heb ze nooit gezien, ik denk Duitse herders.'

'Hoe kreeg hij ze aan het vechten?' Ze keek nogmaals van opzij naar me toen ik geen antwoord gaf. 'Je zei in je e-mail aan Alan Collins dat je dacht dat het politiehonden waren, maar politiehonden vechten niet. Het zou een enorm gedoe zijn als ze midden in een politieactie elkaar te lijf zouden gaan. Ze worden uitgezocht op hun temperament en de agressieve honden worden er als de bliksem uit gegooid. Politiehonden zullen iemand tegen de grond werken, maar hem niet doden.'

'Hij gooide iets tussen ze in... zei dat het eten was... maar het leefde, ik hoorde het krijsen.'

'Zieke klootzak,' zei ze walgend. 'Waarschijnlijk een andere hond... een kleine die zich probeerde te verdedigen. Ik heb een Jack Russell wel eens een Rottweiler zien aanvallen toen hij in een hoek gedreven was.' Ze schoof de eieren met spek en tomaten op de borden. 'Heeft hij de honden op jou afgestuurd?'

'Nee.'

'Maar je dacht dat hij het zou gaan doen?'

'Ja.'

Ze gaf me een bord aan. 'Ik zou ook bang zijn geweest,' was alles wat ze zei voor ze bij me aan tafel kwam zitten en in een van haar gebruikelijke stiltes verviel terwijl ze at.

Om die stilte te doorbreken vertelde ik over mijn vergeefse pogingen om mijn ouders te pakken te krijgen. 'Ik neem aan dat de telefoon niet is gegaan toen ik buiten was?' vroeg ik.

'Nee. Ik zag je mobiel toen ik de ladder op ging om te zien of je op de vliering was. Als je verwacht dat ze je daarop zullen bellen... je kunt hem amper horen, hier beneden.'

'Weet ik. Heeft mijn moeder tegen jou iets gezegd over dat ze weg zou gaan uit dat hotel?'

'Ik dacht het niet, maar als ze dat wel heeft gedaan, staat het op dat papier.'

Ik zocht in mijn zak naar Jess' briefje en haalde tegelijkertijd een handvol bonnetjes tevoorschijn. 'Ik vind het zo vreemd... en helemaal niets voor haar. Ze vindt het verschrikkelijk een telefoontje mis te lopen. En waarom heeft ze jou gebeld? Ze had toch hier een boodschap kunnen achterlaten?' Ik vouwde het papier open maar er stond niets meer op dan Jess me al verteld had.

'Ze zei dat jij je antwoordapparaat niet afluisterde.'

'Dat doe ik altijd. Ik bel alleen niet altijd terug.'

'Misschien willen je ouders je een lesje leren.'

'Dat is niets voor hen.'

Jess' antwoord was voorspelbaar bot. 'Bel de politie dan. Als je het gevoel hebt dat er iets mis is, dan is er iets mis. Bel die Alan. Hij weet wat je moet doen.'

'Hij zal zeggen dat ik me aanstel.' Ik keek op mijn horloge. 'Ik heb pas anderhalf uur geleden mijn eerste telefoontje naar pa gepleegd. Goede kans dat mam er genoeg van heeft gekregen en terug is gegaan naar de flat, en dat ze uit eten zijn gegaan omdat de koelkast leeg was.'

'Waarom maak je je dan zorgen?'

'Omdat...' Ik zweeg. 'Ik probeer het nog eens op mijn mobiel.' Ik stond op en haalde de laatste bonnetjes uit mijn zak. 'Ik heb die papiertjes laten vallen toen ik in de schuur was. Ik denk dat het bonnetjes voor de olie zijn. Denk je dat ze op datum moeten liggen?'

230

Jess draaide het stapeltje om en las de bovenste. 'Het zijn bestelbonnen. De chauffeur van Burtons laat ze bij de tank achter om te laten zien dat hij geweest is en wanneer de rekening komt controleer je of het bedrag klopt met de bestelbon. Lily heeft ze daar altijd laten hangen, dus er zullen nog bonnetjes van jaren her bij zitten.'

Ik keek over haar schouder, nieuwsgierig naar de handtekening van Lily. 'Waarom zijn ze niet getekend?'

'Dat deed ze nooit. Ik ook niet. De chauffeur vult de tank en weg is hij.' Ze lachte om mijn gezichtsuitdrukking. 'De mensen hier in Dorset zijn behoorlijk eerlijk. Ze zullen hier en daar wat stropen, maar heus de olieboer niet bedriegen. Het heeft weinig zin om op de zwarte lijst te belanden.'

'En stel dat de olieboer de klant tekortdoet?'

'Daar heb je het peilglas voor. Als je dat niet controleert, verdien je het afgezet te worden.'

'Dus een slachtoffer van diefstal krijgt zijn verdiende loon! We zouden allemaal achter ijzeren hekken moeten wonen met tig sloten op de deuren.'

'Inderdaad. Of je moet die klote-inbrekers omleggen.' Ze keek me even aan. 'Je krijgt waar je om vraagt in het leven... met slachtoffers zit het net zo.'

'Is dat een steek onder water voor mij?'

Ze haalde haar schouders op. 'Hoeft niet... het hangt ervan af hoe lang je van plan bent die psychopaat je gedachten te laten beheersen.'

Ik liep weg terwijl ze de bonnetjes op datum legde en probeerde me voor te stellen of we onder andere omstandigheden ooit vriendinnen zouden zijn geworden. Als ze al met me had willen praten als ik haar in het gewone sociale circuit was tegengekomen – en ik kon me niet voorstellen dat dat ooit gebeurd zou zijn, tenzij voor een interview – dan zou haar weinig soepele houding me al snel weggejaagd hebben. Toch, hoe beter ik haar leerde kennen, hoe beter ik begreep dat het haar bedoeling was iemand kracht te geven, niet om iemand de les te lezen.

Ze deed het onhandig, in korte zinnetjes die dikwijls volgden op langgerekte stiltes, en de meningen die ze verkondigde konden kwetsend eerlijk zijn, maar ze was totaal niet kwaadaardig. Anders dan Madeleine, dacht ik toen ik boven aan de trap stond en naar de foto aan de andere kant van de overloop keek. Een van de boodschappen op mijn antwoordapparaat was van haar afkomstig, twee dagen geleden. Ze klonk overdreven nadrukkelijk en haar boodschap droop van de bedekte toespelingen en hatelijkheden, en ik had niet de moeite genomen terug te bellen.

'Marianne… met Madeleine Harrison-Wright. Ik wilde je al tijden bellen. Peter heeft me de les gelezen omdat ik zo ondeugend ben geweest…' een speels lachje, 'hij zegt dat ik Jess' vertrouwen niet had mogen beschamen. Het spijt me echt. Het is soms moeilijk te weten wat het beste is.' Een korte stilte. 'Het was natuurlijk ook mammies schuld… het is niet eerlijk om met de genegenheid van mensen te spelen… het ene moment net te doen of je van ze houdt, en het volgende te tonen hoe ontzettend ze je vervelen. Dat leidt uiteindelijk altijd tot problemen. Maar toch… ik heb meer gezegd dan ik had mogen zeggen. Kun je me vergeven? Peter wil een etentje voor me geven, als ik de volgende week naar B kom. Zie ik je daar dan?' Haar stem stierf weg in weer een lachje. 'Ik geloof dat de verbinding verbroken is… ik begrijp niets van techniek. Bel me als je er niets van begrijpt. Mijn nummer is…'

Wat mij betrof begreep ik er alles van. Vertaald betekent het grofweg: 'Peter en ik zijn zo intiem met elkaar dat a) hij over zijn patiënten praat; b) hij me op mijn vingers mag tikken als ik ondeugend ben geweest; c) hij aan mij verteld heeft wat jij tegen hem hebt gezegd; en d) dat hij me uitgebreid te eten vraagt, maar dat hij jou niet uitnodigt. Terwijl ik me voor de vorm excuseer over het schenden van vertrouwen, bevestig ik ook dat wat ik gezegd heb bij mijn bezoek, de waarheid is. Jess is helemaal niet in orde. P.S. Ik weet precies hoe een antwoordapparaat werkt, maar het is veel aantrekkelijker om te lachen en te doen alsof ik dat niet weet.'

Het deed me Peters rol weer in twijfel trekken. Waren hij en Madeleine echt zo dik met elkaar als zij suggereerde? En als dat zo was, bedroog hij Jess dan? Wat voor relatie hadden hij en Jess?

Ik wilde best aannemen dat Peter een casanova was op grond van het feit dat hij het met twee verpleegsters had aangelegd toen hij nog getrouwd was met zijn onbekwame ex-vrouw, maar ik kon moeilijk geloven dat hij Jess met haar ergste vijandin zou bedriegen.

Misschien werkten mijn hersens beter nu ik een volle maag had, maar terwijl ik naar de foto van Madeleine keek, bedacht ik dat hij dankzij Jess zo mooi was. De setting, de belichting. Ze had iets liefs op Madeleines gezicht vastgelegd. Vijf klikjes verder en dan was de zon achter een wolk verdwenen, had Madeleine haar kin in haar kraag gestopt en was de foto veel sinisterder geweest – een onherkenbare figuur in een zwarte jas voor een woeste zee.

'Ik heb hem alleen gemaakt om Lily een plezier te doen...'

Maar waarom zou een moeder een foto van haar dochter nodig hebben waar ze mooi op stond? Stond ze lelijk op de andere? Was het de enige die Lily had? Ik kon niets verzinnen. Ik begreep in beide gevallen niet waarom Madeleine hem in Barton House had laten hangen. Als het een portret van mij was geweest, had ik hem zelf gehouden. Ik had Jess gevraagd of Madeleine het negatief had, en zij zei van niet en dat ze het ergens op de boerderij had.

'Is dit de enige afdruk?'

'Ja.'

'Waarom heeft Madeleine hem zelf niet?'

'Wat denk je?'

'Omdat jij hem genomen hebt?'

Ze ontkende het niet, voegde er alleen maar aan toe: 'Lily wilde geen enkel schilderij van Nathaniel bij haar aan de muur hebben. Ik denk dat dat er ook mee te maken heeft.'

'Heeft Nathaniel die foto ooit gezien?'

'Jawel.'

'Wat vindt hij ervan?'

'Hetzelfde als ik. Dat haar gezicht veel te lief is. Het lijkt van geen kant op de ware Madeleine.'

'Maar wat geeft dat? Het is een opvallend portret... heel dramatisch. Het doet er niet toe wie de vrouw is.'

Jess keek vermaakt. 'Daarom heeft Madeleine er zo'n hekel aan.'

15

'JE ZIET ER HEEL WAT VROLIJKER UIT,' ZEI JESS TOEN IK TERUG-
kwam in de keuken. 'Heb je ze te pakken gekregen?'

'Ik heb het niet geprobeerd. Ik kreeg een sms'je.' Ik legde de
mobiel voor haar op tafel zodat ze hem kon lezen. *Alles oké. Ma
is bij mij. Maak je geen zorgen. We hebben gauw contact. Pa.* 'Ik
weet niet of hij wil dat ik hen bel of andersom, maar ze zijn in ieder geval veilig.'

'Mooi. Heb je nog meer van die bonnetjes in je zak?'

'Nee. Hoezo?'

'Ik wilde ze voor je op volgorde leggen... maar er ontbreekt er
een.' Ze schoof het stapeltje naar mij toe. 'De laatste is van november 2003, maar er zou er een van 2004 moeten zijn. Lily is pas
in januari naar het tehuis gegaan, en de tank was vol toen ik de
Aga voor jou aanstak.'

'Die zal nog wel in de schuur liggen... of ik heb hem laten vallen toen ik terugliep.'

Ze schudde haar hoofd. 'Dat heb ik net gecheckt. Er is niets.
Heel vreemd.'

Ik zag dat de honden weg waren, dus ik nam aan dat ze die met
zich meegenomen had en ze buiten had gelaten. 'De makelaar zal
hem wel hebben... of Madeleine... of Lily's notaris. Naar wie
zouden ze de rekening sturen?'

'Ik weet het niet.' Ze fronste haar wenkbrauwen. 'Ik denk de
notaris... het huis is nog steeds van Lily dus hij gaat erover...
maar hoe kan hij aan een bestelbon zijn gekomen als hij hier niet
was toen de olieboer kwam?'

'Hoe weet je dat hij hier niet was?'

'Dat weet ik niet zeker, maar zou hij dan niet al die bonnen meegenomen hebben?' Ze gebaarde naar het stapeltje. 'Hij heeft verder alles opgeruimd. Ik was hier toen hij dat deed. Hij wilde alle papieren van Lily... bankafschriften... reçuutjes... alles... en het moest gebeuren voor Madeleine kwam en ze de bewijzen zou proberen te verbranden.'

Ik ging weer zitten. 'Wat voor bewijzen?'

'Alles waaruit bleek wat een inhalige trut het was. Vooral oude chequeboekjes.' Ze keek me strak aan. 'Wat ook raar is, het ventiel van de olietank was dichtgedraaid. Ik had dat toen al moeten opmerken, maar dat deed ik niet... ik dacht gewoon dat het iets was wat de makelaar had gewild. Zoals wanneer je een auto huurt, je een volle tank meekrijgt en er niet over gekibbeld hoeft te worden.' Ze zweeg.

'Waarom is dat raar? Ik vind het heel praktisch klinken.'

'Omdat het zinloos is. Het ventiel zit er alleen voor het geval van ongelukken. En niet om de toestroom van olie naar de Aga te regelen. Bij de brander zit een regulator.' Ze zweeg. 'Heb je ooit de instructies gelezen die je van de makelaar hebt gekregen? Stond daarop dat het ventiel dichtgedraaid was?'

'Dat weet ik niet meer, maar we kunnen het meteen nakijken.' Ik knikte naar de la ter hoogte van haar rechterschouder. 'Daar zit het in... die bruine envelop. Ik denk dat ik alles over de Aga heb overgeslagen omdat jij hem al aangestoken had.'

Ze haalde het stapeltje aan elkaar geniete velletjes tevoorschijn en begon erdoorheen te bladeren. 'Mooi, daar hebben we het. "Aga. Plaats... Functies... Kookboek... Onderhoud...". Nu, één ding staat vast, Madeleine heeft dit niet opgesteld. Het is veel te overzichtelijk.' Ze liep met haar vinger een paar regels af. 'Instructies voor ontbranding.' Ze las ze zwijgend. 'Hier heb je niets aan... ze komen regelrecht uit een nieuwe Aga-handleiding en die van Lily is ongeveer dertig jaar geleden tweedehands gekocht. Er staat niets in over dat je eerst het ventiel moet opendraaien, en dat zou toch hebben gemoeten als de makelaar het had dichtgedraaid.'

Ik begreep niet waar ze heen wilde. 'Ik neem aan dat het een standaardinstructie is voor alle huurhuizen met Aga's. Als ik meteen had geklaagd, hadden ze iemand gestuurd om het karwei op te knappen, en de instructies herschreven. Jij zei dat Madeleine niet wist hoe ze hem aan moest krijgen, dus zij heeft hun waarschijnlijk niet verteld dat er iets mee was.'

'Maar wie heeft het ventiel dichtgedraaid?' vroeg ze. 'De notaris heeft het niet gedaan – die is helemaal niet buiten geweest – en de makelaar ook niet, anders had hij het wel in de handleiding gezet.'

Ik haalde mijn schouders op. 'Misschien is hij het vergeten.'

'Of wist hij er niets van.' Ze keek weer naar het stapeltje bonnen. 'Ik denk dat het ventiel eind november is dichtgedraaid. Ik verwed er wat om dat dat de laatste keer is dat er olie is afgeleverd. Daarom was de tank nog vol. Lily heeft geen olie gebruikt omdat de Aga uit was.'

'Maar dan had ze geen heet water. Dan kon ze niet koken.'

'Inderdaad.'

Ik keek haar even aan. 'Wat wil je nu zeggen, dat ze het ventiel zelf dichtgedraaid heeft? Waarom zou ze zoiets doen?'

'Dat zou ze niet doen,' zei Jess langzaam. 'Ik betwijfel of ze zelfs maar wist dat er een ventiel bestond... ze wist totaal niet hoe dat soort dingen werkten. In ieder geval zat het heel strak dicht toen ik het losdraaide, en zij heeft artritis...' Ze verviel in een nadenkend zwijgen. 'Misschien begon ze zich zorgen te maken over de kosten en heeft ze aan de olieboer gevraagd het dicht te draaien.'

'Maar dat zou ze toch niet gedaan hebben nadat ze de tank had laten bijvullen? Tenzij ze totaal geen idee meer had. Ze zou in ieder geval een rekening krijgen. Ze had hem gewoon op kunnen maken... en hem helemaal niet bellen... ze had gewoon kunnen wachten tot de Aga vanzelf uitging.'

Jess streek met haar vingers door haar haar en trok toen stevig aan haar pony. 'Dan moet het Madeleine geweest zijn. Niemand anders kan het gedaan hebben. Mijn god! Wat een ongelooflijk takkewijf. Ze hoopte waarschijnlijk dat Lily aan onderkoeling zou sterven.'

Ik zei niets.

'Geen wonder dat ze zo snel achteruitging... Peter heeft dat nooit begrepen, weet je...' Ze keek woest. 'Dat verklaart waarom ze op zoek ging naar warmte bij anderen. Ze wilde waarschijnlijk een bad nemen. Ze zeiden toch dat ze zich waste?'

Er zat een perverse logica achter, hoewel er meer vragen door opgeroepen werden dan beantwoord. 'Waarom heeft ze het aan niemand verteld?'

'Aan wie?'

'Aan Peter? Aan jou?'

'Ik kwam niet meer langs en ik had tegen haar gezegd dat ze me niet meer moest bellen. Ze heeft het een paar keer geprobeerd maar ik heb haar boodschappen gewist zonder ernaar te luisteren.'

'Waarom?'

Ze schudde haar hoofd, wilde die vraag niet beantwoorden. 'Peter zou ze het nooit zeggen,' zei ze in plaats daarvan. 'Ze was als de dood dat hij tegen Madeleine zou zeggen dat zij het niet meer aankon. Ze was ervan overtuigd dat ze in een of ander gesticht terecht zou komen, met incontinentieluiers aan en vastgebonden aan haar stoel. Ze bewaarde allerlei krantenknipsels over oude mensen die in tehuizen verwaarloosd werden nadat hun familie niet meer voor ze zorgde. Heel treurig.'

'Heb je haar daarom overgehaald om iemand anders als haar zaakwaarnemer te benoemen?'

'Dat heb ik niet gedaan. Dat heeft ze helemaal zelf bedacht toen Madeleine haar duidelijk had gemaakt dat het het beste was als ze maar snel doodging.'

'Wanneer was dat?'

'In augustus. Ze heeft zich niet meer laten zien tot Lily opgenomen werd... waarschijnlijk omdat ze hoopte dat verwaarlozing het proces zou bespoedigen.'

'Maar je dacht toch dat het ventiel pas in november dichtgedraaid was,' bracht ik rustig naar voren.

'Madeleine hoeft niet bij Lily op bezoek te zijn geweest om dat te doen. Ze hoefde alleen maar naar de schuur te gaan.'

'Maar ze zou toch niet willen dat de hele wereld wist wat ze van plan was? Ik bedoel, je beschuldigt haar er in feite van dat ze haar moeder wilde vermoorden.'

238

'Daar is ze heel goed toe in staat.'

Ik betwijfelde dat, maar zei het niet. 'Stel dat Peter hier toevallig net was... stel dat jij hier was? Stel dat iemand haar door het dorp heeft zien rijden?'

'Het hangt ervan af wanneer ze kwam. Om twaalf uur 's nachts kan er een heel leger door Winterbourne Barton trekken zonder dat dat stelletje...' ze maakte een hoofdbeweging in de richting van het dorp, 'het zou horen. Als ze niet al doof zijn, dan liggen ze keihard te snurken.' Ze legde haar armen over elkaar op tafel en leunde naar voren. 'Het enige moment dat Madeleine met zoiets weg zou kunnen komen. Ik ben de enige persoon die ooit hier in de keuken kwam. Alle anderen kwamen in de zitkamer. Zelfs Peter.'

Ik wist uit ervaring dat het geen zin had vragen te herhalen, omdat Jess niets beantwoordde wat ze niet wilde. De enige tactiek die scheen te werken was haar op Lily's tekortkomingen te wijzen, wat haar er gewoonlijk toe bracht de vrouw in bescherming te nemen. 'Maar dat verklaart niet waarom Lily er zelf niets aan heeft gedaan. Peter zei dat ze voldoende functioneerde om hier op zichzelf te blijven wonen, dus waarom heeft ze geen reparateur in de gouden gids opgezocht? Een wildvreemde zou haar heus niet laten opnemen.'

Jess tuurde naar de tafel. 'Ze was er heel wat slechter aan toe dan Peter besefte. Zolang ze er maar netjes uitzag, en de deur voor hem opendeed, en een paar grappige anekdotes vertelde zonder te zeer in herhalingen te vervallen, dacht hij dat het ging. Ze kon heel goed de schijn ophouden... ze vergat alles, maar dat niet.'

'Zorgde jij ervoor dat ze er netjes uitzag?'

Haar donkere blik bleef even op me rusten. 'Ik was niet van plan dat te blijven doen, maar zolang ze nog...' Ze maakte een berustend gebaartje. 'Ze was bang om naar een tehuis te gaan... ze heeft me laten beloven haar er zo lang mogelijk uit te houden.'

'Lastig.'

'Het was niet alleen maar lastig. Ik heb meer over mijn familie gehoord toen Lily seniel begon te geworden, dan ik ooit heb geweten.' Haar ogen lichtten plotseling op. 'Weet je dat ze echt jaloers op ons was? Ik heb jarenlang naar die flauwekul geluisterd over hoeveel minder wij waren – regelrecht uit de modder van de middeleeuwen, met geen greintje hersens – en dan is het plotseling niet eerlijk dat trollen met aangeboren syfilis de aarde hebben beërfd.'

Ik glimlachte. 'Maar wat heeft ze dan gezegd dat jou kwaad heeft gemaakt?'

'Niets.'

'Jawel. Anders had je haar niet aan haar lot overgelaten. Daar ben je veel te aardig voor.'

Even dacht ik dat ze het hele verhaal zou vertellen, maar iets deed haar van gedachten veranderen. Waarschijnlijk omdat ik het woord aardig had gebruikt. 'Ze kostte veel te veel tijd, meer niet. Ik dacht dat als ik haar een tijdje aan haar lot overliet, Peter zou beseffen hoe slecht het met haar ging en echte zorg zou regelen.' Ze lachte hol. 'Dat had ik gedroomd. Hij rekende erop dat ik hem wel zou vertellen als het bergafwaarts met haar ging… en toen verdween hij voor een maand naar Canada.'

Ik haalde mijn schouders op. 'Dat kun je hem niet kwalijk nemen. Eerst help je Lily om haar toestand te verdoezelen en dan wil je haar ontmaskeren. Je had toch minstens tegen Peter kunnen zeggen dat je niet meer bij haar langsging. Dat kon hij niet ruiken. Hoe kon hij weten dat Lily haar vangnet kwijt was? Hoe kon wie dan ook dat weten?'

Haar gezicht kreeg een koppige uitdrukking. 'Jij bevindt je in dezelfde situatie. Wil je dat ik berichten rondstuur als ik niet meer bij je langskom? Wat gaat dat verder iemand aan behalve jou en mij?'

'Ik ben niet ziek. Ik kan om hulp vragen als ik die nodig heb.'

'Lily ook. Ze was niet volkomen gek.'

'Maar waarom heeft ze dat dan niet gedaan?'

'Dat heeft ze wel gedaan,' zei Jess koppig. 'Ze is naar het dorp gegaan… en niemand heeft een poot uitgestoken.'

Dit hadden we eerder gehad. Hier hield ieder gesprek over Lily op… bij de vermeende onverschilligheid van Winterbourne Barton. Soms had ik het gevoel dat dat het excuus van Jess was. Zolang ze hen kon beschuldigen, hoefde ze niet over haar eigen aandeel in de snelle aftakeling van Lily te denken. Maar eigenlijk vond ik niet dat het echt iemands schuld was. Er bestond geen wet die voorschreef dat Jess tot in de eeuwigheid het leeuwendeel van de zorg voor een veeleisende vrouw op zich zou moeten nemen, en geen wet die voorschreef dat haar arts en buren hadden moeten voorzien dat ze opeens niet meer met elkaar omgingen.

Het was lastiger excuses voor Madeleine te vinden, omdat zij Lily's dochter was, maar had zij vanuit Londen beter kunnen weten wat er aan de hand was dan de mensen in de buurt? Ik was bereid om in Jess' beeld van haar karakter te geloven – inhalig, wraakzuchtig, rancuneus, egoïstisch – maar ik geloofde niet dat ze een bovennatuurlijke intelligentie bezat. 'Hoe kon Madeleine weten dat ze ongestraft de Aga kon uitdraaien? Wist ze dat Lily en jij ruzie hadden gehad? Zou Lily haar dat vertellen?'

'We hebben geen ruzie gehad. Ik kwam gewoon niet meer.'

'Goed. Zou ze haar dat verteld hebben?'

Ik zag aan de plotselinge frons op Jess' voorhoofd dat ze begreep waar ik naartoe wilde. Ze kon Madeleine amper van poging tot moord beschuldigen als Madeleine net zo in het ongewisse was geweest als de rest. Ze ontweek de vraag niet. 'Nee,' zei ze botweg. 'Want dan had Madeleine willen weten waarom dat was.'

Ik kwam terug op de vraag die ze niet wilde beantwoorden. 'Wat heeft Lily dan gezegd dat jou kwaad heeft gemaakt? En dat zo erg was dat ze het niet kon herhalen tegenover haar dochter?' Ik zag hoe haar mond zich versmalde tot een rechte streep. 'Kom op, Jess. Je hangt twaalf jaar de slavin uit voor een behoorlijk rotwijf... je laat haar vallen als ze je echt nodig heeft... en zo snel ze jouw verantwoordelijkheid niet meer is, ga je haar verdedigen. Vind jij dat logisch? Ik niet.'

Toen ze niets zei, verloor ik mijn geduld. 'Ach, laat zitten,' zei ik vermoeid. 'Het kan toch niemand een reet schelen. Ik heb wel wat beters te doen.' Ik stond op en haalde de bijl en de verzwaarde wandelstok van haar grootvader bij de deur vandaan. 'Wil je me helpen deze dingen op te bergen of ga je kwaad naar huis?'

Als ik af moest gaan op haar rebellerende blik, overwoog ze dat in ieder geval, en dat maakte mij opeens kwaad. Ze was net

een verwend kind dat een driftbui kreeg om haar zin door te drijven, en ik merkte dat ik geen trek meer had dat spelletje mee te
spelen. 'Er is maar één iemand die dat ventiel dichtgedraaid kan
hebben, en dat ben jij, Jess. Wie anders wist waar het zat en wat
voor gevolgen het voor Lily zou hebben? Wie – behalve jij – wist
dat jij niet meer langskwam?'

Met iets van een zucht trok ze het stapeltje bonnen naar zich
toe en begon die doormidden te scheuren.

Ik deed een halfhartige stap in haar richting. 'Dat moet je niet
doen.'

'Waarom niet? Aan wie moet ik ze laten zien? Aan de politie?
Peter? Madeleine?' Ze pakte de snippers op en bracht ze naar het
aanrecht. 'Mag ik je aansteker even?'

'Nee.'

Ze haalde onverschillig haar schouders op en haalde toen een
mapje lucifers uit haar broekzak. 'Het is niet wat je denkt,' zei ze,
terwijl ze een lucifer afstreek en het bergje snippers aanstak.

'Mij lijkt het heel duidelijk.'

Ze stak een arm uit om me op afstand te houden, ook al was ik
geen moment van plan haar tegen te houden. Ik zag er het nut niet
van in ruzie te maken over bewijsmateriaal dat ongetwijfeld ook
aanwezig was in de boeken van de olieboer, en ik vroeg me af
waarom Jess daar niet aan gedacht had. Het leek alsof ze mijn gedachten kon lezen.

'Niemand zal het natrekken, tenzij jij erover begint,' zei ze. 'En
als je dat doet, dan zeg ik dat het ventiel openstond en dat het peil
ongeveer vijftien centimeter gezakt was... daar zou het ongeveer
moeten zijn. Niemand gelooft jou als ik zeg dat het anders is. Je
gedroeg je als een zombie na je paniekaanval, en Peter zal dat bevestigen.'

We stonden er zwijgend bij terwijl het papier in de gootsteen
zwarte as werd, waarna ze de kraan aanzette en het wegspoelde.
Inmiddels was ik natuurlijk razend nieuwsgierig waarom ze dat
gedaan had, omdat ik na een halve minuut al bedacht had dat ze
het nooit over dat ventiel gehad zou hebben, als ze het niet raar
had gevonden dat het dichtgedraaid zat. Het was allemaal heel
vreemd.

'Je zult nu wel bang voor me zijn,' zei ze plotseling.

'Je lijkt nogal op MacKenzie, dat is zeker. Hij vond het heerlijk om te zeggen dat niemand me zou geloven... maar zijn bedreigingen waren een stuk overtuigender dan die van jou, Jess.'

Ze keek me ongemakkelijk aan. 'Ik dreig niet.'

'Je zei dat je zou zeggen dat ik me als een zombie gedroeg... en dat je Peter om bevestiging zou vragen. Als dat geen dreigement is, wat is het dan wel?' Ik pakte de bijl en wandelstok weer op en liep naar de gang. 'Vergeet niet af te sluiten als je weggaat.'

Ik zat aan mijn bureau in de achterkamer, luisterde of ik haar Landrover hoorde, maar hij bleef op de oprit staan. Ik gebruikte de tijd om mijn ouders te mailen.

Heb jullie sms'je ontvangen. Bel me op de vaste lijn als je wilt. Ik wil zelf niet bellen zonder afgeschermd nummer en het is geen pretje om helemaal naar zolder te klimmen om mobiel te bellen. Te veel ratten en vleermuizen. Liefs, C.

Ik was gespitst op geluiden die ik niet herkende. Dat was ik al dagen. Ik hoorde de honden van Jess af en toe op het grind terwijl ze om het huis liepen. Ik hoorde het geluid van een auto die door de vallei reed. Een halfuur later hoorde ik Jess' voetstappen in de hal. Ze klonken minder zeker dan gewoonlijk. 'Het is niet wat je denkt,' zei ze vanuit de deuropening, alsof de dertig minuten wikken en wegen haar in een oneindige cirkel van ontkenningen hadden gevangen.

Ik draaide mijn stoel om om haar aan te kijken. 'Wat is het dan wel?'

Ze kwam de kamer in en keek over mijn schouder naar wat er op het beeldscherm stond.

Hoe kan het dat de Derbyshires uiteindelijk meer land hadden dan de Wrights?

Hoe konden ze dat betalen?

Ik keek naar Jess' gezicht terwijl ze de vragen las. 'Jij zei dat Lily jaloers was,' bracht ik haar in herinnering. 'Stoorde ze zich aan de manier waarop jouw familie aan de boerderij was gekomen?'

Ze dacht even na. 'Stel dat ik tegen je zeg: het is verleden tijd... Lily zit nu in een goed tehuis... het is beter geen slapende honden wakker te maken, anders worden er misschien mensen gekwetst. Laat je het er dan bij zitten?'

'Nee. Maar ik zal misschien wel toezeggen het niet verder te vertellen.'

Ze zuchtte. 'Het gaat je in wezen geen reet aan. Het gaat alleen Lily en mij wat aan.'

'Er moet toch iemand anders bij betrokken zijn,' merkte ik op, 'anders had je die bestelbonnen niet verbrand. Ik zie je dat niet doen om Madeleine in bescherming te nemen. Misschien wel omwille van Peter...' ik trok mijn wenkbrauw vragend op, 'maar Peter zou het ventiel nooit dichtgedraaid hebben. En dan blijft alleen Nathaniel over. Ik verwed er wat om dat het november was toen je dreigde zijn ballen eraf te schieten.'

Plotseling gaf ze het op. Trok een stoel bij, leunde naar voren en staarde naar het beeldscherm. 'Het is mijn schuld. Ik had kunnen weten dat hij iets stoms zou doen. Ik heb hem de ammunitie geleverd om Madeleine mee te bestoken, en ik denk dat hij misschien heeft besloten eerst Lily te pakken te nemen. Hij dacht waarschijnlijk dat het grappig was.'

'Reuze geestig,' zei ik zuur. 'Het had haar dood kunnen worden.'

'Mensen sterven niet omdat hun Aga een paar uur uit gaat. Ik denk dat hij haar kwaad wilde maken, en dat was de makkelijkste manier om dat te bereiken. Hij wist waar de schuur met de tank stond, dus hoefde hij alleen maar zijn auto bij het hek te laten staan en over het gras te kruipen. Lily had er een hekel aan als er iets misging.' Ze trok een gezicht. 'Ik had hem moeten vertellen hoe slecht ze eraan toe was, dan had hij het niet gedaan.'

'Madeleine zal het hem toch wel verteld hebben?'

'Dat betwijfel ik,' zei Jess. 'Ze spreken tegenwoordig amper meer met elkaar.'

'Wie zegt dat? Nathaniel?'

'Hij loog echt niet.'

'Schei toch uit,' zei ik geërgerd. 'Die man is een absolute lul. Van het ene moment op het andere laat hij je zitten, zwaait met zijn pik voor iedere vrouw die hem wil bewonderen, en denkt vervolgens dat hij gewoon weer verder kan gaan waar hij was gebleven. Denk je dat hij Madeleine vertelt waar hij heen gaat als hij hiernaartoe komt om jou op te zoeken? Natuurlijk doet hij dat niet. Dat doen bedriegers nooit.'

Jess wreef wanhopig over haar hoofd. 'Je bent erger dan Peter. Ik ben heus niet volkomen gestoord, hoor. Voor zover je het nog weet, ik heb aan jou verteld dat Nathaniel een absolute lul is. Ik mag hem niet. Ik heb hem nooit gemogen... ik heb alleen een tijdje van hem gehouden.'

'Waarom neem je hem dan in bescherming?'

Jess zuchtte wat af, die avond. 'Dat doe ik niet,' zei ze. 'Ik probeer alleen maar te voorkomen dat de puinhoop die het nu al is nog groter wordt. Ik zie niet waarom mijn leven gemeengoed zou moeten zijn. Heb jij nooit een geheim zo diep willen begraven dat niemand er ooit achter komt?'

Ze wist dat dat zo was.

16

EEN VAN DE HONDEN BLAFTE OPEENS SCHEL, EN WE KEKEN
elkaar geschrokken aan. Toen het verder stil bleef, ontspande Jess
weer. 'Ze stoeien alleen maar,' zei ze. 'Als er iemand was, zouden
ze allemaal aanslaan.'

Ik deelde dat vertrouwen niet. De haartjes in mijn nek stonden
recht overeind. 'Is de achterdeur nog op slot?'

'Ja.'

Ik keek naar het schuifraam, maar buiten was het volkomen
donker. Als er al een maan was, dan ging die achter de wolken
schuil, en ik zag opeens Jess weer voor me, in de keuken, toen ze
als een acteur op het toneel verlicht werd. Nu waren we allebei
voor iedereen zichtbaar. 'Dit is niet de meest geschikte kamer om
in te zitten,' zei ik zenuwachtig. 'Het is de enige die geen twee deuren heeft.'

'Als je je zorgen maakt, moet je de politie bellen,' zei Jess rati-
oneel, 'maar die zijn hier pas na twintig minuten... en ik zou je
niet aanraden ze voor niets te laten opdraven. Het is een heel eind,
als je voor niets komt. De honden beschermen ons wel.'

Ik bukte me naar de wandelstok en de bijl die op de grond lagen. 'Voor het geval dat,' zei ik, terwijl ik haar de stok gaf. 'Ik
neem de bijl.'

'Ik heb het liever andersom,' zei ze glimlachend. 'Ik vind het
niks om met jou en dat ding in een afgesloten ruimte te zitten.
Als je hem opheft, laat je hem waarschijnlijk op je eigen hoofd
neerkomen... of op het mijne. Als je al spieren in je armen hebt,
heb ik die niet gezien. Hier.' Ze ruilde de wapens om en legde de

bijl op de stoel naast zich. 'Houd de stok bij het niet verzwaarde eind vast en haal ermee uit naar zijn benen. Als je geluk hebt,
breek je zijn knieschijven. Als je minder geluk hebt, breek je die
van mij.'

Ik moet bijzonder ongerust gekeken hebben, omdat ze mijn
aandacht weer op het computerscherm vestigde. 'Je wilde weten
waarom wij uiteindelijk meer land dan de Wrights hadden. Welke versie wil je horen? Die van mijn grootmoeder of die van Lily?'

Het was een afleidingsmanoeuvre, omdat ze nooit gemakkelijk
iets over zichzelf vertelde. Ik deed mijn best om erop in te gaan,
hoewel mijn oren gespitst bleven op geluiden die ik niet kende.
'Verschillen die versies dan zo erg?'

'Als dag en nacht. Volgens mijn oma heeft mijn overgrootvader
het land gekocht toen Lily's vader de vallei verkocht om de successierechten te kunnen betalen. Alles aan deze kant van de weg
ging naar ene Haversham, en alles aan onze kant naar ons. Joseph
Derbyshire heeft geld geleend en ons bezit van twintig hectare uitgebreid naar zeshonderd hectare.'

'En wat is Lily's versie?'

Ze aarzelde. 'Dat haar vader Joseph het land geschonken heeft
in ruil voor...' ze zocht naar een passende formulering, 'bewezen
diensten.'

Ik keek haar verbaasd aan. 'Een aardig cadeautje. Wat was het
land in de jaren vijftig waard?'

'Dat weet ik niet. De eigendomsakte zit bij die van het huis,
maar er is geen taxatierapport of iets wat erop wijst dat Joseph
geld geleend heeft om het te betalen. Als hij dat heeft gedaan, is de
schuld afgelost vóór mijn vader de boel erfde.' Ze zweeg.

'Wat voor diensten?'

Jess vertrok haar gezicht. 'Lily noemde het een afkoopsom. Ze
zegt dat Joseph een brief ondertekend heeft, dat hij beloofd heeft
te zwijgen... maar er zit geen kopie van iets dergelijks bij de eigen-
domsakten.'

Dat verbaasde me nog meer. 'Dat klinkt als chantage.'

'Weet ik.'

'Was dat de ammunitie die je aan Nathaniel verstrekt hebt?'

Ze schudde haar hoofd. 'Dat is het laatste wat ik Madeleine

zou willen laten weten. Ze zou me een proces aandoen als ze erachter kwam.'

Ik had geen idee wat de Britse wet zei over eigendom dat vijftig jaar geleden onder dwang verkregen was, maar ik kon me niet voorstellen dat Madeleine een been zou hebben om op te staan. 'Ik denk echt dat je je nergens zorgen over hoeft te maken,' zei ik tegen haar. 'Bij eigendomskwesties draait het vaak om de status quo... en als je kunt aantonen dat er ten minste twee generaties Derbyshires het land in goed vertrouwen bebouwd hebben...' Mijn stem stierf weg toen ik haar sombere gezicht zag. 'Wist je vader ervan?'

'Dat moet wel. Het eerste wat oma me vroeg na de begrafenis was of pa me de geschiedenis van de boerderij had verteld.' Ze wreef met haar knokkels in haar ogen. 'Toen ik nee zei, vertelde ze mij het verhaal van de lening... en ik heb dat nooit in twijfel getrokken tot Lily in de war begon te raken en me de familiegeheimen vertelde.'

'Omdat ze dacht dat jij je grootmoeder was?'

'Absoluut. Soms herhaalde ze hele gesprekken die ze gevoerd had na de dood van mijn ouders... en dan sprong ze weer een halve eeuw terug naar de tijd toen oma haar dienstmeid was.' Ze maakte een rollend gebaar met haar hand, om een cyclus aan te duiden. 'Het heeft een hele tijd geduurd voor ik erachter was dat een bedankje op de jaren negentig sloeg, en een bevel aangaf dat ze terug was in de jaren vijftig. Ze zei steeds hoe aardig Frank voor haar was geweest... en wat een lieve vrouw hij aan Jennie had. Dat ze geen misbruik van de situatie hadden gemaakt... ondanks dat zij in het begin zo onaangenaam was geweest. Haar grootste verdriet was dat ze pa nooit erkend heeft toen ze de kans nog had.' Ze verviel weer in zwijgen.

'Hoe erkend?' vroeg ik na een tijdje.

'Als haar broer.' Dit keer was de zucht enorm. 'Als Lily de waarheid heeft gesproken, dan was háár vader, William Wright, mijn vaders vader... en niet de man van oma, Jack Derbyshire, die kort na de oorlog overleden is. En dan is Lily mijn tante... Madeleine mijn nichtje... en ben ik een Wright.' Haar blik werd ineens heel somber. 'De Derbyshires bestaan dan niet meer, behalve in

248

naam, en ik ben echt woedend op Lily dat ze me dat verteld heeft.'

Ik wist niet wat ik moest zeggen omdat ik niet wist wat ze erger vond – dat ze een Wright was, of dat ze geen Derbyshire was. 'Je hoeft het toch niet te geloven? Als het om de woorden van een verwarde vrouw gaat, tegenover wat je grootmoeder je twaalf jaar geleden verteld heeft, dan zet ik mijn geld in op je grootmoeder. Waarom zou ze liegen? Was dat niet hét moment geweest om je te vertellen dat je niet alleen was... dat je nog familie had?'

'Ik denk dat Lily haar gevraagd heeft het niet te vertellen. Ze heeft een paar keer gezegd: "Vertel het het meisje niet. Ik zal het haar vertellen... op dit moment heeft ze te veel verdriet."'

'Maar Lily heeft het nooit verteld... tenminste niet toen ze nog gezond van geest was.'

'Nee.'

'Dan viel er dus niets te vertellen,' merkte ik op, 'of is ze nooit van plan geweest het te vertellen.'

'Ik denk dat ze na de dood van oma van gedachten veranderd is. Toen heb ik dit gedaan.' Verlegen draaide ze haar linkerpols zo dat ik hem kon zien. 'Ik kwam hier om haar te vertellen dat oma dood was en zij zei alleen maar verkeerde dingen... zoals dat het een mooie manier was om te gaan... dat oma een lang en gelukkig leven had gehad... dat het leven voor mij doorging. En ik begon tegen haar te schreeuwen, en toen kreeg ik een paniekaanval.' Ze schudde haar hoofd. 'Ik was zo kwaad op Lily... ik was zo kwaad op mijn familie... en ik dacht... wat heeft het allemaal voor zin, waarom zou het leven voor mij verdomme door moeten gaan?'

'Wilde je het echt?'

'Doodgaan? Nee, niet echt. Ik weet nog dat ik dacht hoe ellendig het allemaal was omdat iedereen was gestorven... en dat ik hoopte dat andere mensen nu ook eens een beetje ellende zouden meemaken... maar de daad zelf...' ze haalde haar schouders op, 'dat was meer een schreeuw om hulp dan iets anders.'

'Heb je het ooit nog eens geprobeerd?'

'Nee. Een ezel stoot zich niet twee keer aan dezelfde steen. Ik vond het gedoe eromheen verschrikkelijk.'

Dat gevoel kende ik, beter dan ze wist. 'Wat was de reactie van Lily?'

'Ze belde Peter in een poging het allemaal stil te houden. Ze wilde dat hij de wonden zelf zou hechten, maar dat wilde hij niet – hij zei dat hij zijn bevoegdheid van arts zou verliezen als hij me niet zou laten opnemen – dus kwam ik in een ziekenhuis terecht, met psychiaters en traumatherapeuten.' Ze wreef weer in haar ogen. 'Verschrikkelijk. De enige die nog een beetje haar verstand bewaarde was Lily. Die heeft me eruit gekregen, door te beloven dat zij de volledige verantwoordelijkheid op zich nam. Ze heeft het er nooit meer over gehad.'

'Heb je toen bij haar gelogeerd?'

'Nee.'

'Hoe kon ze dan de verantwoordelijkheid op zich nemen?'

'Dat heeft ze niet geprobeerd. Ze heeft me alleen laten beloven dat ik niet weer iets stoms uit zou halen als ze me in mijn eentje op de boerderij achterliet, en toen heeft ze me een jonge mastiff gegeven.' Haar ogen schitterden bij de herinnering. 'Een heel wat beter medicijn dan wat de artsen in de aanbieding hadden.'

'Maar waarom zou ze daardoor van gedachten veranderen, Jess? Het lijkt zo vreemd. Normaliter zou ze met open armen tegen je gezegd hebben: je bent niet alleen, ik ben je tante.'

'Ja, maar ze was niet een vrouw die makkelijk haar gevoelens uitte, en toen kwam dat gedoe met Nathaniel erbij.' Ze haalde haar schouders op. 'Ik denk dat ze steeds dacht dat het niet het geschikte moment was.'

Persoonlijk betwijfelde ik of Lily ooit echt van plan was geweest om Jess als een familielid te erkennen, hoewel ze ongetwijfeld een zwak voor haar had gehad. Misschien was ze erachter gekomen dat ze met haar nichtje meer gemeen had dan met haar dochter, dat ze liever Jess' rustige, introverte karakter had dan Madeleines extraverte aard. Ik wist niet of ik het bij het rechte eind had, maar ik had de indruk van Lily dat ze een gereserveerde vrouw was met weinig vriendschappen, wier enige echte liefde haar tuin en honden waren, en dat ze op dat gebied op Jess leek. Het is goed mogelijk dat ze in staat was een show op te voeren voor haar bezoekers, maar ik vroeg me af of het inderdaad niet

250

meer was dan dat – een show – en dat ze de seconden voor hun vertrek in stilte al aftelde.

'Maar wat voor ammunitie heb jij Nathaniel dan gegeven als het niet dit verhaal over je familie was?' vroeg ik nieuwsgierig.

'Ik heb hem verteld dat Lily haar notaris gemachtigd had voor haar op te treden.'

'Ik dacht dat je zei dat het ammunitie tegen Madeleine was. Maar hier had ze toch juist iets aan... ze had de kans om hierheen te komen en Lily over te halen het terug te draaien?'

Jess vertrok haar mond tot een wrang lachje. 'Ik hoopte in feite half en half dat ze dat zou doen. Geld was ongeveer het enige dat haar zover zou hebben gekregen om voor het eerst van haar leven een stap te verzetten... maar ik dacht niet dat Nathaniel het haar zou vertellen. Ik probeerde hem alleen maar een voorsprong te geven voor als de pleuris uit zou breken. Madeleine heeft gedaan alsof alles koek en ei was zolang ze nog dacht dat dit huis binnen haar greep lag... maar ik denk dat de borden inmiddels om zijn oren vliegen.'

'Ik begrijp het niet. Hoezo voorsprong?'

'Voor hun scheiding... het eigendomsrecht van de flat... voogdij over het kind. Als hij snel gehandeld had, had hij Madeleine er misschien toe kunnen bewegen alles op zijn naam te zetten – haar zoon inbegrepen – voor ze erachter kwam dat ze door Lily gepasseerd was. Ze had zich in principe al akkoord verklaard met een scheiding onder die voorwaarden, zolang Nathaniel geen aanspraak zou doen op Barton House of Lily's geld.' Ze glimlachte toen ze mijn gezicht zag. 'Ze gebruikt Hugo als troef in de onderhandelingen omdat ze weet dat Nathaniel zonder hem niet weggaat. Toen ik het over die borden had, meende ik het, weet je.'

'Maar...' Ik begreep het niet. 'Zeg je nu dat hij een scheiding wil en zij niet?'

'Niet echt. Zodra ze dit huis heeft zet ze hem aan de kant, maar geen minuut eerder. Anders moeten ze de flat verkopen en de opbrengst delen, en dat wil ze niet.'

'Waarom niet?'

'Omdat ze dan ergens in een flatje in een buitenwijk terechtkomt. En nu woont ze trendy in Pimlico. Ze leeft liever met iemand die ze haat dan dat ze een stapje achteruit doet qua status. Ze heeft Lily's toelage nu ook niet meer. En Nathaniels inkomen...' Jess zweeg plotseling, toen de stilte buiten verscheurd werd door het hese geblaf uit vijf hondenkelen. 'Goed,' zei ze rustig terwijl ze de bijl met beide handen vastgreep. 'We hebben bezoek. Wat wil je? Uitzoeken wie het is of blijven zitten waar we zitten en de politie bellen?'

Ik keek haar ontzet aan. Hadden we een keus?

'Wat jij wilt,' zei ze. De honden bleven blaffen en haar ogen schitterden vervaarlijk. 'Wil je die klootzak volledig in elkaar rammen... of moet hij blijven denken dat vrouwen makke schapen zijn?'

Ik wilde zeggen dat we het allebei konden doen... de politie bellen en deze klootzak helemaal in elkaar rammen. Ik wilde zeggen dat het MacKenzie niet hoefde te zijn. Ik wilde zeggen dat ik doods- en doodsbang was. Maar ze was al halverwege de kamer terwijl ik nog steeds zat te bedenken wat we konden doen, en ik kon haar toch niet in haar eentje de confrontatie aan laten gaan met wie er dan ook buiten was. Dus pakte ik de wandelstok op en liep met haar mee. Wat kon ik anders?

Het is makkelijk praten achteraf, maar daarmee ontken je de bruisende adrenaline die je op zo'n moment drijft. Ik had zo veel vertrouwen in Jess en haar mastiffs dat ik niet vond dat we ons bijzonder roekeloos gedroegen. Ondanks alles wat ze me verteld had – over haar paniekaanvallen en dat ze in haar polsen had gesneden – en ondanks dat ze vorige week toen ik haar vanuit de keuken belde duidelijk gealarmeerd was geweest, had ik haar nooit gezien als iemand die makkelijk viel bang te maken. Dat was mijn rol. Connie Burns was degene die in een hoekje wegkroop, niet Jess Derbyshire.

Het stomme was dat er niets was om bang voor te zijn. Het was Peter, omringd door de mastiffs en niet MacKenzie, en uiteraard schold Jess hem de huid vol dat hij ons zo aan het schrikken had gemaakt. Ze riep de honden bij zich en las hem de les dat hij niet gebeld had dat hij eraan kwam. 'Voor hetzelfde geld had ik dit op je hoofd laten neerkomen,' zei ze woedend, terwijl ze de bijl voor hem heen en weer zwaaide.

Hij zag er in het licht dat door de open achterdeur en het keukenraam viel net zo kwaad uit. 'Ik had heus wel gebeld als ik geweten had dat je van plan was die klotebeesten op me af te sturen,' zei hij. 'Wat hebben ze? Ze hebben nooit tegen me geblaft. Doodeng.'

'Dat is ook de bedoeling,' zei ze minachtend, 'en jíj bent nog nooit zo stiekem aan komen sluipen. Wat wil je trouwens? Het is bijna elf uur.'

Hij haalde een paar keer diep adem om te kalmeren. 'Ik heb een medisch congres in Weymouth gehad, reed langs de boerderij, daar was niemand, toen zag ik dat bij Connie nog licht brandde, en dacht ik dat je waarschijnlijk hier was.'

'Je had haar een doodschrik bezorgd als ik hier niet was geweest,' snauwde Jess.

'Je Landrover stond op de oprit. Waar zou je anders zijn?' Hij wendde zich tot mij. 'Sorry, Connie. Wil je dat ik wegga?'

Ik schudde mijn hoofd.

Hij ontspande genoeg om te glimlachen. 'Eerlijk gezegd heb ik wel trek in een stevige whisky na die aanval van dat stelletje woestelingen.'

Ik legde een hand op Jess' arm om een nieuwe tirade te voorkomen. 'Laten we weer naar binnen gaan. Ik heb helaas geen whisky, maar er is bier en wijn. Heb je al gegeten?'

Als ik er even over na had gedacht, had ik geweten hoe makkelijk je je tot een vals gevoel van veiligheid laat sussen. Angst heeft zo'n vreemde invloed op het menselijk lichaam. Zolang er gevaar dreigt, blijf je supergeconcentreerd, maar daarna raak je in een zorgeloze stemming. Ik denk dat ik de eerste was die lachte omdat Jess zo afkeurend keek toen ik haar een glas wijn aanbood, maar binnen een paar minuten klaarde zelfs zij genoeg op om te glimlachen. Alle drie balanceerden we op het randje van een hysterische lachbui.

De tranen sprongen Peter in de ogen toen ik probeerde te vertellen wat het plan was geweest. 'Wacht even. Dus jij ging mijn knieschijven breken terwijl Jess een bijl in mijn nek zou laten neerkomen? Of andersom? Ik snap het nog niet helemaal. En mijn ballen dan?'

Ik kreeg wijn in mijn neus. 'Die hakten we er tegelijk met je lul van af.'

Hij proestte het uit. 'Waarmee? Met die bijl?' Hij wendde zich lachend tot Jess. 'Wat denk je dat ik tussen mijn benen heb, een eik?'

De vonk die tussen hen oversprong was er absoluut. Hij knetterde als een elektrische ontlading. Ik had Jess nog nooit zo dicht bij een giechelbui gezien. 'Eerder een kerstboom,' grapte ze terug. 'De ballen dienen enkel ter versiering.'

Peter grijnsde naar haar. 'Je mag mannen hun lul niet afhakken, Jess. Dat hoort niet.'

Ik lachte zachtjes in mijn drankje, vond het prima het vijfde wiel aan de wagen te zijn. Ik wist niet hoe succesvol Peters hofmakerij tot nu toe was geweest – misschien waren ze nooit voorbij de plaagfase gekomen of misschien neukten ze zich iedere avond suf – maar het was prettig om bij hen te zijn want ik voelde me niet buitengesloten. Het deed me denken aan de relatie die ik met Dan had gehad – ongecompliceerd, warm en gul – en ik vroeg me af of hij en ik ooit die intimiteit weer konden bereiken, of dat ik dat door gebrek aan vertrouwen de nek om had gedraaid.

'Dubbeltje voor je gedachten, Connie,' zei Peter.

Ik keek op, me er opeens van bewust dat ze niet meer lachten. 'Ik dacht aan een vriend van me. Jullie doen me aan hem denken, zelfde soort humor.' Verder had ik niets moeten zeggen, maar ik ging door. Om de een of andere reden had ik het gevoel dat ik Jess een duwtje in de goede richting moest geven. 'Je bent stapel, Jess. Als Peter je aan het lachen maakt, moet je meteen toeslaan.'

Het bleef even stil.

'Nou hebben we de poppen aan het dansen,' zei Peter luchtig. 'Had je nog wat?'

Jess duwde haar stoel naar achteren. 'Ik moet even naar de honden kijken,' zei ze knorrig. 'Ik ga via de voordeur. Er ligt eten voor ze in de Landrover.'

Ik trok een gezicht naar Peter toen ze haastig door de gang ver-

254

dween. 'Sorry, dat was kennelijk een grote blunder. Wat heb ik verkeerd gezegd?'

'Maak je maar niet druk. Ze vindt relaties doodeng. Zij denkt dat ze tot mislukken gedoemd zijn, of dat er iemand doodgaat.' Hij schonk zijn glas opnieuw vol. 'Niet zo vreemd, als je haar verleden in aanmerking neemt. Zelfs Lily is nu feitelijk dood voor haar.'

'Ik had wat minder bot moeten zijn.'

'Dat had geen verschil gemaakt. Ze ziet zichzelf als iemand die ongeluk brengt. Iedereen die van haar gaat houden, gaat dood... zo eenvoudig ligt het.'

'Nathaniel toch niet?'

Peter keek me ironisch aan. 'Maar hij hield niet van haar. Als hij van haar gehouden had, had hij haar nooit voor Madeleine verlaten.'

Ik keek strak terug. 'Ik neem aan dat dat Jess' woorden zijn, niet die van jou?'

Hij knikte. 'Als ze maar een beetje interesse zou tonen, zou Nathaniel haar meteen terug willen hebben – hij is hier vaker geweest om zijn zaak te bepleiten dan jij warm gegeten hebt, de afgelopen tijd – maar of ze ziet dat niet, of ze is echt niet geïnteresseerd.'

'Ze voelt zich het lekkerst bij onverschilligheid,' mompelde ik. 'En ik ken niemand die zo snel bereid is bij mensen weg te lopen als zij. Dat is logisch, als ze bang is voor relaties. Ik dacht dat ze de baas over me probeerde te spelen, maar misschien is ze bang dat ze ergens bij betrokken raakt. Laat ze daarom het beeld dat de mensen van haar hebben voortbestaan? Omdat het veiliger is als niemand om je geeft dan dat je iets van jezelf moet geven?'

Peter keek geamuseerd. 'Misschien, maar het is ook haar karakter. Ze is lastig... altijd geweest. Lily was net zo. Je moet dat hele pantser doorbreken voor je bij de persoon daaronder komt, en er zijn niet zo veel mensen bereid dat te doen.'

Ik vroeg me af of hij wist dat Lily beweerde de tante van Jess te zijn. 'Het zit misschien in de genen,' zei ik.

Nu keek hij niet langer geamuseerd, maar verrast, maar hij probeerde niet te veinzen of hij van niets wist. 'Mijn god! Of je bent een hele goede journaliste, of je hebt haar ervan overtuigd dat je dat tegen niemand zult vertellen. Zijn er nog dingen die ze je niet verteld heeft?'

'Heel veel, denk ik zo, maar als je mij een lijstje geeft van dingen die ze zou kunnen vertellen, dan zal ik je zeggen of ik ervan weet of niet.'

Hij lachte. 'Gaat niet door. De eed van Hippocrates, hè?'

Ik overwoog of ik erop door zou gaan, maar ik wilde niet dat Jess zou horen wat ik zei. Ik hield mijn hoofd schuin om te luisteren of ik haar voetstappen hoorde. Het was stil. 'Die eed komt vooral op de proppen als het jou uitkomt, toch?' zei ik. 'Er staat een boodschap op mijn antwoordapparaat van Madeleine die zegt dat jij haar de les hebt gelezen omdat ze uit de school had geklapt over Jess' zelfmoordpoging. Je mag hem afluisteren, als je wilt. Het staat er nog op.'

Hij schudde zijn hoofd. 'Nee, dank je. Ik heb al genoeg van die boodschappen op mijn eigen apparaat.' Hij speelde met zijn glas. 'Het klopt wat ze zegt. Ik heb haar inderdaad verteld wat jij gezegd hebt. Het spijt me dat je dat erg vindt, maar ik wilde dat ze wist hoe kwaad ik was.'

'Ik vind het niet erg,' zei ik tegen hem, 'ik ben alleen nieuwsgierig. Ze suggereerde dat jij degene bent die Madeleine over Jess heeft verteld... en ik weet nog hoe ongemakkelijk je je voelde toen ik er bij jou in de keuken over begon. Je probeerde me ervan te overtuigen dat Lily haar mond voorbijgepraat had, maar ik denk dat dat niet zo is.'

'Klopt.' Hij nam een slok wijn. 'Ik heb het gezegd. Ik dacht dat als Madeleine wist hoe ellendig Jess zich voelde omdat ze haar hele familie verloren had, dat ze het arme kind dan de ruimte zou geven en haar verhouding met Nathaniel zou beëindigen.' Hij zweeg even. 'Ik had beter moeten weten.'

Ik gaf geen antwoord, maar luisterde of ik voetstappen hoorde. Ergens in mijn achterhoofd moet ik me afgevraagd hebben waarom er geen geluid van buiten kwam, omdat ik nog weet dat ik me heel erg bewust was van een drukkende stilte. Ik had toch minstens het geknars van voetstappen op het grind moeten horen, of het portier van de Landrover dat openging.

'Het eerste wat ze deed was het aan Nathaniel vertellen,' ging

Peter door. 'Hij was in Londen toen het gebeurde, dus kon Madeleine de zaak voorstellen zoals het haar uitkwam... een kleffe versie van wat ze jou verteld heeft, waarin ze Jess als een paranoïde schizofreen afschilderde. Nathaniel wilde geen stap meer in haar buurt zetten.'

De aanhoudende stilte interesseerde me op dat moment meer. 'Zouden we niet iets moeten horen?' vroeg ik, terwijl ik me omdraaide naar het raam. 'Wat zou Jess aan het doen zijn?'

'De honden zoeken, neem ik aan.'

'Maar waarom roept ze die dan niet? Je denkt toch niet...' Ik zweeg, wilde niet hardop zeggen wat ik dacht.

Misschien voelde Peter zich ook niet helemaal op zijn gemak. Hij stond op. 'Ik ga wel even kijken,' zei hij. 'Maar jezus, kijk niet zo bang. Je moet God zijn om langs die honden van haar te komen.' Hij glimlachte. 'Geloof me maar. Ik voel het nog.'

17

HOE LANG WACHT JE IN ZO'N GEVAL? IN MIJN GEVAL HEEL LANG.
ik zei tegen mezelf dat Peter en Jess even samen wilden praten en
dat het het beste was ze dat in alle rust te laten doen, maar ik bleef
vlak bij het raam staan en keek naar Jess' honden die door de tuin
liepen. Op een bepaald moment zagen een paar me door het glas
en kwamen met kwispelende staarten mijn richting uit in de hoop
te eten te krijgen. Kon er iemand langs hen heen gekomen zijn?
Mijn verstand zei nee, maar mijn instinct deed alle haartjes op
mijn lichaam rechtop staan. Als MacKenzie ergens veel van wist,
was het wel van honden.

Ik weet nog dat ik probeerde een sigaret op te steken, maar dat
mijn handen zo trilden dat ik het vlammetje niet in de buurt van
het uiteinde kon brengen. Zou Peter, die wist hoe makkelijk ik in
paniek raakte, me echt voor Jess alleen laten zonder te roepen dat
alles in orde was? En waarom kon ik hen niet horen? Zijn hofmakerij bestond uit een beetje dollen, en hij was niet in staat langer
dan een paar minuten met Jess te praten zonder te lachen.

Uiteindelijk besloot ik de politie te bellen. Dikke kans dat ze bij
aankomst Jess en Peter op heterdaad op de achterbank zouden
betrappen, maar dat kon me geen reet schelen. Ik was bereid welke boete dan ook voor verspilling van politietijd te betalen, zolang ik maar niet in mijn eentje door die gang hoefde te lopen.

Woody Allen heeft ooit gezegd: 'Het enige wat ik jammer vind is
dat ik niet iemand anders ben.' Dat is grappig als je het niet
meent, en wanhopig als je serieus bent. Ik was liever wie dan ook

258

anders geweest dan Connie Burns toen ik de telefoon in de keuken oppakte en geen kiestoon hoorde. Ik wist meteen wat dat betekende. De lijn was nadat ik de e-mail aan mijn ouders had verstuurd, doorgesneden. In de ijdele hoop op een wonder trok ik mijn mobiel uit mijn zak en hield hem boven mijn hoofd, maar natuurlijk kreeg ik niet het icoontje te zien dat ik bereik had.

Paniek kwam weer aangolven, en mijn eerste neiging was te doen wat ik eerder gedaan had: mezelf opsluiten in de keuken, het licht uitdraaien en uit het zicht onder een raam kruipen. Ik kon MacKenzie in mijn eentje niet aan. Ik had geen vechtlust meer sinds hij zichzelf in mijn mond gedrongen had en tegen me had gezegd dat ik voor de camera moest glimlachen. Dat kon ik niet nog een keer doorstaan. Ik schrok nog steeds iedere nacht panisch uit een nachtmerrie wakker door de herinnering aan hoe hij rook en smaakte. Wat maakte het uit als hij anderen vermoordde zolang hij mij maar in leven liet?

Ik wil niet doen alsof het moed was, of een plotselinge vlaag van heldendom, waardoor ik naar buiten ging. Eerder de herinnering aan mijn e-mail aan Alan Collins over oude Chinezen, doodstralen, en het probleem om met schuldgevoel om te gaan. De problemen die ik nu had, zouden vertienvoudigd worden als ik verder moest leven met het bloed van Jess en Peter aan mijn handen. Mijn plan was om zo snel mogelijk naar de dichtstbijzijnde heuvel te rennen en het alarmnummer te bellen. Maar toen ik de achterdeur opendeed, kwamen de honden naar me toe en ik had sterk het gevoel dat het geen goed plan was te gaan rennen. Of ze zouden blaffen en MacKenzie op mij attenderen, of ze zouden me tegen de grond werken.

In plaats daarvan liep ik langzaam naar de schuur in de hoop dat hun belangstelling zou tanen en ze me het grasveld naar de weg zouden laten oversteken. Maar hun belangstelling taande niet. Iedere stap die ik deed werd nagedaan door vijf bewegende schaduwen. Voor zulke grote dieren waren ze opmerkelijk stil. Alleen hoorde je af en toe hun poten over het gras strijken. Ik kon ze zelfs niet horen ademen, maar dat kwam misschien doordat mijn eigen ademhaling genoeg lawaai maakte voor ons allemaal.

Na ongeveer twintig meter bleef ik staan; ik kon me niet voorstellen dat MacKenzie in huis was. Hoe kon hij langs deze honden zijn gekomen tenzij hij al ingebroken had voor Jess ze had meegenomen? En in dat geval, waarom had hij dan gewacht? En waarom zou hij de telefoonlijn pas doorsnijden nadat ik mijn ouders gemaild had? Ik was de hele dag alleen geweest en tussen Jess' eerste en tweede bezoek die avond had ook een dik uur gezeten. Hij had kunnen doen wat hij wilde en dan weer weggaan. Het sloeg nergens op dat hij er andere mensen bij zou betrekken.

En vanaf die gedachte was het maar een klein sprongetje naar de overtuiging dat ik precies deed wat hij wilde – dat ik me aan zijn genade overleverde door het huis te verlaten. Het is moeilijk om logisch te denken als je bang bent. Ik draaide nogal wild om om terug te gaan naar de keuken en toen zag ik MacKenzie.

Hij zat achter mijn bureau, zijn handen achter zijn hoofd gevouwen, en keek naar het beeldscherm van mijn laptop. Hij lachte plotseling en draaide zijn stoel om om iets tegen iemand achter hem te zeggen. Met een verschrikkelijk gevoel van onvermijdelijkheid ving ik een glimp op van het gezicht van Peter voor MacKenzie helemaal omgedraaid was en mij het zicht op Peter weer benam.

Dezelfde politieman die gevraagd had waar Jess en ik over gepraat hadden gedurende onze vijf uur met zijn tweeën die week daarvoor, opperde dat ik misschien anders gehandeld zou hebben als MacKenzie Jess op dezelfde manier had behandeld als Peter. 'Ik neem aan dat omdat deze man mevrouw Derbyshire mishandelde, u ertoe kwam de confrontatie met hem aan te gaan. Ging u terug het huis in omdat u zag dat zij in moeilijkheden verkeerde?'

Ik schudde mijn hoofd. 'Van buiten kon ik Jess niet zien. Ik zag haar pas toen ik in de hal kwam.'

'Maar u vermoedde dat ze in de problemen zat?'

'Ik denk het. Ik zag dat Peter bang was – en dat betekende vrijwel zeker dat Jess dat ook was.' Ik begreep niet waar zijn vragen op sloegen. 'Zou u niet bang zijn als er iemand bij u ingebroken had?' Ik zweeg even. 'Ik wist dat hij haar zou vermoorden... hij hield ervan vrouwen pijn te doen.'

'Maar waarom was u dan niet bang, mevrouw Burns?'

'Dat was ik wel. Ik was doodsbang.'

'Maar waarom zette u uw oorspronkelijke plan dan niet door...' hij keek even in zijn aantekeningen, 'waarom rende u niet naar het dichtstbijzijnde hoge punt om met uw mobiel alarm te slaan? Dat was toch veel verstandiger dan om weer naar binnen te gaan?'

'Natuurlijk, maar...' Ik schudde mijn hoofd. 'Ik begrijp het niet. Wat wilt u horen? Dat ik stom ben geweest? Dat ben ik met u eens. Ik ben dwaas geweest. Ik heb eerst gedaan, en daarna pas nagedacht.'

'Maar u hebt toch wel lang genoeg nagedacht om een bijl mee te nemen,' merkte hij zachtzinnig op.

'Nou en? Ik was echt niet van plan MacKenzie zonder wapen te lijf te gaan.'

Ik sloop de gang door op blote voeten en deed de groene deur op een kiertje open voor ik ertussendoor glipte en hem geruisloos achter me dicht liet vallen. MacKenzie had het volume van mijn laptop harder gezet en ik hoorde mijn eigen stem uit de speakers komen. Ik wist waar hij naar keek. Ik herkende die smekende toon meteen, ook al was het enige wat ik kon onderscheiden een herhaald 'alsjeblieft... niet doen... alsjeblieft niet doen... alsjeblieft niet doen...'.

Opeens stierf het geluid weg. 'Ben jij dat, Connie?' klonk zijn stem met het bekende Glasgow-accent. 'Ik verwachtte je al, veertje. Kom maar tevoorschijn.'

Hoe wist hij dat ik er was? Ik had geen geluid gemaakt. Ik maakte ook nu geen geluid.

'Je weet wat er gebeurt als je niet komt,' zei hij waarschuwend, maar met een geamuseerd brommerige ondertoon. 'Dan moet ik genoegen nemen met je vriendin. Een lelijk mormel, maar haar mond schijnt het te doen.'

Ik kreeg kippenvel van zijn stem en ik moest mezelf dwingen naar de deuropening te gaan. Ik haatte de manier waarop hij sprak. Allemaal verminkte klinkers en harde medeklinkers, die alle mythen dat het Glasgows zo leuk klinkt aan flarden trokken. Gedrukte woorden kunnen de lelijkheid van zijn accent niet overbrengen, noch het effect dat het op mij had. Ik associeerde het met zijn geur en zijn smaak en ik voelde me acuut kotsmisselijk.

Hij zat nog steeds aan mijn bureau, en Peter zat waar ik hem van buiten had gezien, in de stoel waar Jess eerder op gezeten had. Hij was volledig gekleed en zijn ogen waren vrij, maar zijn mond was afgeplakt en zijn handen en voeten waren gebonden. Mac-Kenzie had zijn stoel half naar het bureau gedraaid zodat Peter de beelden kon zien die op het scherm flikkerden, en daarachter Jess, die in de verste hoek van de kamer stond.

Ik keek amper naar Peter omdat ik al mijn aandacht op Mac-Kenzie richtte, maar ik zag de paniek in zijn ogen voor ik Jess aan de rand van mijn gezichtsveld onderscheidde. Ze was naakt, geblinddoekt, gekneveld en gebonden en stond in wankel evenwicht op een krukje. Ik voelde een paniekgolf vanwege haar want ik wist hoe beangstigend dat was. Zonder te kunnen zien, zonder dat je je handen en voeten kunt bewegen, terwijl je enige referentiepunt de muur achter je is. Als je daar het contact mee verliest, val je. De spanning om je te moeten blijven concentreren is ondraaglijk.

Ik weet niet of MacKenzie van plan was om me zo bang te maken dat ik zou doen wat hij wilde – of dat het vernederen van vrouwen iets was waar hij geen weerstand aan kon bieden – maar ik schrok ervan hoe kwetsbaar Jess was. Zonder de normale bedekking van een mannenoverhemd en spijkerbroek leek haar lichaam te klein en kinderlijk om gestraft te worden op de manier waarop MacKenzie dat graag deed. Ik zag dat er een voorwerp op het kleed voor haar lag. Ik kon het niet goed onderscheiden omdat ik MacKenzie geen seconde uit het oog wilde verliezen, maar de gekartelde omtrek deed me aan een van mijn vaders zelfgemaakte boobytraps denken.

Het waren korte planken waar spijkers in geslagen waren, en die gebruikte hij overal op de boerderij waar hij sporen aantrof van veedieven of stropers. Het liefst begroef hij de houten basis in de droge aarde en liet hij de spijkers ongeveer een centimeter boven het oppervlak uit steken. Af en toe trof hij er oude voertuigen bij aan die met lekke banden achtergelaten waren, maar meestal was het resultaat een stel bloederige voetafdrukken in de aarde. Je gaat niet dood aan doorboorde voeten, maar het was een effectief afschrikmiddel tegen stelen van mijn vader.

262

Waar kwam dat ding vandaan? Had pa hem gemaakt?
Ik liet mijn tong langs de binnenkant van mijn mond glijden. 'Hoe heb je me gevonden?'

'De wereld is kleiner dan je denkt.' Hij keek naar de bijl die ik voor mijn borst hield. 'Ben je van plan die te gebruiken, veertje?'

Pa gebruikte altijd spijkers van vijf centimeter... Het zou Jess' dood zijn als ze daarop viel... 'Noem me niet zo.'

MacKenzie glimlachte. 'Geef antwoord, veertje. Ben je van plan hem te gebruiken?'

'Ja.'

Zijn glimlach verbreedde zich. 'En als ik hem nu van je afpak en hem neer laat komen op Gollum hier...' hij knikte naar Jess, 'wat ga je dan doen?'

'Je afmaken.'

Ik denk dat hij aan mijn gezicht zag dat ik dat meende, want hij bleef zitten waar hij zat. 'Ik heb je vader zover gekregen mij te vertellen waar je was. Hij wilde dat niet, maar ik gaf hem de keus... je moeder of jij. Hij koos voor je moeder.' Er flonkerde een lachje in zijn lichte ogen. 'Hoe voelt dat?'

Mijn vuisten klemden de bijl steviger vast. 'Ik voel me gevleid,' zei ik met droge mond. 'Mijn vader vertrouwt me. Hij weet dat ik jou kan overleven.'

'Alleen als ik dat toelaat.'

'Waar is hij? Wat heb je met hem gedaan?'

'Hem wat levenslessen bijgebracht. Triest. Het is altijd triest als oude mannen vechten.'

'Je had hem niet aangekund als hij zijn handen vrij had gehad. Je kunt zelfs geen vrouw aan tenzij ze gebonden, gekneveld en geblinddoekt is.'

MacKenzie haalde onverschillig zijn schouders op en trok mijn vaders mobiel uit zijn zak, draaide hem naar me toe zodat ik hem kon zien. 'Herken je hem? Weet je dit nog? *"Alles oké. Ma is bij mij. Maak je geen zorgen. We hebben gauw contact. Pa."* Jouw sms'je kwam door toen ik nog op weg was. Ik dacht dat ik je wel gerust zou stellen door te antwoorden.' Hij keek nieuwsgierig hoe ik zou reageren. 'Ik wilde je er nog een sturen, maar toen ik het dal binnenreed had ik geen bereik meer. Waarom leef je in een wildernis, Connie?'

Ik maakte mijn mond vochtig. 'Hoe denk je dat ik dat sms'je verzonden heb? Het hangt ervan af welke provider je hebt.'

'O ja? Maar waarom heeft híj dan geen bereik?' Hij knikte naar de mobiel van Peter die op mijn bureau lag en kneep zijn ogen nadenkend samen. 'Je was me hier niet komen zoeken als je de politie had kunnen bellen. Klopt dat, veertje?'

'Ja.'

Dat beviel hem niet; wonderlijk dat de waarheid hem een ongemakkelijk gevoel gaf. Ik denk dat hij wilde dat ik gebloosd had en gedaan alsof, omdat niemand in mijn positie zo gemakkelijk zou willen toegeven dat er geen hulp in te roepen was. Ik weet zelf niet eens waarom ik dat toegaf, want eerst had ik toch gehoopt hem ervan te kunnen overtuigen dat de politie onderweg was.

Hij wierp een achterdochtige blik op de hal achter me. 'Ik hoop voor jou dat je niet liegt.'

'Ik lieg niet,' zei ik zo oprecht mogelijk. 'Hoe kan ik ze gebeld hebben zonder bereik? De vaste lijn doet het niet, dat weet je.'

Het was een heel klein puntje – een nerveus spelen met de mobiel van mijn vader terwijl hij controleerde of er inderdaad geen bereik was – maar het leek alsof ik een punt op hem behaald had. De angst dat hij de situatie niet zo goed ingeschat had als hij aanvankelijk had gedacht. Maar het probleem was dat ik niet goed zag hoe ik dit punt kon uitbuiten, omdat ik niet wist hoe lang hij al in huis was en wat hij wist, en uiteindelijk zouden zijn twijfels toch weggenomen worden, als de hulptroepen maar niet zouden komen opdagen.

'Ze weten van jou,' zei ik. 'Je moeder heeft een verklaring afgelegd.'

Hij staarde me aan. 'Dat lieg je.'

Klonk er twijfel in zijn stem door?

'Als je naar mijn inbox gaat, dan zul je hem in een bijlage vinden, bij de laatste e-mail van adjudant Alan Collins.' Ik hoorde de klikjes terwijl mijn tong over mijn droge verhemelte raspte. 'Ik had haar naam onthouden van de brief die je me vroeg te bezorgen.'

Ik zag aan zijn ogen, heel even maar, dat hij het zich herinnerde.

'Ik heb tegen Alan Collins gezegd dat ze Mary MacKenzie heet-te en dat ze waarschijnlijk een prostituee was, of dat misschien nog steeds is. Hij heeft de informatie aan de politie in Glasgow doorgegeven, en ze hebben haar heel makkelijk kunnen vinden.'

Ik legde mezelf niet al te zeer vast. Als hij ontkende dat zijn moeder prostituee was, of dat ze Mary MacKenzie heette, dan kon ik zeggen dat mijn informatie niet klopte, maar dat de politie haar op een andere manier had opgespoord. Maar hij ontkende het niet. Hij was veel meer geïnteresseerd in de bijl. 'Je moet niet denken dat ik gek ben, Connie. Denk je nu echt dat ik me om ga draaien? Het doet er trouwens niet toe. Die trut is wat mij betreft al jaren dood. Vertel me maar eens wat er in haar verklaring staat.'

O god! Zulke kleine stapjes en elk stapje moest ik begrijpen en er direct van profiteren, want anders zou MacKenzie doorkrijgen dat het bluf was. Ik mocht niet aarzelen, ik moest meteen zeggen wat er in die verklaring stond. Het hielp dat ik over zijn moeder had nagedacht, dat ik het net had afgesurft op verkrachters en sa-disten. Ik had zelfs met de gedachte gespeeld om haar op te spo-ren, of via een privédetective of door zelf naar Glasgow te gaan en de plaatselijke krantenarchieven door te nemen. Het leek me on-waarschijnlijk dat een man die zo gewelddadig was nooit met de politie in aanraking was geweest voor hij zijn geboortestad ver-liet, of dat zijn haat voor vrouwen niets met zijn moeder te maken had.

Ik haalde redelijk overtuigend mijn schouders op. 'Ze geeft zichzelf er de schuld van dat jij zo bent... ze zegt dat het komt om-dat zij in het leven zat. Je vond school moeilijk en begon te spijbe-len... en ze heeft het over diefstalletjes en vechtpartijen terwijl je dronken was.' Ik zag genoeg reactie bij hem om een gokje te wa-gen met iets dat ik op een website gevonden had – de benaming die Glasgowse prostituees voor de hoerenbuurt bezigen. 'Ze zei dat ze banger voor jou was dan om "de baan" op te gaan.'

'Onzin,' zei hij kwaad.

'Dat zegt ze. Er zijn sinds 1991 zeven onopgeloste moorden op prostituees geweest in Glasgow, en ze heeft aan de politie van Strathclyde gezegd dat ze denkt dat jij daarvoor verantwoordelijk bent. Het staat allemaal in haar verklaring.'

Hij wist niet of hij me moest geloven of niet. Zou iemand uit Zimbabwe weten dat Strathclyde het overkoepelende politieorgaan voor Glasgow was of dat er nog zeven dossiers openstonden over prostituees van 'de baan'? De moorden waren daadwerkelijk gepleegd, maar men dacht niet dat het om een en dezelfde dader ging. Wist MacKenzie dat?

Hij keek snel even naar het beeldscherm. Ik hield mijn ogen op zijn gezicht gericht, maar aan de rand van mijn gezichtsveld zag ik Peter die zijn handen probeerde los te krijgen. Ik wist uit ervaring dat dat vergeefse moeite was, maar ik bad desondanks om een wonder. 'Jouw moeder heeft die foto aan ons gegeven,' zei ik.

Ik was bang dat dat misschien een stapje te ver ging. Zou Mary MacKenzie een recente foto van haar zoon hebben? Kennelijk wel, want hij ging er niet op in. Het was niet helemaal duidelijk waar dit allemaal toe leidde, behalve dat hij zich ongemakkelijk bleef voelen. Ik hoopte dat ik hem ervan kon overtuigen dat hij er niets mee zou bereiken zijn woede op mij, Jess en Peter te koelen terwijl het zijn moeder was die de politie al die informatie had verstrekt.

'Je foto is over alle politiebureaus in Groot-Brittannië verspreid, met een bevel tot aanhouding op verdenking van de Glasgow-moorden. Als je eenmaal vastzit, krijgen Alan Collins en Bill Fraser de gelegenheid je te ondervragen over de moorden in Freetown en Bagdad. Sinds je dit land bent binnengekomen, val je onder de jurisdictie van Groot-Brittannië... en dat betekent dat je over misdaden in de hele wereld ondervraagd mag worden.' Voorzichtig greep ik de bijl wat steviger beet. Mijn handpalmen waren zo vochtig dat ik hem amper vast kon houden. 'Staat allemaal in de e-mail van Alan.'

Als ik hem er inderdaad toe kon verleiden mij zijn rug toe te keren, zou ik zeker toeslaan, hoewel ik me geen illusies maakte dat ik hem serieus zou kunnen raken. Waarschijnlijk zou ik volkomen misslaan en de bijl in mijn eigen computer drijven. Maar dan zou ik in ieder geval een einde hebben gemaakt aan die afschuwelijke serie huilerige smeekbedes gevolgd door zwijgende gehoorzaamheid die het scherm achter hem vulde. De beelden, veel closeups, waren erger dan ik me in mijn ergste nachtmerries had voorgesteld.

Ik moest twee keer ademhalen voor ik weer iets kon uitbrengen. 'Ze hebben een psychologisch profiel van je opgesteld waarin staat dat als je mij hebt gefilmd, je de vrouwen die je hebt vermoord ook gefilmd hebt. Ze zeggen dat je een aan trofeeën verslaafde seriemoordenaar bent... dat je bewijsmateriaal bewaart waarop je veroordeeld kunt worden omdat je jezelf in herinnering moet brengen...'

De snelheid waarmee MacKenzies vuist uitschoot om een stiletto voor Peters gezicht uit te knippen, deed me zwijgen. 'Blijf waar je bent,' waarschuwde hij. 'Zijn gezichtsvermogen interesseert me geen reet, en jou waarschijnlijk wel.' Met zijn andere hand tastte hij achter zich naar het knopje van de cd-rom. 'Je praat te veel, Connie,' zei hij, terwijl hij even omkeek om een schijfje uit de open lade te halen. 'Alle vrouwen praten te veel. Daar word ik gek van. Ik vond je leuker toen je je kop hield.'

Hij speelde met de punt van het mes tussen de doodsbange ogen van Peter terwijl hij de dvd in zijn zak liet glijden. 'Wat staat er nog meer in dat profiel?'

Jezus! Wat was beter? Moest ik doorgaan of stoppen? Hoeveel wist hij van psychologische profielen? Waarmee kon ik hem over de rand duwen? Met iets slaps of juist iets wreeds? Ik diepte wat feiten op die ik van internet had gehaald. 'Dat je een georganiseerde moordenaar bent... een wraakzuchtige stalker die vrouwen er de schuld van geeft dat hij geen relaties kan aangaan... dat je je slachtoffers zorgvuldig uitkiest en je moorden van tevoren beraamt om niet gepakt te worden.' Ik hield mijn ogen op het lemmet gericht. 'Dat de sociaal-economische groep waarin je thuishoort, onder aan de ladder zit... dat je waarschijnlijk ongehuwd bent... mogelijk aan wanen lijdt... dat je niet in persoonlijke hygiëne geïnteresseerd bent...' Ik zweeg omdat zijn agressie plotseling verdween.

Hij liet het mes zakken, terwijl hij me kritisch opnam. 'Je bent vel over been, veertje,' zei hij zacht. 'Wat is er met je gebeurd?'

'Ik heb niet gegeten. Als ik iets in mijn mond stopte, werd ik misselijk.'

'Je denkt dus aan me?'

'Constant.'

'Ga door,' moedigde hij me aan. Hij legde het mes op mijn bureau om een canvas rugzak te pakken die ik niet had zien liggen door de opstand op het bureau. Ik keek hoe hij de flap wegsloeg om mijn vaders mobiel en de dvd op te bergen, en realiseerde me met een schokje dat het mijn eigen tas was.

''s Nachts word ik schreeuwend wakker omdat ik bang ben dat jij in de kamer bent,' zei ik monotoon. 'Overdag krijg ik paniekaanvallen als ik een hond zie of iets ruik dat me aan jou doet denken.' In de tas kon ik een kleine verrekijker zien die van mijn vader was. 'Er gaat geen minuut voorbij dat Keith MacKenzie niet in mijn hoofd zit.'

Ik verviel in zwijgen omdat ik niet wist wat hij van plan was. Een stukje van me vroeg zich af of hij zich klaarmaakte om weg te gaan; het andere stukje bleef intens achterdochtig. De enige weg naar buiten voerde langs mij, maar ik was niet zo naïef dat ik de bijl liet zakken om hem erlangs te laten. En ook was ik niet bereid mezelf te laten scheiden van Jess en Peter. Ook al waren ze uitgeschakeld, ik ontleende zelfvertrouwen aan hun aanwezigheid, zelfvertrouwen dat ik niet gehad zou hebben als ik alleen tegenover MacKenzie had gestaan.

Maar ik maakte me zorgen om Jess. Ze begon moe te worden. In de rand van mijn gezichtsveld zag ik haar steeds haar hoofd met een ruk naar achteren bewegen om contact te houden met de muur. Peters angst om haar was heel hevig. Hij deed nog meer zijn best om zijn handen los te krijgen, en ik zag zijn wanhoop, iedere keer als hij van haar naar mij keek.

MacKenzie zag het ook, en glimlachte terwijl hij een hoofdbeweging naar de boobytrap maakte. 'Een aardig dingetje, wat? Ik neem aan dat hij voor mij bestemd was, veertje. Als je vriendin pech heeft, pakken die spijkers haar in haar onderbuik. Ik heb meer soldaten aan buikwonden zien sterven dan aan wat dan ook. De smerigheid uit de darmen infecteert het bloed.' Hij haalde onverschillig zijn schouders op. 'Aan jou de keus. Je kunt binnenkomen en de val weghalen... of je kunt haar laten vallen. Ik wil zelfs wel iets met je afspreken. Als jij de drempel over bent, ga ik weg.'

Peter knikte heftig, me smekend te gehoorzamen. Ik dwong

mijn tong over mijn lippen te glijden zodat ik wat geluid kon voortbrengen. 'Jess,' schreeuwde ik. 'Luister naar me! Je moet je concentreren! Ik kan niet binnenkomen. Begrijp je dat?' Haar hoofd zakte als reactie een millimeter naar voren. Ik ging rustiger verder: 'Het kan me niet schelen hoe moe je bent en hoeveel pijn het doet, jij blijft staan. Je staat tenminste, je zit niet weggedoken in een hoekje. Begrijp je dat?' Weer ging haar hoofd even naar beneden.

Ik weet niet op welk moment het tot me doordrong dat ik niet zo bang was als verwacht mocht worden. Ik vertoonde de fysieke tekenen van angst, een droge mond en vochtige handen, maar dat had meer te maken met de angst verrast te worden dan met angst voor MacKenzie zelf. Terecht of niet, ik had het gevoel dat hij degene was die alleen stond, en ik degene was die het heft in handen had.

Hij was kleiner dan ik me herinnerde, en zag er slonziger uit, met stoppels op zijn kin en een overhemd dat hij zo te zien al dagen droeg. Ik kon het van tien meter afstand ruiken. Het stonk naar vuil en zweet en dat veroorzaakte bij mij de enige echte momenten van zwakte, toen de misselijkmakende herinnering mijn keel schroeide. Maar voornamelijk vroeg ik me af hoe zo'n onbetekenend iemand zo'n greep op mijn verbeelding had gekregen.

De politieman die me later ondervroeg, vroeg me waarom ik MacKenzies aanbod om weg te gaan niet had aangegrepen. 'Omdat ik wist dat hij dat niet zou doen.'

'Maar dokter Coleman denkt van wel.'

'Peter was bang vanwege Jess... hij wílde het geloven. Ik zag dat we allemaal een stuk kwetsbaarder zouden zijn als ik deed wat MacKenzie wilde. Zolang ik vrij was en de doorgang versperde, was hij degene die in de val zat... maar als ik de kamer binnen was gegaan, dan zou de situatie volkomen omgeslagen zijn.'

'Was u niet bang dat mevrouw Derbyshire zou vallen?'

'Ja... maar ik had het idee dat ze het nog wel een tijdje kon volhouden. En ik had die boobytrap niet zo makkelijk weg kunnen halen. Ik had ernaar moeten kijken – en dat betekende dat ik MacKenzie niet in het oog kon blijven houden – en dan was hij

269

ogenblikkelijk op me gesprongen. Ik zie niet dat ik een andere keus had dan te blijven staan waar ik stond.'

'Zelfs niet toen dokter Coleman bedreigd werd?'

'Zelfs toen niet,' beaamde ik. 'Het is makkelijker te begrijpen als je het als een spelletje schaak ziet. Zolang ik controle over de deur naar de gang had, was de bewegingsruimte van MacKenzie beperkt.'

De politieman keek me nieuwsgierig aan. Hij had zich voorgesteld als adjudant Bagley, en hield het ondanks mijn verzoek me bij mijn voornaam te noemen, bij het formele mevrouw Burns. Hij had rossig haar en was stevig gebouwd, niet veel ouder dan ik, en hoewel hij de hele tijd heel beleefd bleef, was zijn achterdocht jegens mij zonneklaar. 'Was u toen ook zo rustig?'

'Dat probeerde ik wel. Het was niet altijd makkelijk... maar het zou ons geen van allen iets opleveren als ik hem niet steeds een stapje vóór bleef.'

Bagley knikte. 'Hebben u en mevrouw Derbyshire die boobytrap gemaakt, mevrouw Burns? Was dat onderdeel van het plan om hem een stapje vóór te blijven?'

'Nee.'

'Volgens dokter Coleman heeft MacKenzie gezegd dat de boobytrap voor hem bedoeld was. Weet u zeker dat u geen val hebt gezet en dat dat plan is misgelopen?'

'Nee,' zei ik naar waarheid. 'Trouwens, ik denk dat Peter MacKenzie niet goed verstaan heeft. Hij spreekt met een heel sterk accent. Ik had het idee dat hij zei dat de val voor mij bedoeld was.'

'Dus MacKenzie heeft hem gemaakt? Deze en de andere vijf die we gevonden hebben.'

'Dat moet wel.'

Bagley raadpleegde zijn aantekeningen. 'Dokter Coleman zegt dat u tegen MacKenzie hebt gezegd dat u van plan was hem te vermoorden.'

'Dat heb ik gezegd toen hij me vroeg wat ik zou doen als hij Jess met die bijl te lijf zou gaan. Ik was helemaal niets van plan toen ik de hal in ging, behalve te proberen hem ervan te overtuigen dat de politie eraan kwam.'

'Die indruk had dokter Coleman niet, mevrouw Burns. Hij

zegt dat u vanaf het moment dat u in de deuropening verscheen precies wist wat u deed. Hij zegt ook dat MacKenzie dezelfde indruk had.'

Ik haalde mijn schouders op. 'Maar wat deed ik dan?'

'U was uit op wraak.'

'Dacht Peter dat?'

'Hij gelooft in ieder geval dat MacKenzie dat dacht. Hij zegt dat hij bang voor u was.'

'Mooi,' zei ik emotieloos.

Dat ik kleren aanhad, maakte verschil. Zelfs een dun katoenen truitje en een wikkelrok voelden als een wapenrusting vergeleken met die gênante naaktheid. Toen ik besloot om in de deuropening te blijven staan, veegde ik beurtelings mijn handpalmen aan mijn rok af terwijl ik de bijl met de andere hand vasthield, en daarna stopte ik de zoom van mijn rok bij het elastiek van mijn onderbroek in zodat ik meer bewegingsvrijheid had.

Het feit dat ik kon zien, maakte alles anders. Voor het eerst begreep ik hoe de angst mijn beeld van de man tegen wie ik het op moest nemen vertekend had. Ik wist hoe gewelddadig MacKenzie kon zijn, maar ik zag hem nu als een kleine man, niet veel groter dan ik was. En hij kon niet verhullen wat er in zijn hoofd omging. Zijn ogen schoten heen en weer, om keer op keer na te gaan of hij de situatie nog wel onder controle had, maar wanneer hij naar mij keek, las ik twijfel in zijn blik.

Erkende ik zijn autoriteit nog? Hoeveel gaf ik om de andere mensen in de kamer? Was mijn haat voor hem groter dan mijn loyaliteit jegens hen? Hoe bang was ik? Hoezeer leefde ik mee met Jess in haar benarde positie?

'Ze kan daar niet de hele nacht blijven staan,' zei hij tegen me, 'en jij ook niet. Je kunt beter doen wat ik zeg, Connie.'

'Nee.'

Hij bracht het mes weer naar Peters gezicht. 'Moet ik de dokter zijn ogen dan uitsteken?'

'Nee.'

'Kom dan binnen.'

'Nee.'

Hij zette de punt van het lemmet onder het rechteroog van Peter. 'Eén haal, en hij is blind. Wil je daar verantwoordelijk voor zijn, veertje?' Peter drukte zich tegen de rugleuning van zijn stoel. 'Kijk hem nou,' zei MacKenzie walgend. 'Hij is nog banger dan jij was.'

'Maak hem maar los en zie of hij nog zo bang is als hij zijn handen vrij heeft.'

'Dat zou je wel willen, hè?'

'Natuurlijk,' zei ik onbewogen. Je zou hem makkelijk aankunnen als je echt bij de SAS was geweest, maar daar heb je nooit bij gezeten, nietwaar?'

Hij hapte niet, maar dat had ik ook niet verwacht. In plaats daarvan keek hij minachtend naar Peter. 'Je vader had meer lef dan deze griezel.'

Deze tactiek had hij ook op mij toegepast, en ik weet zeker dat hij het met al zijn slachtoffers had gedaan. Hoe meer je iemand kleineert, hoe moeilijker het voor diegene is om zijn gevoel voor eigenwaarde te behouden. Ik probeerde dezelfde truc op hem uit. 'Wat denk je dat ik ga doen als jij dat mes gebruikt?' vroeg ik en ik liet mijn stem zo minachtend mogelijk klinken. 'Je kunt toch niet echt zo stom zijn om te denken dat ik je weer af ga zuigen? Of misschien ben je wel zo stom? Je moeder is getest, haar IQ kwam niet boven het niveau achterlijk uit.'

Het deed hem niets. Hij speelde weer met de punt van het mes tussen Peters ogen. 'Jij zult doen wat ik wil dat je doet, Connie, net zoals je eerder hebt gedaan.'

Peters angst was zo intens dat ik hem kon voelen. Hij hing tastbaar in de lucht. En ik was kalm. Ik weet nog dat ik dacht: je komt nog niet in de buurt van wat ik heb meegemaakt, Peter, of bij wat Jess op dit moment doorstaat. En ik was kwaad op hem, omdat zijn angst MacKenzies zelfvertrouwen voedde.

Ik slaagde erin genoeg speeksel te produceren om op de vloer te kunnen spugen. 'Zo denk ik over jou, kleine klootzak,' gromde ik naar MacKenzie. 'Als je iets met mij probeert uit te halen, ben je dood. Je moet eens luisteren naar de stemmen in je hoofd die je vertellen hoe griezelig vrouwen zijn. Je durft niet bij ze in de buurt te komen als ze hun handen vrij hebben.'

Dit scheen hem ook niets te doen.

'Weet je hoe de prostituees in Freetown je noemden?' zei ik met een kort lachje. 'De queen van de dierentuin. Ze dachten dat je homofiel was omdat je zo'n hekel had aan vrouwen... en het verhaal ging dat je honden neukte omdat je geen geld had voor een mooie jongen. Waarom dacht je dat alle Europeanen met zo'n grote bocht om je heen liepen? Het eerste wat we allemaal hoorden was, geen handenschudden met Harwood, anders krijg je wat zijn herders hebben.'

Nu had ik zijn aandacht.

'Ik heb aan de politie verteld dat je alleen maar een stijve kon krijgen als de honden erbij waren,' ging ik verder, op zoek naar datgene wat hem kon provoceren. 'De dingen die ik deed wonden je niet op. Moet je jezelf nu zien! Je bent een stuk opgewondener van Peter dan van mij en Jess. Je kunt het alleen maar met vrouwen doen als ze vastgebonden en onderdanig zijn. Dan doen ze je aan je moeder denken... die lag te kreunen en te zweten onder iedere man die ze maar mee naar huis nam.'

Hij gaf geen antwoord, staarde me alleen maar aan.

'Je moet een vrouw blinddoeken zodat ze niet kan zien hoe klein je lul is,' ging ik verder, 'en je dwingt ze tot pijpen zodat je niet in contact hoeft te komen met iets intiems. Borsten en vagina's maken je doodsbang. Je kunt een anus neuken, maar een vagina, ho maar.' Dit keer was het steeds raak, als ik tenminste af mocht gaan op de ontzetting die even in zijn ogen opflikkerde. 'Het staat allemaal in je profiel. Ze noemen het "plankenkoorts" omdat je al heel snel je erectie verliest...'

'Houd je kop,' siste hij, terwijl hij een krampachtig gebaar met zijn hand maakte en de punt van het mes op mij richtte. 'Ik word gek van je.'

Ik slikte wanhopig om meer speeksel in mijn mond te krijgen. 'Je bent een lachertje,' zei ik. 'Je moeder heeft je voor gek gezet. Ze heeft gezegd dat je een erg klein pikkie hebt en dat je daardoor een obsessie...'

Zijn lichte ogen flikkerden in intense haat op, en hij dook vanuit zijn stoel als een dolle stier op me af. Ik was er helemaal klaar voor. Zodra hij bewoog, rende ik de deur uit, naar de groene deur.

Ik gooide in het voorbijrennen de bijl onder de trap omdat ik wist dat ik hem niet zou kunnen gebruiken, en ik greep de koperen deurknop met beide handen beet. Eén misselijkmakend moment glipten mijn vochtige handpalmen langs het metaal in plaats van dat ze de deurknop omdraaiden, en in wanhoop schreeuwde ik terwijl ik mijn vingers samenkneep en de knop met alle macht omdraaide.

18

ADJUDANT BAGLEY KON NIET GELOVEN DAT MIJN HERINNERING aan wat er daarna gebeurde zo vaag was als ik voorgaf. Toch is het de waarheid dat het me niet meer in alle details voor de geest staat. Het blijft een waas van geluid en lichamen en ergens een besef van bloed dat op de tegels drupte.

Ik probeerde Bagley duidelijk te maken dat als ik had geweten dat alleen schreeuwen voor een mastiff al genoeg is om een vreemdeling aan te vallen, ik de honden meteen met me mee had genomen in plaats van ze in de gang naar de keuken achter te laten. Waarom zou ik in mijn eentje de confrontatie met MacKenzie zijn aangegaan als ik een meute monsters naar zijn keel had kunnen laten vliegen? *Omdat ik meer vertrouwen had in zijn vermogen om ze tegen mij op te zetten dan omgekeerd.* Toen ik ze achter de groene deur achterliet, dacht ik alleen dat ze wat verwarring zouden stichten als ik ze in de hal zou loslaten.

Tijd om een plan te trekken was er niet geweest. Ik gokte erop, denk ik, dat ik voor ons allemaal een adempauze zou kunnen creëren, waarin we konden ontsnappen of waarin Jess de kans had zelf de honden te commanderen om MacKenzie in een hoek te drijven. Alles wat ik deed was geïmproviseerd en gebaseerd op de vaste overtuiging dat ik met een wapen niets kon uitrichten. Wat ik ook nam – bijl of wandelstok – MacKenzie zou het me afgepakt hebben voordat ik de eerste zwaai had kunnen maken.

'Maar waarom bleef u dan in de hal?' vroeg Bagley. 'Waarom haalde u de bijl weer onder de trap vandaan?'

'Ik weet niet. Er was zo veel lawaai dat ik niet wist wat er gebeurde. Het was raar. De honden maakten geen enkel geluid toen ze nog in de gang waren, maar toen ik de deur opendeed... ontploften ze... en stoven op MacKenzie af. Maar waarom op hem? Waarom niet op mij? Nog maar een uur daarvoor hadden ze me tegen de deur van de schuur klemgezet.'

'Hij stond vlak voor ze.'

'Maar hoe is hij er om te beginnen langs gekomen?'

'Weet u zeker dat hij niet al binnen was toen mevrouw Derbyshire terugkwam?'

'Vrij zeker. De telefoonverbinding is pas nadat ik mijn ouders gemaild had verbroken... en het enige niet afgesloten raam dat u gevonden hebt was het raam in mijn werkkamer. Maar ik herinner me dat ik – toen Jess en ik daar eerder waren – nog gekeken heb, en toen zat het raam absoluut op de haak.'

'Toch is hij zo binnengekomen. Hij heeft met zijn stiletto de haak opgelicht, daarbij is er wat verf afgebladderd, en op het tapijt zaten sporen van modder en gras. Via dat raam komt ook de telefoonkabel binnen. De hele operatie – het doorsnijden van de kabel en het forceren van het raam – zal hooguit een paar minuten geduurd hebben. We gaan ervan uit dat hij u van buiten de tuin enige tijd in de gaten heeft gehouden, en de komst van dokter Coleman heeft aangegrepen om in te breken. De honden waren toen afgeleid en hij had genoeg tijd om naar het raam te lopen. Als hij u en mevrouw Derbyshire door een verrekijker observeerde, dan heeft hij gezien dat dat raam een fluitje van een cent was.'

Ik vertrok mijn gezicht. 'We hebben het hem dus makkelijk gemaakt.'

Bagley schudde zijn hoofd. 'Hij had ook wel een andere manier gevonden, als hij per se naar binnen wilde.' Hij begon weer over wat er gebeurd was toen ik de honden in de hal los had gelaten. 'Dokter Coleman zei dat u de hele tijd gilde. Hij was bang dat u gewond was geraakt.'

'Ik weet het niet meer.'

'Alstublieft, mevrouw Burns, doe uw best,' mompelde hij geduldig. 'U hebt tegen dokter Coleman gezegd dat u dacht dat de mastiffs om een kat vochten. Maar er is helemaal geen kat in Barton House.'

Ik weet nog dat ik volkomen verstijfde. Het gegrom en gegrauw deed het bloed in mijn aderen stollen en ik stond daar verlamd van angst; het leek wel een eeuwigheid te duren. De keelgeluiden weergalmden tegen de stenen vloer en het hoge plafond boven het trapgat en ik reageerde net zoals in die kelder in Bagdad: ik bleef stokstijf staan, als een zoutpilaar, tot de razernij stopte.

Als ik gegild had, was ik me er niet van bewust, en ik ben er ook niet van overtuigd dat Peter zich de gebeurtenissen beter herinnert dan ik. Het enige wat hij had gezien was dat MacKenzie plotseling uit zijn stoel opsprong om zich op mij te storten, en de rest heeft hij er met zijn overspannen verbeelding bij verzonnen. Hij heeft de politie bijvoorbeeld wijsgemaakt dat ik de honden commando's gaf... eerst om aan te vallen, daarna om op afstand te blijven staan... Maar zoals ik Bagley maar bleef vertellen, ik kon natuurlijk niet tegelijkertijd én gillen én de honden commando's geven. Bovendien had Jess me niet geleerd welke commando's ik moest gebruiken.

'Dat kan ik niet accepteren, mevrouw Burns. U bent zeer inventief. U had ook helemaal geen verklaring van mevrouw MacKenzie, maar toch was u in staat een aannemelijk verhaal te verzinnen van wat er in haar verklaring had kunnen staan. Datzelfde geldt voor dat niet-bestaande profiel.'

'Het was allemaal erg vaag. Ik heb alleen maar wat algemeenheden opgesomd uit case-studies die ik op internet heb gevonden.' Ik zweeg even. 'Ik wist er natuurlijk al een hoop van... en dat vergeet Peter. MacKenzie heeft in Bagdad meer losgelaten dan hij zelf besefte.'

'Volgens mij heeft dokter Coleman groot ontzag voor uw onderzoekskwaliteiten,' zei Bagley met een lachje. 'Hij gaat ervan uit dat u zodra u mevrouw Derbyshire leerde kennen, al ontdekt kunt hebben hoe u haar honden moest commanderen.'

'Ik heb een hondenfobie,' protesteerde ik. 'Die avond was ik voor het eerst in staat om binnen tien meter afstand van een hond te komen. Ik weet zeker dat dokter Coleman dat tegen u heeft gezegd.'

'Inderdaad, maar u bent doof noch blind, mevrouw Burns.'

'Wat bedoelt u daarmee?'

'U hebt drie maanden kunnen kijken en luisteren naar hoe mevrouw Derbyshire haar honden commandeerde. Hebt u daar dan niets van opgestoken?'

Ik had me wellicht gevleid gevoeld door Peters gloedvolle beschrijving van mijn overwicht op psychopaten en mastiffs, ware het niet dat het tot een verdere ondervraging over mijn motieven leidde. Mij werd in ondubbelzinnige bewoordingen uitgelegd dat volgens de Britse wet een huiseigenaar of huurder het recht heeft zijn eigendommen en zichzelf tegen indringers te verdedigen. De wet verstaat onder 'zichzelf' ook gezinsleden en bezoekers die op dat moment onder zijn dak verkeren en wier levens verondersteld worden gevaar te lopen.

Maar het geweld dat tegen de indringer aangewend wordt, moet 'redelijk' zijn, en voorbedachten rade in welke vorm dan ook – het plaatsen van vallen, het afstraffen van iemand die al ontwapend is of hem achternagaan met het oogmerk van wraak – is een strafbaar feit. Simpel gezegd, een meute mastiffs mag ingezet worden om een indringer in de hoek te drijven, maar niet om zijn keel door te bijten; zelfgemaakte vallen die in een huis zijn geplaatst met het doel te verminken of te verwonden, zijn illegaal; dat geldt ook voor het gebruik van een bijl tegen een indringer die zich al overgegeven heeft.

Het grootste vraagteken plaatste Bagley bij mijn beweegredenen om het huis weer binnen te gaan, terwijl het toch voor de hand lag – en wat ik ook van plan was geweest – om naar de dichtstbijzijnde heuvel te lopen en de politie te bellen. Het stonk naar 'wraak'. Ik wist dat Peter nog in leven was omdat ik hem had gezien, en er was geen enkele reden om aan te nemen dat Jess zich in de kamer bevond, laat staan dat ze in gevaar verkeerde. Op het moment dat ik terugkeerde wees niets erop dat een van hen bedreigd werd, omdat ik toegegeven had dat ik niet had gezien dat Peters mond was afgeplakt.

'Een belachelijke wet,' zei ik verontwaardigd. 'In Zimbabwe is ons altijd geleerd dat voor een Engelsman zijn huis zijn kasteel is.' Het uitspelen van de koloniale kaart maakte weinig indruk op de adjudant. 'Dat is het inderdaad,' verzekerde hij mij, 'en hij mag zijn huis verdedigen zolang hij geen buitenproportioneel geweld gebruikt.'

'Dat is dan toch een uitnodiging voor elke inbreker om snel met zijn kop tegen een muur te slaan op het moment dat hij wordt betrapt,' zei ik boos. 'Op die manier staan ze nooit met lege handen. Ze hebben dan de stereo misschien niet, maar ze kunnen wel een proces aanspannen wegens buitenproportioneel geweld.'

'U leest duidelijk de krant.'

'Ik ben journalist.'

'Mm. Ik kan u geen ongelijk geven, mevrouw Burns, maar zo zit de wet in elkaar... en ik dien die na te leven. Waarom hebt u de bijl weer gepakt?'

'Omdat ik bloed op de grond zag.'

Heel veel bloed. Het leek wel een slagveld. Wie er ook gewond was geraakt, pompte liters bloed op de plavuizen. Ik dacht geen moment dat het MacKenzie zou zijn. Het lot werkt immers zelden mee. Ik wist onmiddellijk dat het een van Jess' honden moest zijn, en dat MacKenzies mes een slagader had geraakt. Ik weet niet wat er in me omging toen ik de bijl oppakte. Misschien wilde ik wel wraak. Ik weet wel dat ik dacht dat het onvoorstelbaar oneerlijk was.

'U doet net alsof ik verstand heb van honden,' zei ik tegen Bagley, 'en dat is niet zo. Ik heb die beesten jarenlang zo veel mogelijk gemeden, want er heerst hondsdolheid in de gebieden waar ik naartoe ga. Het is een compleet andere wereld. In een warm klimaat leer je wel voorzichtig te zijn met dieren. Ze raken uit hun doen door de hitte, net als mensen.'

'U zag bloed,' bracht hij me geduldig in herinnering.

'Ik dacht dat ze misschien net als haaien zouden reageren... dat ze door de geur in een vreetroes zouden raken.'

Hij keek me ongelovig aan. 'Bedoelt u dat u dacht dat ze Mac-Kenzie zouden verslinden?'

'Verscheuren,' corrigeerde ik hem, 'zoals honden vossen uit elkaar trekken.'

'Dus u pakte de bijl om hem te beschermen?'

'En mezelf. Het gebeurde allemaal op een kleine meter afstand.'

'Wist u dat het een van de mastiffs was, die bloedde?'

'Ja, ik zag Bertie in elkaar zakken.'

Hij keek in zijn aantekeningen. 'Weet u nog wat u daarna deed?'

'Niet echt. Het enige wat ik wilde was een manier vinden om een einde te maken aan het gevecht.'

'Dus u was van plan de bijl tegen de mastiffs te gebruiken?'

'Ik was niets van plan. Ik wist alleen dat ik iets moest doen.'

Hij hield mijn blik even vast en keek toen weer in zijn aantekeningen. 'Volgens dokter Coleman schreeuwde u "klootzak", commandeerde u de honden dat ze achter u moesten gaan staan en liet u de bijl op de rechterhand van meneer MacKenzie neerkomen... de hand met de stiletto. Dokter Coleman had de indruk dat u de hónden wilde behoeden voor meer letsel... niet meneer MacKenzie.'

Ik haalde mijn schouders op. 'Ik weet niet wat ik hierop moet zeggen, behalve dat Peter mij veel meer greep op de situatie toedicht dan het geval was. Ik heb inderdaad MacKenzies hand geraakt, maar dat was stom toeval. Als ik het nog eens zou doen, zou het totaal anders uitpakken. Ik kan niet eens met een hamer omgaan... dus hoe zou ik in godsnaam kunnen denken dat ik met een bijl wel raak zou slaan?'

Ik had dat beter kunnen illustreren door hem te vertellen dat ik op MacKenzies hoofd had gemikt en dat met een meter gemist had, maar dan had ik me spectaculair in mijn eigen voet geschoten, want het ging me erom hem ervan te overtuigen dat overmatig geweld nooit mijn bedoeling was geweest. Of die van Jess. Of die van mijn vader.

'En waar waren de honden toen dit gebeurde, mevrouw Burns?'

'Ze cirkelden om MacKenzie heen. Het is een wonder dat ik niet een van hen geraakt heb.'

'Inderdaad,' zei hij ironisch. 'Misschien stak MacKenzie zijn hand wel even uit, om het makkelijk te maken.' Hij leek hierop geen antwoord te verwachten want hij ging verder: 'Ik heb een beetje moeite om te begrijpen dat iemand met een hondenfobie de

280

moed heeft om midden tussen vechtende volwassen mastiffs door te lopen. Die beesten wegen samen een kleine driehonderd kilo… en zoals u zelf al zei, dacht u dat ze in een vreetroes zaten. U was of wel erg dapper, of erg stom.'

'Erg stom,' verzekerde ik hem. 'Ongeveer net zo stom als toen ik terugging naar het huis… Maar je denkt nu eenmaal niet zo helder als je bang bent.'

Hij klonk nog ironischer. 'Dat geldt zeker voor de meeste mensen.' Hij glimlachte even. 'Vertelt u me eens waarom de honden besloten zich terug te trekken.'

'Dat weet ik niet. Misschien zijn ze geschrokken van de klap van de bijl tegen de plavuizen. Alleen de bovenste helft van het blad raakte MacKenzie… met de onderste helft heb ik een barst in een tegel geslagen.'

Hij keek weer in zijn aantekeningen. 'En toen besloot u hem vast te binden?'

'Ja.'

'Ook al was hij gewond?'

'Ja.'

'Met zijn eigen tape… wat betekende dat u terug naar de werkkamer moest?'

'Ja.'

'Maar u dacht er niet aan om eerst dokter Coleman en mevrouw Derbyshire los te maken?'

'Daar had ik de tijd niet voor. Ik was zelfs de paar seconden die ik nodig had om heen en weer naar mijn werkkamer te rennen bang om MacKenzie onbewaakt achter te laten.'

'Mag ik vragen waarom?'

'Omdat ik zeker wist dat hij alleen maar buiten adem was. Zijn ogen waren open… en hij kreunde. Hij noemde me een trut toen ik zijn mes wegschopte.' Vermoeid masseerde ik mijn slapen met mijn vingertoppen. 'Ik héb overwogen om hem bewusteloos te slaan, maar ik wist niet hoeveel kracht ik daarvoor moest gebruiken. Ik was bang dat ik hem per ongeluk dood zou slaan.'

'Mm… Dokter Coleman heeft het over gekreun. Hij zegt dat dat ophield toen u de tape had gehaald. Hebt u hem ook gekneveld, mevrouw Burns?'

'Zegt Peter dat hij gekneveld was?'

Hij schudde zijn hoofd.

Ik vatte dat als een ferme ontkenning op. 'Toen ik zijn handen samenbond, viel hij flauw. Als ik beseft had dat ik zijn vingers had gebroken, had ik dat misschien wel wat voorzichtiger mogen doen... maar op dat moment wist ik nog niet eens dat ik ze geraakt had. Je zou toch denken dat een bijl ze eerder afhakt dan ze verbrijzelt, denkt u niet?'

'Dat hangt ervan af wanneer de bijl voor het laatst geslepen is.'

'Dat weet ik nu. Dat wist ik toen niet.'

'Was het niet overduidelijk voor u dat hij uitgeschakeld was? Hij was door een meute honden te grazen genomen en met een bijl aangevallen.'

Ik nam er even de tijd voor om mijn gedachten te ordenen. 'Nee, dat was mij totaal niet duidelijk. Ik geef toe dat hij er beroerd uitzag want hij zat onder het bloed van Bertie, maar ik heb hem wel eens bij een vechtpartij in Sierra Leone gezien, en ik wist dat hij een hoop kan hebben. Ik zou wel gek geweest zijn om dat te riskeren.'

Bagley keek sceptisch. 'Het zou toch veel logischer zijn geweest als u er meteen een dokter bij had gehaald? Zeker nu die in de buurt was.'

'Maar dat heb ik ook gedaan,' zei ik vriendelijk, 'en Peter vond ook dat ik gelijk had om hem eerst vast te binden. Dat bloed was niet van MacKenzie. Zijn vingers waren gebroken, en hij had wat blauwe plekken waar de honden hem door zijn overhemd heen hadden vastgegrepen, maar geen bloedende wonden.'

'Heeft mevrouw Derbyshire u niet verteld dat ze de honden zo heeft afgericht? Eerder om af te schrikken en vast te houden dan om letsel toe te brengen?'

'Nee. Ze heeft alleen maar gezegd dat er geen reden was om bang voor ze te zijn, maar ze gaf geen verdere bijzonderheden.' Ik liet mijn meest onschuldige glimlach zien. 'Als ze dat wel had verteld, dan had ik geweten dat MacKenzie niets van ze te duchten had.'

'Maar u wist dat MacKenzie een stiletto had, dus u wist dat de honden wel iets van hem te vrezen hadden. Waarschijnlijk wist u ook hoe kwaad mevrouw Derbyshire zou zijn over de dood van een van haar mastiffs?'

'Niet echt,' zei ik verontschuldigend. 'Ik ben geen honden-mens.'

Zijn scepsis nam toe. 'Waarom maakte u eerst mevrouw Der-byshire los en toen dokter Coleman?'

'Omdat zij zich in de hachelijkste positie bevond. Als ze haar concentratie zou verliezen zou ze boven op de spijkers zijn geval-len.'

'Waarom maakte u dokter Coleman niet onmiddellijk daarna los?' Hij keek weer in zijn aantekeningen. 'Hij zei dat mevrouw Derbyshire en u de kamer verlieten en pas na verscheidene minu-ten terugkeerden... en dat weerspreekt uw eerdere verklaring dat u dokter Coleman zo snel als u kon naar MacKenzie hebt laten kijken.'

Ik zuchtte. 'Dat gaat alleen op als u Peters schatting accepteert van hoe lang alles geduurd heeft, maar ik geloof echt dat hij over-drijft. U zei dat hij dacht dat er een halfuur zat tussen het moment dat hij de keuken verliet en dat ik in deuropening van mijn werk-kamer verscheen, maar naar mijn idee was dat eerder een kwar-tier. En wat het hondengevecht aangaat, het kán geen vijf minu-ten geduurd hebben zoals Peter beweert. Meer iets als zestig seconden. In vijf minuten had MacKenzie ze allemaal afgeslacht.'

'Dokter Coleman is gewend aan noodsituaties, mevrouw Burns. Dat is zijn werk. Waarom zouden zijn inschattingen min-der accuraat zijn dan die van u?'

'Omdat ik meer ervaring heb met bedreigende situaties. In oor-logsomstandigheden kom je er al heel snel achter dat alles erger voorgesteld wordt... tien minuten onder mortiervuur lijkt op tien uur... een meute van honderd man met machetes lijkt op een me-nigte van vijfhonderd.' Ik liet mijn ellebogen op de tafel steunen. 'Ik heb Peter niet langer alleen gelaten dan nodig was om Jess naar boven te brengen – hooguit één minuut. Ze was erg over-stuur en ze wist niet wat MacKenzie met haar kleren had gedaan – dus ik zei tegen haar dat ze iets van mij moest aantrekken tot we ze gevonden hadden. Toen ging ik weer naar beneden en maakte Peter los.'

De adjudant knikte alsof hij dat kon geloven. 'Dat waren de kleren die uit het raam van uw werkkamer waren gegooid?'

'Ja. Jess denkt dat hij dat gedaan heeft om de honden in verwarring te brengen voor het geval ze zijn lucht zouden opsnuiven op de plek waar hij binnen was gekomen.'

'U had die kleren daar moeten laten liggen voor de politie, mevrouw Burns.'

'Dat kon niet. Jess had niets om aan te trekken. Alles van mij was veel te groot en ze had haar laarzen nodig.'

Weer een knikje. 'Was mevrouw Derbyshire in de hal toen dokter Coleman meneer MacKenzie onderzocht?'

'Nee, ze was nog steeds boven.'

'Waar waren de honden?'

'Bij Jess. Ze keek of ze steekwonden hadden.'

'Met uitzondering van...' hij keek in zijn aantekeningen, 'Bertie. Was die al dood?'

'Ja.'

'Wie heeft zijn dood vastgesteld, mevrouw Burns? U? Of mevrouw Derbyshire?'

In het licht van de twijfel die ik had geuit over Peters vermogen om tijd in te schatten, verwachtte ik een addertje onder het gras. 'Je hoefde maar naar hem te kijken,' zei ik effen, 'of hem te rúíken. Zijn sluitspier werkte niet langer en zijn darminhoud lag over de vloer. Jess zou anders vast nog wel zijn hartslag gecontroleerd hebben, maar ze was bezorgder over de andere honden. Die zaten ook onder het bloed.'

'Wat deed u terwijl dokter Coleman meneer MacKenzie onderzocht?'

'Ik keek toe.'

Ik meldde niet dat Peter zijn zelfbeheersing even kwijt was en minstens een minuut vloekte als een ketter toen ik de knevel had verwijderd. In die fase wist hij niet wie hij de schuld moest geven voor zijn klaarblijkelijke tekortkomingen. MacKenzie omdat die hem had vernederd? Mij omdat ik me sterk had getoond? Jess omdat zij het meest te lijden had gehad? Zichzelf omdat hij bang was geweest? Zijn ontreddering nam alleen maar toe toen hij Bertie zag, alsof Bertie op de een of andere manier was geofferd op het altaar van zijn lafhartigheid. Natuurlijk waren deze 'tekortkomingen' zijn eigen creatie – net zoals die van mij dat waren geweest – want Jess noch ik dacht er zo over.

Het resultaat van deze orgie van zelfkastijding was dat hij mij en Jess als heldinnen is gaan afschilderen. Ik werd de ijzeren dame die de zaak in handen nam en tot een goed einde bracht – Peter gebruikte zelfs het woord 'wraak' nadat hij had beschreven wat hij op de dvd had gezien. Hij beweerde dat alles wat ik MacKenzie had aangedaan 'redelijk' was. Jess kreeg de martelaarsrol waarin ze niet had toegegeven aan uitputting en dreigementen en ijzig kalm was gebleven, zelfs bij de dood van een van haar honden.

Bagley zat zodoende met het beeld van twee spijkerharde en vastberaden tantes die, om uiteenlopende redenen, MacKenzie dood hadden gewild. Dat beeld werd nog versterkt door de diverse wapens die in het huis waren aangetroffen, vooral Jess' honkbalknuppels en mijn keukenmessen. Ik moet Peter nageven dat hij nog geprobeerd heeft een en ander recht te breien zodra hij erachter kwam wat voor schade hij had aangericht, maar toen was het al te laat. Als zowel mevrouw Burns als mevrouw Derbyshire last had van paniekaanvallen en pleinvrees, vroeg Bagley, waarom was daar die avond dan niets van gebleken?

'U keek toe,' herhaalde hij mijn woorden nu. 'Ik begrijp dat dokter Coleman u vroeg om de politie en een ambulance te bellen. Waarom hebt u dat niet gedaan?'

'De vaste telefoon deed het niet.'

'Maar u wist toch dat uw mobiel het op zolder wel deed?'

'Ik vond het geen goed idee om Peter met MacKenzie alleen te laten.' Ik liet mijn voorhoofd in mijn handen rusten en keek neer op het tafelblad. 'Kijk, wat ik nu ga zeggen klinkt misschien niet erg aardig, maar het is wel waar. Peter was van begin tot eind doodsbenauwd. Dat kon ik hem niet kwalijk nemen – dat neem ik hem nu ook niet kwalijk – maar ik weet zeker dat MacKenzie zich op de een of andere manier zou hebben bevrijd als ik niet gebleven was.'

'Hoe?'

Ik liet mijn handen in mijn schoot vallen. 'Waarschijnlijk door zich ernstiger gewond voor te doen dan hij daadwerkelijk was. Peter was niet gelukkig met de manier waarop ik zijn handen achter zijn rug had gebonden, vooral niet toen hij besefte dat zijn vingers gebroken waren. Hij wilde dat ik hem opnieuw vastbond, met zijn handen voor, terwijl MacKenzie nog bewusteloos was.'

'Maar u weigerde. Waarom?'

'Omdat ik er – anders dan Peter – niet zo van overtuigd was dat hij bewusteloos wás.'

'U denkt dat een arts zich in een dergelijk geval kan vergissen?'

Ik haalde mijn schouders op. 'Het is niet echt moeilijk te simuleren, maar, in elk geval, het risico was niet verantwoord. Ik zag Peter me nog niet te hulp schieten als MacKenzie me bij de strot zou grijpen en me zou wurgen. Het zou een hoop misbaar geven, weinig actie. Hij maakte al stennis over het bloed van Bertie dat op zijn broek was gekomen.'

Het was niet een erg eerlijke beschrijving van Peter, maar de adjudant was er wel gevoelig voor. 'Dokter Coleman lijkt inderdaad het gebeurde' – hij zocht naar een geschikte term – 'zielsvernietigender te hebben gevonden dan mevrouw Derbyshire en u.'

'U begrijpt duidelijk niet veel van vrouwen,' zei ik effen. 'Als het dit gesprek tot een eind kan brengen, ben ik maar al te graag bereid in tranen uit te barsten en me in een hysterie te storten. Wilt u dat ik dat doe? Zo gebeurd, hoor... bijna net zo gemakkelijk als MacKenzie voorgaf bewusteloos te zijn.'

In zijn ogen verscheen een geamuseerde glinstering. 'Ik heb liever dat u me vertelt waarom u dokter Coleman overhaalde om naar zijn eigen huis te gaan en vandaar de ambulance en de politie te bellen. Dat is me een raadsel.'

'Zo ging het niet,' ging ik ertegenin. 'Dat was Peters eigen idee... ik heb alleen beaamd dat het verstandig was.'

De adjudant keek in zijn aantekeningen. 'Dokter Coleman heeft de rollen omgedraaid, mevrouw Burns. Ik citeer: "Toen ik tegen Connie zei dat we vóór alles de politie en een ambulance moesten bellen, wees ze erop dat MacKenzie de telefoonlijn had doorgesneden. Ze zei dat de enige optie was dat ik naar huis ging en vandaar belde. Ik stemde daarmee in."'

'Ik herinner het me echt niet zo... maar doet het ertoe?'

Hij fronste zijn wenkbrauwen. 'Natuurlijk doet het ertoe. Er waren vijf werkende mobieltjes in het huis, die van u, van dokter

Coleman en van mevrouw Derbyshire… plus die van MacKenzie en die van uw vader. We hebben al vastgesteld dat er op zolder een perfect bereik was, dus waarom stuurde u dokter Coleman niet naar boven? Waarom hebt u hem gezegd dat naar huis gaan de enige optie was?'

Ik schudde mijn hoofd. 'Ik kan me niet herinneren dat ik dat gezegd heb… maar, zelfs al was het zo, waarom ben ik dan de boosdoener? Peter wist van het bereik op zolder. Hij had er net zo goed aan kunnen denken als ik. Het was geen normale situatie… we zaten niet echt op ons gemak te overleggen wat we nu het beste konden doen. We trilden allebei als een rietje en het enige wat ik me herinner is dat ik me vastklampte aan de eerste ingeving om aan hulp te komen.'

'In feite was dokter Coleman heel verbaasd toen we hem vertelden dat je wel degelijk mobiel kon bellen vanaf Barton House.'

'Dan liegt hij,' zei ik geïrriteerd. 'Hij wist alles van de piramide die Jess voor mijn laptop gebouwd had toen ik er net zat. Vraag maar aan de verhuurster. Peter heeft haar erover verteld toen ik vroeg of ik breedband mocht installeren.'

De adjudant vouwde zijn handen voor zijn mond en keek me enkele seconden nadenkend aan. 'Dat herinnert hij zich nú,' beaamde hij, 'maar toen niet. En u hebt niets gezegd.'

'Dan heb ik geen beter excuus dan dat ik een dom blondje ben,' zei ik sarcastisch. 'Heeft Peter zich verontschuldigd dat hij een beetje vergeetachtig begint te worden? Het ging allemaal zo snel. Zodra hij besloten had om te gaan, rende hij naar de deur.' Ik legde mijn handen gevouwen voor me op tafel. 'Ik zou u graag duidelijk maken hoe gedesoriënteerd we allemaal waren… maar misschien heeft er nog nooit een psychopaat bij u ingebroken en u gevangen genomen.'

Hij hapte ook nu niet. 'Dus wat gebeurde er toen? Wanneer voegde mevrouw Derbyshire zich bij u in de hal?'

'Bijna onmiddellijk daarna. Ze hoorde het geluid van Peters auto op het grind en ze kwam naar beneden om te kijken wat er aan de hand was.'

'Waren de honden bij haar?'

'Nee, die heeft ze in de slaapkamer achtergelaten… ze was bang dat ze om Bertie heen zouden gaan snuffelen.'

'Wat had ze aan?'

'Mijn ochtendjas. Die was te lang voor haar en sleepte over de vloer. Ze knielde om de hond te strelen, en...' Ik zuchtte. 'Het werd erg smerig.'

'Wat had ze aan haar voeten?'

'Niets. Mijn schoenen pasten haar niet. Daarom vroeg ze me om haar laarzen te zoeken.'

'Maar u had ook geen schoenen aan?'

'Nee, ik had ze uitgetrokken voordat ik de hal in ging. Ik wilde niet dat MacKenzie me aan zou horen komen.'

Bagley knikte. 'Hoe kwam u erbij om buiten het raam van de werkkamer naar de kleren van mevrouw Derbyshire te gaan zoeken?'

'Omdat ze niet in de werkkamer waren. MacKenzie had haar onderbroekje gehouden – dat had hij in de rugzak gestopt – maar van de rest geen spoor. Toen vertelde Jess me dat ze het raam open en dicht had horen gaan nadat hij haar op het voetenbankje had gezet, dus schoof ik het raam omhoog en zag ze meteen.'

'En u ging ze via de keuken halen?'

'Dat weet u best. U heb mijn voetsporen toch gevonden?'

'Mm. En gedurende de tijd dat u naar buiten ging en weer terugkwam, was mevrouw Derbyshire alleen met meneer MacKenzie?'

'Ja,' zei ik vermoeid. 'Hier hebben we het al twee keer over gehad. Ik heb gerend – u kunt mijn passen nameten – en toen ik terug was, was de enige verandering dat Jess in de leunstoel onder de trap zat. Als u hem met Luminol bespuit zult u ongetwijfeld een reactie krijgen van de bloedvlekken op mijn ochtendjas.'

'U bent wel thuis in recherchewerk, mevrouw Burns.'

'Ik heb in de loop der tijd heel wat processen verslagen. Verbazingwekkend hoeveel kennis je opdoet door uren naar de bewijsvoering van de politie te luisteren. Dat zou u zelf eens moeten proberen.'

Het was niet mogelijk hem iets anders te ontlokken dan een uiting van beleefde scepsis, behalve als het om de verdwijning van MacKenzie ging. Op dat punt was zijn ongeloof totaal. Hij nam de gebeurtenissen nog een keer met me door.

'U zegt dat MacKenzie op zijn zij lag en dat u kon zien dat de tape nog steeds stevig op zijn plek zat.'

'Ja.'

'Toen gaf u mevrouw Derbyshire haar kleren en stelde u haar voor om een bad te nemen om het bloed van Bertie af te wassen omdat dat haar duidelijk van streek maakte. Ze liep direct naar boven en kort daarop hoorde u een kraan lopen.'

'Precies.'

'U was ook van streek door het bloed van de hond, dus u koos ervoor u te wassen bij de keukengootsteen voordat u een rok en een T-shirt aantrok die in de bijkeuken klaarlagen om te worden gestreken. En om te voorkomen dat de bloedvlekken zich zouden vastzetten, hebt u uw kleren in een sopje van bleekmiddel in de gootsteen in de bijkeuken gezet omdat ze "licht van kleur" waren en gemaakt van katoen.'

'Ja.'

'Verwachtte u dat de vlekken eruit zouden gaan?'

'Niet echt, maar het leek me de moeite van het proberen waard. Mijn klerenkast barst niet echt uit zijn voegen en het wás alleen maar het bloed van een hond. Dat zal de patholoog-anatoom bevestigen. Ik heb dacht ik ergens gelezen dat je DNA ook uit een gewassen kledingstuk nog kunt oppikken.'

'Alleen hebben we het niet over wassen, mevrouw Burns, we hebben het over in de bleek zetten... en volgens de literatuur *vernietigt* bleekmiddel DNA.'

'Is dat zo?' mompelde ik. 'Dat wist ik niet.'

'Waarom heeft mevrouw Derbyshire hetzelfde gedaan? Waarom heeft ze uw ochtendjas in een bleekoplossing in het bad laten liggen? Was dat op uw aanraden? Hebt u het bleekmiddel naar haar toe gebracht toen u in de keuken klaar was?'

Ik liet mijn kin op mijn gevouwen handen zakken. 'Het is "Nee" op de laatste twee vragen, en "Dat doen vrouwen nu eenmaal" op de eerste twee. Elke vrouw ter wereld heeft moeite met bloedvlekken in haar kleding. U zou de Afrikaanse meisjes eens moeten zien bij de rivier, uren bezig met stenen op hun kleren te slaan om de vlekken eruit te krijgen. We zijn allemaal hetzelfde geprogrammeerd... welke cultuur dan ook. Bent u getrouwd? Vraag het aan uw vrouw.'

'Hebt u het bleekmiddel naar boven gebracht, mevrouw Burns?' vroeg hij weer.

'Ik heb al gezegd dat ik dat niet heb gedaan. Er stond een flacon Domestos naast de wc in de badkamer. Kijk...' ik zweeg even en vroeg me af of het verstandig was door te gaan, 'u moet toch inzien hoe belachelijk deze manier van ondervragen is.' Wat kon mij het ook schelen! Ik was uitgeput. 'Peter is niet meer dan twintig minuten weg geweest... en de politie en de ambulance arriveerden vlak nadat hij terugkwam. Hoe kunnen Jess en ik in die korte tijd MacKenzie gedood en zijn lichaam gedumpt hebben?'

'Dat kan ook niet.'

'Maar waarom blijft u dan suggereren dat we samen iets bekokstoofd hebben? Heeft Jess u dan een ander verhaal verteld?'

'Nee. Haar verslag komt overeen met dat van u. MacKenzie was nog steeds vastgebonden toen ze in bad ging en ze merkte pas dat hij weg was toen dokter Coleman in de hal begon te roepen.'

19

ARME PETER. DIE AVOND LEERDE HIJ WAT PANIEK WAS. ZIJN eerste gedachte toen hij de voordeur wijdopen aantrof, en geen MacKenzie op de vloer, was dat hij elk moment weer overmeesterd kon worden. Zijn tweede gedachte was dat Jess en ik waarschijnlijk dood waren. Zijn derde – niet erg verstandig gezien de eerste twee, die deden vermoeden dat MacKenzie zich ergens met een bijl schuilhield – was om ons te roepen.

Zijn stem sloeg over en was niet helemaal vast en ik hoorde hem in de keuken. 'Connie! Jess! Waar zijn jullie? Alles goed met jullie?'

Ik riep terug dat ik in de keuken was, maar toen duidelijk werd dat hij mij niet hoorde, droogde ik mijn handen en liep de gang door. Peter vertelde later dat ik me 'uitzonderlijk kalm' gedroeg. Ik was inderdaad zo ontspannen dat toen ik hem aanraadde zich te beheersen, hij tot de merkwaardige conclusie kwam dat Jess en ik MacKenzie naar elders hadden versleept.

'En dat was niet zo?'

'Natuurlijk niet. Peter had gezegd dat ik hem moest laten liggen waar hij lag tot de ambulance kwam. En trouwens, hoe hadden we hem kunnen verplaatsen zonder zijn voeten los te maken? We hadden hem niet kunnen dragen.'

'Met z'n tweeën misschien wel.'

'Maar waarheen?' vroeg ik nuchter. 'U hebt het huis drie keer doorzocht en hij was er niet. En u hebt al onze voetsporen nagetrokken.'

'De sporen die we konden vinden. Bloed droogt sneller op

dan u denkt, mevrouw Burns. We hebben in de keuken uw sporen gevonden van toen u naar buiten ging voor de kleren van mevrouw Derbyshire, maar uit niets blijkt dat u teruggekeerd bent.'

'Behalve dan dat dat wel moet, want ze had die kleren aan tegen de tijd dat de eerste politiewagen arriveerde.'

Ik denk dat hij mijn kalmte even frustrerend vond als Peter. Ze hadden allebei het gevoel dat handenwringen beter bij de situatie paste dan een koele analyse. Peter ging midden in de hal helemaal over de rooie toen hij vroeg waar ik MacKenzie had gelaten. Hij beschuldigde ons er zelfs van 'iets vreselijks' te hebben gedaan, omdat MacKenzie zich niet zonder hulp had kunnen bevrijden.

'En was die beschuldiging terecht, mevrouw Burns?'

'Nee.'

'Hoe hééft hij zich dan kunnen bevrijden?'

'Ik weet het niet. Ik denk dat hij Jess' Leatherman heeft gebruikt. Ze zei dat hij die van haar had afgepakt. Als hij hem in zijn broekzak had, had hij misschien genoeg speelruimte met zijn armen om hem eruit te wurmen.'

'Lastig, om met gebroken vingers een mes uit je zak te trekken.'

'Maar het ging ook ergens om,' zei ik droog. 'Hij stond op het punt om gearresteerd te worden.'

Bagley keek me even onderzoekend aan. 'Waarom was u niet net zo bezorgd als dokter Coleman toen u zag dat MacKenzie weg was? Hij kon overal zijn... boven bij mevrouw Derbyshire bijvoorbeeld.'

'Jess kwam ongeveer op hetzelfde moment dat ik de hal in liep de overloop op... en Peters stem sloeg dusdanig over dat het meeste van wat hij zei onverstaanbaar was. Ik weet niet eens of ik wel besefte dat MacKenzie er niet meer was totdat Peter tot bedaren kwam... en toen hoorden we de sirenes. Het ging allemaal erg vlug.'

'U hebt uw ogen niet in uw zak zitten, mevrouw Burns. U moet gezien hebben dat MacKenzie niet meer op de vloer lag.'

'Ik keek naar Peter.'

Maar Bagley accepteerde dat niet. 'Zodra u besefte dat dokter

Coleman bang was, zou u toch als eerste naar MacKenzie kijken.'

Ik haalde mijn schouders op. 'Dit zou een stuk makkelijker zijn als Peter niet zo'n overdreven beeld van mij had gegeven. U schijnt te denken dat ik direct greep op de gebeurtenissen heb, in welke situatie dan ook. Nou, dat ís niet zo. Het kan zijn dat ik Bertie vanuit een ooghoek zag liggen – een gedaante – en aannam dat het MacKenzie was... maar ik herinner het me niet meer en ik herinner me ook niet meer wat ik dacht.' Ik haalde een sigaret uit mijn zak en stak hem opgelucht op. 'Puur uit interesse, maar waarom krijgt Peter geen derdegraadsverhoor? Het is veel waarschijnlijker dat hij MacKenzie heeft losgemaakt dan Jess of ik.'

'Waarom denkt u dat?'

'Omdat hij zich zorgen maakte over MacKenzies handen. Misschien wilde hij toen hij terugkwam de tape wat losser doen.'

'Dat denk ik niet.'

Ik absorbeerde in één trek zo veel nicotine als mogelijk was en blies de rook toen in de richting van Bagley. 'Is dit iets van jongens onder elkaar, adjudant? Het feit dat u eerder geneigd bent een man te geloven dan een vrouw?'

Hij nam het goed op. 'Mevrouw Derbyshire hoorde dokter Colemans auto terugkeren. Ze zegt dat er slechts een paar seconden waren verstreken voordat hij begon te roepen. Ik sluit niet volledig uit dat hij gedaan heeft wat u suggereert, maar het lijkt onwaarschijnlijk. Hij had geen mes bij zich toen we hem fouilleerden en dat had hij nodig gehad voor die tape.'

'Misschien heeft MacKenzie het van hem afgepakt.'

'Zag dokter Coleman eruit alsof hij gevochten had?'

'Nee, maar iedereen die zijn verstand gebruikt zou het mes achterlaten en naar de voordeur rennen, voor hij ermee gestoken werd.'

'Waardoor MacKenzie met zijn rugzak via het raam van de werkkamer kon verdwijnen? Is het zo gegaan volgens u?'

'Waarom niet? Dat is toch wat u suggereert dat Jess en ik hebben gedaan, nietwaar?'

'We denken dat hij door de voordeur is vertrokken... en, gezien de voetsporen op de vloer, op blote voeten.' Bagley glimlachte flauw. 'We hebben een hoop blote voeten, mevrouw Burns. Dat is nogal verwarrend.'

'Allemaal verschillende maten... en met verschillende teenafdrukken.'

'Voetsporen tonen niet goed op steen. Bovendien heeft iedereen door het bloed heen gebanjerd. Het is moeilijk uit te maken wie wanneer waar naartoe ging.'

'Alleen in de hal. Hebt u ergens anders nog sporen van Mac-Kenzie aangetroffen?'

Hij was niet van plan mijn vragen te beantwoorden. 'Eén theorie is dat hij erin geslaagd is zijn schoenen uit te trekken om de tape rond zijn enkels eraf te schuiven. U vertelde ons dat u de tape rond zijn broekspijpen had gewikkeld. Weet u nog hoeveel keer u de tape eromheen geslagen hebt en of hij sokken droeg?'

Ik dacht na. 'Niet echt. Ongeveer vier keer, misschien. Tot ik dacht dat het stevig genoeg zat. Ik kan me niet herinneren dat ik sokken gezien heb.'

'Wat voor broek had hij aan?'

'Een spijkerbroek.'

'Weet u nog of dokter Coleman zijn broek heeft losgemaakt om hem gemakkelijker te laten ademen?'

Ik knikte.

'Dus hoefde MacKenzie alleen maar zijn broek uit te trekken om los te komen?'

Ik begreep de kritiek onmiddellijk. 'Ik pas ervoor om daar de schuld van te krijgen,' zei ik verontwaardigd. 'Ik heb die broek niet losgemaakt. Geef Peter de schuld. Die had dat ook kunnen bedenken.'

'Ik geef u de schuld niet, mevrouw Burns, ik vertel wat wellicht gebeurd kan zijn. Hebt u zijn handen op dezelfde manier gebonden? Zat de tape over zijn mouwen, of op de huid?'

Ik kwam sterk in de verleiding om te zeggen dat het over zijn mouwen had gezeten, maar dat zou gelogen zijn geweest. 'Op de huid. De manchetten waren opgerold.'

Hij had duidelijk hetzelfde van Peter gehoord want hij knikte. 'Toen hij zijn voeten eenmaal vrij had, had hij natuurlijk meer mogelijkheden. Weet u wat er met de stiletto is gebeurd?'

'Ik heb het mes bij hem weggeschopt. Voor zover ik me kan herinneren is het onder de trap geschoven.'

'We hebben het niet gevonden.'

Ik haalde mijn schouders op, ik verwachtte een nieuw addertje. In zijn verwrongen logica waren slachtoffers waarschijnlijk verplicht al het bewijsmateriaal bij elkaar te zoeken en gereed voor inspectie op een rijtje te leggen zodra de politie arriveerde.

'Een stiletto zou makkelijker te hanteren zijn geweest dan de Leatherman van mevrouw Derbyshire... maar, in beide gevallen, lijkt hij ze meegenomen te hebben. We hebben ook de Leatherman niet kunnen vinden.'

Ik zoog mijn longen vol rook. 'Waarom hebt u me dat niet meteen gezegd? Waarom beschuldigt u me van moord als u allang weet hoe hij zich bevrijd heeft?'

'Niemand heeft u van moord beschuldigd, mevrouw Burns.'

'Zo voelt het anders wel,' zei ik. 'Het enige verschil tussen u en een folteraar van Mugabe is dat ik nog een paar nagels overheb.'

Hij verloor zijn geduld met me. 'Het verhoren van getuigen is een noodzakelijk onderdeel van elk misdaadonderzoek en het is geen beleid van de politie om een uitzondering voor vrouwen te maken. Ik ben het met u eens dat het een stressvolle ervaring kan zijn... maar, gegeven uw visies, ben ik verbaasd dat u daar niet tegen opgewassen bent.'

Ik grijnsde. 'Au!'

Hij haalde geïrriteerd adem. 'Heeft u of mevrouw Derbyshire de canvas rugzak van MacKenzie van de werkkamer naar de hal gebracht, mevrouw Burns?'

'Mijn rugzak,' corrigeerde ik hem. 'Die tas heeft hij in Bagdad van me gestolen.'

'Hebt u hem verplaatst?'

'Ja, ik heb hem aan Jess gegeven toen ik naar buiten ging voor haar kleren, zodat ze de vakken kon controleren. Hij had haar onderbroekje in de flap gestopt, maar ik dacht dat hij haar bh misschien ook wel gehouden kon hebben. Zo'n viespeuk was het wel.'

'Weet u nog wat ze ermee gedaan heeft?'

'Ik denk dat ze hem op de stoel heeft laten liggen.'

'Heeft een van u beiden er iets uitgehaald?'

'Ik kan niet voor Jess spreken, maar ík in ieder geval niet.' Ik drukte mijn peuk uit. 'Dat had ik wel moeten doen. Mijn vaders verrekijker en mobiel zaten erin. Waarom vraagt u dat?'

'Ik probeer alleen wat losse eindjes aan elkaar te knopen.' Hij zag mijn frons. 'De technische recherche heeft uw voetsporen aangetroffen op de vloer van de werkkamer, maar geen voetsporen die overeenkwamen met die bij de voordeur. We vroegen ons af waarom, aangezien zowel u als dokter Coleman heeft verklaard dat die tas bij het bureau lag.'

Hij was erg degelijk, dacht ik. 'Hebben jullie de tas gevonden? Waarom denkt u dat we iets weggehaald zouden hebben?'

'Dat hoopten we, mevrouw Burns. Als u iets van MacKenzie had gehouden, dan hadden we meer kans gehad om DNA te isoleren.'

'Op die manier.'

'We hebben voet- en vingerafdrukken, maar verder niets. Wellicht zaten er speekselsporen op de mobiel van uw vader of een ooghaartje op de verrekijker, hoewel de meest waarschijnlijke bron uw kleding was geweest, omdat u in contact met hem bent gekomen toen u hem vastbond. Als de honden van mevrouw Derbyshire hem tot bloedens toe hadden gebeten of de bijl zijn huid had beschadigd...' Hij haalde zijn schouders op.

'En hoe zit het met de kleding van Jess of van Peter?'

Hij schudde zijn hoofd. 'Als u die van mevrouw Derbyshire met rust had gelaten, hadden we misschien een haar gevonden, maar er is te veel mee gedaan... en dokter Coleman is onderweg naar zijn huis alles kwijtgeraakt.'

'Hebt u DNA-materiaal nodig als u de vingerafdrukken hebt? Peter en ik kunnen hem allebei identificeren.'

Bagley glimlachte nogal grimmig. 'Het hangt ervan af of hij nog te herkennen is als we hem vinden, mevrouw Burns.'

Na de komst van de politie en de ambulance volgde een complete chaos. Ik kan me de vreselijke herrie van de sirenes op de oprit nog herinneren, en de daaropvolgende verwarring toen Peter probeerde uit te leggen dat de 'patiënt' verdwenen was. We hadden allemaal onze eigen prioriteiten. Ik wilde erachter komen wat er met mijn ouders was gebeurd. Jess maakte zich zorgen over haar honden en de politie wilde een duidelijk beeld krijgen van de gebeurtenissen voordat ze überhaupt wat wilden doen.

Allereerst wilden ze weten van wie het bloed op de vloer was en waarom er zo uitgebreid doorheen was gebanjerd. Ze geloofden niet dat het allemaal van Bertie kwam. Ik ook niet, als ik het met de objectieve blik van de verbijsterde nieuwaangekomenen bezag. De honden hadden vlak na Berties dood al een hoop rondgespat, en de rest hadden Peter, Jess en ik over de tegels verspreid met ons heen en weer geloop. Het zag eruit als een bloedbad, het voelde als een bloedbad en de politie koos ervoor het te zien als een bloedbad totdat onderzoek anders uitwees.

Het bleek dat Bertie een slagaderlijke bloeding in zijn hals had gehad, die MacKenzie met zijn stiletto had opengehaald. Jess vond het verschrikkelijk dat hij niet op slag dood was geweest, maar bloed had opgepompt tot zijn hart het had begeven. Wat mij speet was dat ik MacKenzies schedel niet had opengespleten met die bijl. In de grote lijn der dingen woog Berties bijdrage aan het leven, vrijheid en geluk zo veel zwaarder dan die van MacKenzie dat er geen discussie was wie van de twee het meer verdiende te leven en wie te sterven.

Wat Jess en mij erg irriteerde was dat we op de tweede plaats na Peter kwamen. Terwijl hij in de stoffige eetkamer werd genood om een eerste verslag te doen van het gebeurde, werd ons verteld onder de arendsogen van een vrouwelijke agent in de keuken te wachten. Tegen die tijd waren er veel meer politiewagens aangekomen en huis en tuin werden doorzocht naar MacKenzie. Ik probeerde steeds het punt van mijn ouders aan de orde te stellen, maar niemand wilde luisteren. 'Alles op zijn tijd,' zeiden ze. Uiteindelijk dreigden Jess en ik de agente te slaan als ze niet enige actie ondernam en toen werden er instructies gegeven de Londense politie te waarschuwen.

Adjudant Bagley wilde graag weten waarom ik niet zelf met mijn mobiel contact had gezocht met mijn ouders. Als ze zo'n prioriteit waren, redeneerde hij, dan zou ik toch naar zolder zijn gegaan zodra Peter het huis verliet. 'U had Alan Collins kunnen bellen,' zei hij. 'Die kende het hele verhaal, en had al contact met de politie in Londen.'

Ik begreep het dilemma. Een obsessieve behoefte om je te reinigen leek een schamel excuus wanneer de levens van geliefde ouders in het geding waren. Uiteraard verschilden we ook van mening over hoe lang Jess en ik met MacKenzie alleen waren geweest – de adjudant dacht aan veertig minuten (Peters inschatting), terwijl ik het had over twintig. Als compromis besloten we het op dertig minuten te houden toen de politiegegevens aantoonden dat de tijdsinterval tussen Peters noodoproep en de aankomst van de eerste politiewagen net iets meer dan drieëntwintig minuten bedroeg. Dat gaf Peter zeven minuten om van Barton House naar huis te rijden. Maar ook dertig minuten deden vermoeden dat ik geen rekenschap van al mijn handelingen had afgelegd, volgens de adjudant.

'Dat was een langdurige waspartij, mevrouw Burns, en het verklaart niet waarom u pas aan uw ouders dacht toen wij arriveerden. U geeft toe dat u uw vaders verrekijker in de rugzak zag. Dat moet toch aanleiding voor u geweest zijn om hem te bellen?'

Zijn achterdocht werd er niet minder op toen bleek dat ik hem niet verteld had dat adjudant Alan Collins van de Greater Manchester Police een dossier over MacKenzie had. Alan kwam pas in beeld toen hij zelf op zondag tegen lunchtijd met de politie van Dorset contact opnam nadat hij van de politie in Londen had gehoord dat mijn vader om drie uur 's nachts ijlings naar het ziekenhuis was gebracht, na in elkaar geslagen aangetroffen te zijn in zijn woonkamer. De Londense politie had het niet over de gebeurtenissen in Barton House gehad, maar Alan alleen verteld dat Keith MacKenzie verdacht werd van die overval en dat het verzoek om poolshoogte bij de flat te nemen van de politie in Dorset was uitgegaan.

Alan was ervan overtuigd dat MacKenzie regelrecht naar mij toe zou komen, maar hij was niet in staat me te waarschuwen omdat hij mijn adres of telefoonnummer niet had. Daarom had hij het hoofdbureau in Winfrith, Dorset, gebeld. Naar aanleiding van wat hij over mijn verleden met MacKenzie vertelde, waarbij hij heel wat meer bijzonderheden verstrekte dan ik gedaan had, raakte Bagley ervan overtuigd dat ik ervaren was in het achterhouden van informatie, en er bovendien een gewoonte van maakte.

'Waarom hebt u me niet verteld dat u er niet in geslaagd was deze man bij de Iraakse autoriteiten aan te geven, mevrouw Burns? Of dat u pas de laatste twee weken enige informatie over uw gevangenschap hebt losgelaten?'

Ik speelde met de gedachte om te zeggen 'U vroeg er niet naar', maar ik bedacht dat hij niet in de stemming was voor luchthartigheid. 'Daar had ik de tijd niet voor. Ik heb geprobeerd om wat lege plekken op te vullen, maar u hebt voornamelijk vragen gesteld over wat er hier is gebeurd.' Ik keek hem recht aan. 'Ik had er natuurlijk op kunnen staan om over Bagdad te praten, maar zou u dat niet nog wantrouwiger gemaakt hebben?'

Hij wendde zijn blik niet af, maar een frons van verbijstering plooide zijn voorhoofd. 'Ik begrijp niets van u,' zei hij. 'Uit dokter Colemans beschrijving van de video heb ik begrepen dat die man u op een walgelijke manier misbruikt heeft... Alan Collins zegt dat u zo bang voor hem was dat u zijn identiteit niet hebt onthuld en bent ondergedoken... Mevrouw Derbyshire zegt dat u niet hebt gegeten en dat u al een week niet naar buiten bent geweest... Uw ouders liggen in het ziekenhuis... MacKenzie is nog steeds op vrije voeten... En toch zit u zo volkomen onaangedaan tegenover me.'

'Is dit een vraag?'

In weerwil van zichzelf glimlachte hij. 'Ja. Waarom bent u zo kalm?'

'Ik vrees dat een man dat niet kan begrijpen.'

'Geef me een kans.'

'In de eerste plaats zijn mijn ouders niet dood,' zei ik.

Er is niets geheimzinnigs aan hoe ze uiteindelijk allebei in hun flat in handen van MacKenzie zijn gevallen. Mijn vader heeft precies gedaan wat Jess al zei. Hij wilde MacKenzie in de val laten lopen en heeft zichzelf als lokaas gebruikt. Later kreeg hij net als ik een preek te horen over wraak en eigen rechter spelen, maar omdat pa zelf de meeste klappen opliep, hebben ze hem niet vervolgd, ondanks vraagtekens over de aanschaf van hout en spijkers op vrijdagochtend.

Hij was niet erg scheutig met de bijzonderheden van zijn plan – hij beweerde alleen dat het zijn bedoeling was om MacKenzie op te sluiten en dan de politie te bellen – en hij ontkende wetenschap van of verantwoordelijkheid voor de eigengemaakte boobytraps die in Barton House terecht waren gekomen. Natuurlijk wisten Jess en ik ook van niets, dus bleef MacKenzie over als de schuldige. In vertrouwen heb ik Alan verteld dat mijn vader ze gemaakt had en dat MacKenzie ze naar Barton House had meegenomen; maar niemand van ons voelde zich, gezien de wet, geroepen om dat hardop te zeggen.

Aanvankelijk kostte het mijn vader moeite om aan de Londense politie toe te geven dat zijn plan om een hinderlaag te leggen niet goed doordacht en nogal naïef was, maar onder druk van mijn moeder zong hij een toontje lager. Misschien was het wel een zegen dat hij alleen maar kon knikken, want als hij had kunnen spreken had het gedonderd. Het enige wat hij volmondig toegaf was dat als hij in gezelschap van een politieman de flat was binnengegaan, MacKenzie hem niet zo gemakkelijk had kunnen overmeesteren.

Het is niet duidelijk hoe lang MacKenzie daar is geweest – een paar uur wel, in aanmerking genomen dat hij het huis intensief heeft doorzocht – maar mijn vader was zich van geen gevaar bewust toen hij vrijdagavond binnenkwam. Het laatste wat hij zich kon herinneren was dat hij zich bukte om de post op te rapen; het volgende was dat hij hulpeloos vastgebonden in de woonkamer wakker werd. Hij zegt hier nog minder over dan over de gangsters van Mugabe, maar toen hij zestig uur later in het ziekenhuis arriveerde had hij vijf gebroken ribben, een ontzette kaak en zo veel blauwe plekken dat zijn huid overal paars was.

Mijn moeder zegt dat hij geweigerd heeft om MacKenzie ook maar iets te vertellen en dat hij zich waarschijnlijk dood had laten slaan en schoppen als zij zaterdagmiddag niet had besloten om zelf naar de flat terug te keren. 'Ik wist dat er iets mis was,' zei ze. 'Ik probeerde hem in de flat te bellen en op zijn mobiel, maar die gingen allebei direct over op de voicemail. Toen belde ik jou en gebeurde er hetzelfde.' Ze glimlachte nogal spijtig. 'Ik had je die morgen wel wat kunnen doen, Connie. Ik maakte me zo ongerust.'

'Het spijt me.'

Ze streelde mijn hand. 'Uiteindelijk had het niet beter kunnen lopen. Als je hád opgenomen... of als Jess mijn boodschap een beetje sneller had doorgegeven... dan zou je me hebben overgehaald om in het hotel te blijven. Hoe was het dan met je vader afgelopen?'

Slecht, dacht ik. Er zit een grens aan hoeveel pijn een mens kan verdragen, en de frustratie van MacKenzie zou uiteindelijk zijn dood hebben betekend. Mijn vader is een ouwe taaie – een harde ouwe taaie – maar hij heeft geluk gehad dat een van de gebroken ribben niet een long heeft doorboord. Ik vroeg mijn moeder waarom ze de politie niet heeft gebeld en in plaats daarvan zelf een reddingspoging heeft gewaagd. Ze zei dat ze dan te veel had moeten uitleggen.

'Heb jij ook nog een preek gekregen over eigen rechter spelen?' vroeg ik haar.

Ze schudde haar hoofd, haar ogen twinkelden. 'Ik barstte in tranen uit en heb gezegd hoe stom ik ben geweest... maar ik ben natuurlijk niet zo halsstarrig als jij en je vader.'

Hoewel haar intuïtie haar zei dat pa in de problemen zat, was ze toch geneigd om te denken dat er een rationele verklaring was waarom hij de telefoon niet opnam. Net als ik had ze bedacht dat hij iets te eten was gaan halen of weigerde op te nemen omdat hij haar nu eenmaal had gezegd om geen contact met hem op te nemen.

'Ik verwachtte de wind van voren te krijgen omdat ik me weer ergens mee bemoeide,' gaf ze toe, 'maar ik kon deze onzin niet door laten gaan. Je kon toch weten dat hij iets stoms zou doen toen je niet met hem wilde praten. Als een man als je vader zich wil bewijzen, kun je hem niet tegenhouden, Connie. En dat geldt ook voor jou. Zagen jullie maar eens in dat je druk maken over wat anderen denken een vorm van slavernij is.'

Haar vangnet in het geval van moeilijkheden – een beetje simplistisch naar bleek – was om de taxichauffeur te laten wachten terwijl ze naar binnen ging om geld te halen. Aangezien hij niet weg zou rijden voor hij betaald was, zou hij boven aankloppen als ze niet met geld terugkwam. 'Ik was net zo naïef als je vader,' zei ze. 'Ik had moeten bedenken dat het de chauffeur niets uitmaakte wie hem het geld gaf, áls hij het maar kreeg.'

MacKenzie moet vanuit het raam alles hebben gezien, want hij stond klaar achter de deur toen mam die openmaakte. Zodra ze met haar koffer over de drempel was, gooide hij de deur dicht en voor ze de woonkamer kon bereiken had hij haar mond al afgeplakt en haar polsen vastgetaped. Toen er werd aangeklopt en een boze stem om geld vroeg, legde hij haar rustig uit het zicht, pakte haar portemonnee uit haar tas en betaalde. 'Het is geen domme man,' zei ze met tegenzin. 'De meeste mensen zouden in paniek zijn geraakt.'

'Raakte jij in paniek?' vroeg ik haar.

'Pas toen ik je vader zag. Hij zag er vreselijk uit – zijn gezicht helemaal bont en blauw – zijn lichaam als een bal opgerold om zich te beschermen. Hij begon te huilen toen MacKenzie me op het tapijt naast hem gooide.' Ze schudde haar hoofd. 'Dat was het enige moment dat ik voelde dat ik niet terug had moeten komen. Arme jongen. Hij was kapot. Hij had zo zijn best gedaan om me te beschermen... en daar was ik.'

Ze had er geen wroeging over dat ze uit lijfsbehoud mijn adres had gegeven. 'Het zou waanzin zijn geweest om iets anders te doen,' zei ze. 'Zolang er leven is, is er hoop, en ik wist dat je je ongerust zou maken als je me niet in het hotel zou kunnen bereiken. Ik bad dat je die politievriend van je in Manchester zou bellen. Je vader was er niet gelukkig mee, maar...' ze streelde mijn hand weer, 'ik wist zeker dat je het zou begrijpen.'

Dat deed ik ook. En dat doe ik. Wat voor nachtmerries ik ook nog heb, ze zouden duizendmaal erger zijn als ik de dood van mijn ouders op mijn geweten had gehad. Mijn moeder dacht dat mijn vader er 'niet gelukkig' mee was omdat hij bang was om mij, maar zijn zorgen waren praktischer van aard. Hij was verbijsterd over haar naïeve aanname dat een man als MacKenzie zich aan zijn belofte zou houden om hen in leven te laten nadat ze hem de informatie had gegeven die hij wilde hebben.

Hij probeerde haar ervan af te brengen maar door zijn ontzette kaak had hij moeite met praten. En om hem verder de mond te snoeren pakte MacKenzie zijn hoofd compleet in met tape. Dat was nog een geluk bij een ongeluk omdat de pijn minder werd nu zijn kaak gesteund werd. Hij kwam de daaropvolgende twaalf uur aanmerkelijk comfortabeler door dan anders het geval was geweest. Het nadeel was dat mijn moeder nog bezorgder om hem werd, waardoor haar bereidheid om toe te geven toenam.

'Was je niet bang dat MacKenzie je toch zou doden?' vroeg ik haar.

'Natuurlijk... maar wat kon ik anders? Hij dreigde om je vader voor mijn ogen te wurgen als ik weigerde. Als ik jou verraadde was er althans nog een sprankje hoop... en helemaal niets als ik Brian liet zitten.' Enige twijfel deed haar haar wenkbrauwen fronsen. 'Dat zie je toch ook in, schat? Het was als een kaartspel... met jou als mijn enige troef. Ik moest je wel inzetten.'

Ik wist niet wat ik hierop moest zeggen. *Natuurlijk...? Maak je er niet druk over...? Ik zou hetzelfde gedaan hebben...?* Dat waren alleen maar dooddoeners die niets betekenden als ze die niet geloofde. 'Godzijdank had je genoeg vertrouwen in me,' zei ik onomwonden. 'Pa kan dat niet. Die ziet me nog steeds als dat kleine meisje met de vlechtjes die het op een gillen zet als ze een spin in de douche ziet.'

'Dat is alleen maar omdat hij van je houdt.'

'Dat weet ik.' We glimlachten elkaar toe. 'Hij was heel dapper, mam. Is ie weer helemaal het baasje? Dat zou je wel denken.'

Haar glimlach speelde om haar ogen. 'Jullie lijken zo veel op elkaar, jullie twee. Jullie denken allebei dat je alleen maar kunt winnen door geen zwakheid te tonen. Jullie zouden eens moeten bridgen met Geraldine Summers. Ik heb nog nooit iemand zo vaak met een hand van niets zien winnen.'

'Door te bluffen? Heb je dat met MacKenzie gedaan?'

'Ik kon niets doen tot hij de tape verwijderde omdat hij het wachtwoord wilde weten van je vaders laptop. Eerst heeft hij mijn koffer doorzocht. Ik zei hem dat hij jouw adres niet in de computer kon vinden maar ik stelde hem voor de e-mail te lezen die je aan Alan Collins gestuurd had. Ik hoopte dat hij zou beseffen hoe zinloos het zou zijn om een van ons te vermoorden.'

'Wat zei hij daarop?'

'Dat je een goede vergelijking had gekozen met het verhaal over de dodende straal en de Chinees. Doden heeft alleen zin als je er beter van wordt. Hij was niet erg spraakzaam – ik denk niet dat hij meer dan twintig zinnen heeft gezegd sinds het moment dat ik binnenkwam – en hij werd extreem geïrriteerd toen ik vroeg wat híj dacht te winnen met doden? Dat was het moment waarop hij zei dat hij je vader zou wurgen als ik hem niet vertelde wat hij wilde weten... en dat de blik op ons gezicht dan zijn winst zou zijn.' Ze schudde haar hoofd. 'En ik ben ervan overtuigd dat hij meende wat hij zei... ik weet zeker dat hij het daarom doet.'

Ik voelde het kippenvel op mijn armen verschijnen. 'Waarom heeft hij jullie dan niet vermoord?'

'Omdat jouw adres mijn troefkaart was, lieverd. Stel nou dat ik loog? Hij had geen enkel middel om dat te controleren tenzij hij je had gebeld – wat je gealarmeerd zou hebben – dus ik overreedde hem om mij voor de zekerheid mee te nemen. Dat was het enige wat ik had... en het betekende dat je vader en ik nog een paar uur in leven zouden blijven. Ik wist dat ik deze slag had binnengehaald toen hij de autosleutels tevoorschijn haalde en wilde weten waar de auto geparkeerd stond.' Plotseling lachte ze. 'Arme Brian! Ik weet niet wat hem meer tegenstond... mijn toegeven aan die schoft of dat de schoft in zijn dierbare BMW ging rijden.'

'Dat weet je verdomde goed,' zei ik streng. 'Hij was ziek van angst om jou.'

Mijn vader heeft het niet gehad over de uren dat hij op de vloer van de woonkamer lag, behalve dat het ergste moment was toen ik mijn boodschap insprak en hij niet kon opnemen. Ik weet dat hij zich het zwartste scenario voorstelde – dat doen we allemaal in situaties waar we geen greep op hebben – maar de zoektocht naar mijn moeder begon pas in de vroege uurtjes toen de politie de deur van de flat had opengebroken. Zij heeft het ook niet over die uren waarvan ze verscheidene in de kofferbak van de BMW heeft gelegen, maar tegen de tijd dat ze werd gevonden waren haar spieren zo verkrampt, dat ze haar morfine moesten toedienen voor ze haar rug en benen weer kon strekken.

'Pas op het moment dat het bieden begint, besef je hoeveel kaarten je hebt,' vervolgde ze. 'Die ellendeling moest me losmaken om met me naar de wagen te lopen, en de beloning voor de belofte dat ik niet probeerde te vluchten of anderszins de aandacht te trekken was dat we je vader levend achterlieten. Als hij me meteen in de kofferbak had kunnen stoppen, weet ik zeker dat hij terug was gegaan om je vader af te maken, maar...' weer een lach, 'ik ben nog nooit zo blij geweest met op straat parkeren. Je kunt een vrouw moeilijk molesteren als de helft van Kentish Town toekijkt.'

Veel meer kon ze niet vertellen. Ze herinnerde zich dat MacKenzie mijn vaders mobiel en verrekijker, samen met hun portemonnees, in een rugzak had gestopt die hij op de achterbank van de BMW had gegooid. Toen bond hij haar handen en voeten weer met tape vast en vertelde haar dat hij haar in de kofferbak zou leggen zodra ze buiten de bebouwde kom waren. Hij waarschuwde haar dat ze tot dan geen kik mocht geven of hij zou haar zo strak vastbinden dat ze geen adem meer zou krijgen. Pas nadat ze het Fleet-tankstation op de M3 voorbij waren, was hij van de snelweg een rustige landweg in geslagen en daar had hij haar naar de kofferbak overgebracht.

Hij moet de snelweg weer zijn opgegaan want mijn moeder herinnerde zich het constante geronk van verkeer maar ze raakte al snel ieder besef van tijd kwijt, net zoals mij in de kelder gebeurd was. Ze herinnerde zich nog een stop van tien minuten. Waarschijnlijk heeft hij toen zijn sms'je gestuurd, en haar laatste contact met hem was vijf minuten nadat hij de motor had uitgezet. Ze had zo lang in het donker gezeten dat toen de kofferbak plotseling werd geopend, ze haar ogen moest dichtknijpen tegen het daglicht.

'Hij verontschuldigde zich,' zei ze. 'Heel raar.'

'Voor het feit dat hij je opsloot?'

'Nee. Voor het feit dat als ik hem het juiste adres had gegeven, hij terug zou komen en de wagen met mij erin in brand zou steken.' Ze produceerde een verstikt lachje. 'Ik neem aan dat hij me angst wilde aanjagen maar weet je, ik was toen zo moe dat ik in slaap viel... en het volgende dat ik me kan herinneren is dat het

alarm als een gek tekeerging en een hele leuke politieman de kofferbak met een koevoet openbrak.'

Dat was allemaal gelogen. Ze kon onmogelijk geslapen hebben
met die kramp. Net zomin als mijn vader 'een redelijke nacht' had
gehad.

Van: Dan@Fry.ishma.iq
Verzonden: zondag 22 augustus 2004 17.18
Aan: connie.burns@uknet.com
Onderwerp: MacKenzie

Natuurlijk ben ik van streek omdat je me toen niets gezegd hebt. Ik ben niet van steen, Connie.

Wat denk je dat ik van plan was? Me beroepen op je contract en je dwingen het verhaal met alle ranzige details op te schrijven? Het zelf schrijven? Je verkopen aan de hoogste bieder? Ik dacht dat we elkaar konden vertrouwen, C. Ik dacht dat we van elkaar hielden... maar misschien kwam dat alleen van mijn kant. Jezus! Je kent me toch? Wanneer was ik er ooit niet voor je?

Goed, ik ben weer een beetje tot bedaren gekomen. Die eerste alinea schreef ik onmiddellijk nadat ik je e-mail had gelezen, nu drie uur geleden. Ik heb inmiddels de tijd gehad om na te denken. Ik besef dat ik niet redelijk ben. Toch heb ik besloten de alinea niet te wissen want ik wil je laten weten dat ik me écht gekwetst voel. Ik zou me niet anders hebben opgesteld als je me de waarheid wel had verteld... alleen had ik je dan nog meer in bescherming willen nemen. Als ik tussen de regels door lees vraag ik me af of dat het is waar je bang voor was? Ik weet zeker dat het geen toeval is dat de enige persoon die je naar je gevoel de laatste maanden kon vertrouwen, een vrouw was.

De nieuwsberichten geven weinig bijzonderheden. Ze noemen allemaal MacKenzie en beschrijven hem als extreem gevaarlijk en gezocht voor ondervraging in verband met ontvoering en moord in het Verenigd Koninkrijk, Sierra Leone en Bagdad. Maar over jou staat er niets. Is dat op je eigen verzoek? Of is dat op last van de politie omdat je nog steeds verhoord wordt?

Iets van je horen, liefst zo snel mogelijk, zou helpen, omdat ik al vragen moet afhandelen over mijn stuk over de Baycombe Groep, waarin ik MacKenzie/O'Connell noem in verband met paspoortfraude. Hoe weinig of hoeveel moet ik zeggen? Wil je dat bekend wordt dat MacKenzie je in die kelder gevangen hield? Of heb je om anonimiteit gevraagd onder de Britse verkrachtingswetgeving?

Oooh! Wat ben ik een verschrikkelijke boterletter geweest. Het blijft maar door mijn hoofd spoken dat ik je heb aangeraden om wat traantjes te plengen om sympathie te winnen. Dat spijt me zo, C. Wil je me nog zien als ik naar Engeland kom? Of heb ik alles verpest? Ik ben toe aan een tijdje verlof.

Liefs, Dan.

P.S. Het spijt me dat ik toch nog even de journalist moet uithangen, maar heb je nog wat over MacKenzie? Is hij nog ergens gesignaleerd? Of denk je dat hij het land heeft verlaten?

20

'EN DE TWEEDE REDEN?' VROEG ADJUDANT BAGLEY NADAT HIJ ME eraan had herinnerd dat ik gezegd had dat een man toch niet kon begrijpen waarom ik zo kalm was. 'U zei: "In de eerste plaats zijn mijn ouders niet dood." En verder?'

'Jess en Peter?' opperde ik. 'Ik zou in de verste verte niet kalm kunnen zijn als hen iets was overkomen.'

'Dat geldt voor iedereen. Waarom zou een man dat niet kunnen begrijpen?'

'Die begrijpt dat best. Maar met mijn gedachten over MacKenzie zal hij meer moeite hebben... Om te beginnen, ik dacht maar steeds, wat kléín is hij. Ik had hem zo lang voorgesteld als iets monsterlijks... het was vreemd erachter te komen dat hij niet meer was dan een smerig onderkruipsel. Dat wil niet zeggen dat hij niet angstaanjagend was... maar toen zag ik hem voor het eerst in perspectief en dat voelde goed aan.'

'Was?' herhaalde hij. 'Zag? Voelde? Is hij dood, mevrouw Burns?'

Deze weg hadden we al meerdere keren bewandeld. 'Ik zou niet weten hoe hij dood zou kunnen zijn,' zei ik. 'Ik wens dat misschien... ik zou erom kunnen bidden, maar toen ik hem voor het laatst zag, was hij in leven. Misschien kun je doodgaan aan gebroken vingers... maar dat lijkt me toch sterk.'

'Als dat het enige was dat hem mankeerde.'

Ik haalde mijn schouders op. 'Dat zei Peter althans.'

'U en mevrouw Derbyshire zijn dertig minuten alleen geweest met MacKenzie. Iemand kan in zo'n tijdspanne een hoop schade oplopen.'

'Maar waar is hij dan? Waarom hebt u hem dan niet gevonden?'

'Dat weet ik niet, mevrouw Burns. Dat probeer ik juist te ontdekken.'

Ik liet mijn irritatie de vrije loop. 'Als ik u nu wat vragen mag stellen? Wat is dat voor een politiemacht die een man zo gemakkelijk laat ontsnappen als MacKenzie blijkbaar heeft kunnen doen? Hij kan het huis niet lang voordat u arriveerde, hebben verlaten... maar pas na twee uur bent u begonnen de vallei uit te kammen. Tegen die tijd kon hij overal zijn... op een veerboot vanuit Weymouth... op een trein naar het vliegveld van Southampton. Hebt u daar navraag gedaan?'

Hij knikte ongeduldig, alsof de vraag geen antwoord verdiende. 'We zijn meer geïnteresseerd in uw vaders BMW, mevrouw Burns. Dat was het voor de hand liggende vervoermiddel. Die stond circa een kilometer verderop in het dal – hij had al lang en breed weg kunnen zijn voor iemand wist dat hij vermist werd – maar hij is niet naar de auto teruggegaan. Dat vind ik vreemd.'

'Ik ook.'

Bagley had er een hekel aan als ik het met hem eens was. Hij leek te denken dat ik dan met hem spotte. 'Misschien hebt u er een verklaring voor,' mompelde hij sarcastisch. 'U lijkt immers voor alles een verklaring te hebben.'

'Ik denk dat hij verdwaald is,' zei ik. 'Mij gebeurt dat de hele tijd... en ik ga er alleen bij daglicht uit. Het dal is groot. Als je niet meer weet waar je bent en het verkeerde voetpad neemt dan kom je bij de Ridgeway uit in plaats van bij het dorp. Ik neem aan dat u de leegstaande huizen in Winterbourne Barton hebt gecontroleerd? Misschien heeft hij zijn intrek genomen in een weekendhuisje, de provisiekast leeggegeten en daar naar de tv gekeken. Of misschien ging hij de andere kant op en is hij van een klif gevallen?'

Ongetwijfeld hadden Jess en ik een immens wantrouwen in hem losgemaakt. Hij wist dat we MacKenzie niet in een halfuur uit dit bestaan hadden kunnen wegtoveren, maar onze houding stond hem tegen. Ik was te vlot en Jess te zwijgzaam. Volgens Peter, die dat van een vriend bij de politie had gehoord, was zij niet toeschietelijker tegen hen dan ze normaal was.

Wat gebeurde toen u de keuken verliet, mevrouw Derbyshire? Ik werd besprongen. *Kunt u duidelijker zijn?* Nee. *Wist u wie u belager was?* Dat vermoedde ik. *Wie verwijderde uw kleren?* Hij. *Dacht u dat hij u ging verkrachten?* Ja. *Zelfs terwijl dokter Coleman en mevrouw Burns in huis waren?* Ja. *Heeft MacKenzie iets tegen u gezegd?* Nee. *Waarom denkt u dan dat hij u wilde verkrachten?* Hij trok mijn kleren uit. *Kunt u daar iets duidelijker over zijn?* Nee. *Was u van streek door de dood van uw hond?* Ja. *Wilde u vergelding voor Bertie?* Ja. *Wilde u wraak voor uzelf?* Ja. *Hebt u die genomen?* Nee. *Waarom niet?* Daar was geen tijd voor. *Maar anders had u wraak genomen?* Ja.

Onze ergste fout was kennelijk dat we niet bang genoeg waren. Aangezien MacKenzie op vrije voeten was hadden we de klok rond bewaking of onderbrenging in een bewaakt huis moeten eisen, maar dat deden we geen van beiden. Jess wilde de boerderij niet verlaten omdat Harry en de meisjes het bedrijf zonder haar niet draaiende konden houden. En met de zoekteams van de politie die de vallei afzochten had ik daadwerkelijke politiebescherming genoeg.

Merkwaardige dagen waren het. Hoewel Jess en ik nooit zijn gearresteerd of ergens van beschuldigd, werden we allebei als verdachten in een moordonderzoek behandeld. Mij werd verscheidene malen gevraagd of ik er geen advocaat bij wilde hebben, maar ik weigerde dat altijd op grond van het feit dat ik niets te verbergen had. Ik denk dat Jess hetzelfde deed. Lichtpuntje was dat de pers op afstand werd gehouden terwijl elk hoekje en gaatje van Winterbourne Valley werd uitgekamd. Ook hield de politie onze namen stil – inclusief die van Peter en die van mijn ouders – nadat Jess en ik een beroep hadden gedaan op het recht op anonimiteit vanwege de aard van de misdrijven jegens ons.

Ik mocht mijn moeder een kort bezoek brengen in het streekziekenhuis van Dorset voordat ze naar Londen werd overgebracht om in de buurt van mijn vader te kunnen zijn. Ook heb ik mijn vader over de telefoon gesproken. Vanwege zijn kaak was ik voornamelijk aan het woord, maar hij lachte een paar keer knorrend en hij leek ermee ingenomen toen ik voorstelde dat hij en mam bij mij zouden komen logeren zodra de ophef was weggeebd. Hij slaagde erin een paar verstaanbare zinnen uit te brengen.

'Hebben we gewonnen? Zijn de demonen dood?'

'Dood en begraven,' zei ik.

'Mooi.'

Misschien was het wel een zegen dat niemand van dit gesprekje getuige was, want het zou zeker verkeerd zijn uitgelegd. Net als mijn gesprek met Jess toen de politie eindelijk erkende dat wij niet de hand hadden gehad in de verdwijning van MacKenzie. We werden gewaarschuwd dat we meer verhoren konden verwachten als MacKenzie gearresteerd zou worden, maar in werkelijkheid betekende het groen licht om ons gewone leven weer op te pakken.

Ik had Jess niet meer gezien of gesproken sinds de vroege uren van zondagochtend. Er was geen officieel verbod op onderling contact, maar met de constante politieaanwezigheid in Barton House, voelden we ons er geen van beiden toe geroepen. De telefoonlijn was vrijwel direct gerepareerd, meer voor het gemak van de politie dan voor dat van mij, maar ik mocht in de slaapkamer aan de achterkant op mijn laptop werken toen ik uitlegde dat mijn baas in Bagdad een verklaring verdiende vóór de naam MacKenzie in het nieuws kwam.

Gedurende drie dagen waren die slaapkamer en de keuken de enige ruimten waar ik in mocht. Zelfs de badkamer was twee dagen afgesloten toen de zwanenhals uit elkaar werd gehaald voor forensisch onderzoek. Hetzelfde lot trof de gootsteen in de bijkeuken. Ik vroeg Bagley wat hij dacht te vinden aangezien door beide afvoeren bleekmiddel was gespoeld maar hij zei dat het routine was. Ik legde uit dat het voor mij ook routine was om regelmatig in bad te gaan en mijn kleren te wassen en met tegenzin gaf hij maandagmiddag opdracht om het sanitair weer aan te sluiten.

Op woensdagavond zag ik binnen een halfuur nadat Bagley was vertrokken de neus van Jess' Landrover de oprit op draaien. Ik weet nog dat ik me afvroeg hoe zij wist dat hij weg was en ik verdacht haar ervan dat ze op haar hurken op de hoge akker had gezeten met een verrekijker. Jess' geduld was onuitputtelijk, dat wist ik. Ze had meer dan honderd uur gefilmd om vijftien minuten van de capriolen van de wezels op video te zetten.

'Ik hoop dat u begrijpt waarom dit allemaal nodig was, mevrouw Burns,' zei Bagley toen hij wegging. Hij stak zijn hand verzoenend naar me uit.

Ik schudde de hand kort. 'Niet echt. Heeft het iets met plichtsbetrachting te maken? Worden politiemensen de benen onder de knie afgekapt als ze niet alles uitpluizen?'

'Als u het zo wilt zien.'

'Zo zie ik het inderdaad,' verzekerde ik hem. 'Peter vertelde me dat hij maar twee keer is verhoord... één keer om zijn lezing te geven... en de tweede keer om te bevestigen of te weerspreken wat Jess en ik hebben gezegd. Dat lijkt mij niet redelijk aangezien we alle drie getuige waren van een en hetzelfde misdrijf.'

'Wat er gebeurde voordat dokter Coleman vertrok is geen punt van discussie. Hoe MacKenzie zichzelf heeft bevrijd en daarna in het niets is verdwenen, interesseert ons.'

Ik haalde mijn schouders op. 'Misschien heeft hij dat geleerd tijdens zijn SAS-opleiding.'

'Ik dacht dat u geloofde dat de SAS-opleiding een verzinsel was?'

'Dat geloof ik ook,' beaamde ik. 'Maar dat wil niet zeggen dat ik het bij het rechte eind heb.'

Het was even stil voordat hij een kort lachje liet horen. 'Nou, dat is iets wat ik niet verwachtte ooit te horen.'

'Wat?'

'Mevrouw Burns die toegeeft dat ze er misschien naast zit.' Hij keek me even aan. 'Ik hoop dat u en mevrouw Derbyshire weten waar u mee bezig bent.'

Ik voelde een bekende hartslagversnelling. 'In welk opzicht?'

'Door hier te blijven,' zei hij licht verrast. 'Ik betwijfel of een van u beiden sterk genoeg is om het nog eens tegen MacKenzie op te nemen...'

Er zat iets enorm geruststellends in de stuurse manier waarop Jess de keuken binnenstampte en een uitpuilende tas op de tafel legde. 'Ik haat die klootzak,' zei ze.

'Welke?'

'Bagley. Weet je wat ik ten afscheid van hem te horen kreeg? "U

313

hebt in alles tegengewerkt, mevróúw Derbyshire..."' Ze vertrok haar mond in een Bagley-grijns. '"Maar dokter Coleman vertelde me dat het u aan communicatieve vaardigheden ontbreekt dus ik heb u het voordeel van de twijfel gegund." Maffe rukker. Ik zei hem dat-ie de pot op kon.'

'Peter?'

'Bagley.' Haar ogen glommen plotseling geamuseerd. 'Ik heb Peter even koud gezet. God weet wat hij tegen ze heeft gezegd, maar het heeft ons in ieder geval geen goed gedaan. Bagley denkt dat wij een stelletje amazones zijn. Heeft hij jou nog gevraagd naar je seksuele geaardheid?'

'Nee.'

'Dat zal ik dan wel te danken hebben aan de dorpsidioten,' zei ze zonder vijandigheid. 'Hij vroeg me of het erger voor een lesbienne was om uitgekleed te worden door een psychopaat. Wat zijn dat voor vragen?'

'Wat heb je geantwoord?'

'Dat hij op moest rotten.' Ze begon haar tas uit te pakken. 'Ik heb wat eten voor je meegenomen. Heb je wel behoorlijk gegeten?'

'Vooral sandwiches. De politie liet ze met pakken tegelijk bezorgen.'

'Champagne,' zei ze en ze haalde een fles Heidsieck tevoorschijn. 'Ik weet niet of-ie een beetje behoorlijk is... en ook gerookte zalm en kwarteleitjes. Dat is niet het soort eten dat ik doorgaans eet maar ik dacht dat je het lekker zou vinden. De rest komt van de boerderij.' Ze gaf me de fles. 'Ik neem aan dat je wel een feestje verdiend hebt.'

Ik kon een zenuwachtige blik over mijn schouder niet bedwingen. Wat zou Bagley hiervan vinden? vroeg ik me af.

Jess las mijn gedachten. 'Bertie verdient een toost,' zei ze en ze haalde een paar glazen uit de kast, 'én je ouders. Ik zie niet in waarom we niet aan hen zouden denken omdat Bagley een bepaald idee heeft. Kom op. Openmaken. Als jij er niet was geweest waren we allemaal vermoord.'

Zo zag ik het niet. 'Om te beginnen heb ik jullie allemaal in gevaar gebracht,' bracht ik naar voren. 'Als ik hier nooit was gekomen, zou dit allemaal niet zijn gebeurd.'

'Doe niet zo slap,' zei ze smalend. 'Dan kun je je vader ook wel verwijten dat hij terug is gegaan naar de flat... of Peter dat hij juist toen op kwam dagen... of mij dat ik de keuken uit liep. Je zou in de zevende hemel moeten zijn.'

'Blijf zo doorpraten en het gebeurt vanzelf,' zei ik wat vrolijker, terwijl ik aan het draadwerk van de fles peuterde. 'Het brengt me van mijn stuk dat je me volstopt met drank en complimenten, Jess.' Ik liet de kurk ploppen en schonk schuim in een van de glazen. 'Drink je mee?'

Ze keek ernaar alsof het een duivelsbrouwsel was. 'Waarom niet? Ik kan altijd nog naar huis lopen.'

'Wanneer heb je voor het laatst champagne gedronken?' zei ik terwijl ik me afvroeg hoe dronken ze ervan zou worden.

'Twaalf jaar geleden... op de verjaardag van mijn moeder.' Ze tikte haar glas tegen het mijne. 'Op Bertie,' zei ze. 'Een van de goeien. Ik heb hem op de hoge akker begraven onder een klein houten kruis met "Voor moed en ridderlijkheid" erop. En die klootzak van een Bagley heeft hem door zijn mannen op laten graven om te kijken of MacKenzie er misschien onder lag. Dat geloof je toch niet? Hij zei dat dat standaardprocedure was.'

'Op Bertie,' zei ik haar na, 'en een nare ziekte voor Bagley. Wat heb je toen tegen hem gezegd?'

Ze nam een voorzichtig nipje en leek verrast dat ze niet onmiddellijk dood neerviel. 'Ik heb hem een grafschenner genoemd. Peter was erbij toen ze het deden en hij gaf Bagley onder uit de zak... Vroeg hem steeds hoe ik dan wel ongezien het lichaam van MacKenzie uit Barton House had kunnen smokkelen. Ik denk niet dat hij daarvóór heeft beseft wat een enorme valkuil hij voor ons gegraven heeft. Je weet dat hij ons gesprek heeft herhaald over het afhakken van MacKenzies lul? Ik heb meer vragen over castratie gekregen dan over iets anders.'

Ik keek haar over de rand van mijn glas nadenkend aan. 'De mijne gingen allemaal over manipulatie en zelfbeheersing. Peter heeft tegen ze gezegd dat ik wist wat ik deed... zelfs dat ik jouw honden commando's heb gegeven.'

Voor de eerste keer verdedigde Jess hem. 'Hij bedoelde: ere wie ere toekomt. Dat werkte finaal in ons nadeel, maar hij bedoelde het goed.'

'Wat hebben ze hem verteld dat wíj hebben gezegd?'

Ze wierp me een geamuseerde blik toe. 'Mannen staan alleen maar in de weg.'

'Dat heeft hij niet van mij gehoord. Ik kan het misschien gedacht hebben, maar ik heb dat niet gezegd.'

Ze knikte. 'Peter citeerde Bagley die mij weer citeerde. Ik heb iets gezegd als "Mannen zijn waardeloos in crisissituaties" maar Bagley heeft dat uitgemolken voor wat het waard was. Heb jij Peter ervan beschuldigd dat hij MacKenzie heeft losgemaakt?'

'Niet precies. Ik heb gevraagd waarom hij geen derdegraadsverhoor kreeg terwijl hij dezelfde mogelijkheden had als jij en ik.'

'Het werd als een keiharde beschuldiging gepresenteerd. Volgens Bagley heb je je uiterste best gedaan om Peter zwart te maken en was het alleen mijn getuigenis over het tijdsverloop die Peter ontlastte.'

Ik nam een slok champagne. 'Vindt Peter dat heel vervelend?'

Jess haalde haar schouders op. 'Ik weet het niet. Hij doet een beetje raar op het ogenblik.' Ze veranderde van onderwerp. 'Madeleine heeft hem gebeld en gezegd dat ze morgen komt. Ze had iemand in het dorp gesproken die haar vertelde dat MacKenzie achter jou aan zat, omdat jij hem van vroeger kende. Nu wil ze degene spreken die de leiding over het onderzoek heeft.'

'Waarom?'

Jess haalde haar schouders op. 'Misschien denkt ze dat ze er een slaatje uit kan slaan.'

'Hoe dan?'

'Kassajournalistiek.' Ze wreef duim en wijsvinger tegen elkaar. 'Je bent weer in het nieuws – of dat ben je als je anonimiteit naar god gaat. Ze verkoopt je verhaal als de wiedeweerga als Bagley het haar vertelt. Ze probeerde Peter telefonisch uit te horen over alles wat hij wist. Wie was MacKenzie? Waar heb jij hem ontmoet? Ze zei dat ze gelezen had dat hij in Irak gezocht werd wegens ontvoering... en toen was het niet moeilijk om een en een bij elkaar op te tellen.'

'Wat heeft Peter gezegd?'

'Dat hem te verstaan is gegeven zijn mond te houden, omdat hij anders een toekomstig proces in de waagschaal kan stellen.' Ze

316

pakte haar glas op en bestudeerde het. 'Hij zegt dat Bagley haar ongetwijfeld het een en ander gaat vertellen... al was het alleen maar om informatie van haar los te krijgen.'

'Wat voor informatie?'

'Van alles. Je moet niet vergeten dat Madeleine hier meer dan twintig jaar heeft gewoond. Ik weet zeker dat hij haar zal vragen of ze enig idee heeft waar MacKenzie naartoe gegaan kan zijn. Dat is het enige wat Bagley interesseert.'

Misschien hakte de champagne er bij mij na vier dagen onthouding net zo hard in als bij Jess na twaalf jaar, omdat mijn eerste ingeving was om te lachen. 'Heb je enig idee hoe woest het me maakt als Madeleine zich hierin wringt? Mensen gaan nog denken dat we vriendinnen zijn.'

Jess grijnsde. Ik had haar nog nooit zo breed zien lachen. 'Ze vertelde Peter dat ze eerst hiernaartoe komt om te zien hoeveel schade er is aangericht. Wil je mijn troefkaart uitspelen?'

Het leek wel of ik mijn moeder hoorde. Was bridge een metafoor voor het leven? 'Welke? Jij hebt er zo veel. Jullie zijn nichtjes... Lily... Peter... Nathaniel... Waar hecht zij het meest aan?'

Jess tikte met haar voet op de tegelvloer. 'Barton House,' zei ze. 'Lily heeft haar testament veranderd in dezelfde tijd dat ze de volmacht op haar notaris overzette. Ze heeft hem complete vrijheid van handelen gegeven om met haar bezittingen haar verblijf in een verpleegtehuis te kunnen betalen. Maar als bij haar dood Barton House nog steeds in haar bezit is, gaat het huis naar mij.'

Ik keek haar stomverbaasd aan. 'Maar wat krijgt Madeleine dan?'

'Wat er aan geld overblijft nadat alle rekeningen zijn voldaan.'

'Ik dacht dat je zei dat er geen geld was.'

'Dat is er ook niet, maar als de notaris het huis verkoopt en het kapitaal investeert, is het er wel. Barton House is nu anderhalf miljoen pond waard, en zodra het omgezet wordt in contanten maakt het deel uit van Madeleines erfenis en niet van die van mij.'

'God!' Ik nam een slok alcohol om mijn hersens te smeren. 'Maar waarom houdt ze de verkoop dan tegen?'

'Omdat ze niet weet dat het testament is veranderd. Dat zouden we eigenlijk geen van beiden mogen weten. Alleen heeft Lily het mij verteld omdat ze dacht dat ik mijn grootmoeder was. Ze zei dat Madeleine zou winnen of verliezen, afhankelijk van hoe hebzuchtig ze was... en als het huis bij mij terechtkwam, ook goed.' Jess trok aan haar pony. 'Ik zei je toch dat het een puinhoop was,' zei ze spijtig. 'Ik heb geprobeerd om Lily om te praten, maar toen was het al te laat. Vijf minuten later wist ze al niet meer waar ik het over had.'

'Weet je zeker dat het geen verzinseltje van haar was? Misschien was het een fantasietestament... iets dat ze heeft willen doen, maar nooit gedaan heeft.'

'Dat denk ik niet. Ik heb de notaris gebeld en gezegd dat, als het waar was, ik er niets mee te maken wilde hebben, maar in plaats van het te ontkennen – wat hij had kunnen doen – zei hij dat ik het op moest nemen met Lily.'

'Heb je hem niet verteld dat ze compleet gaga was?'

Ze zuchtte. 'Nee. Ik was bang dat hij meteen hier zou komen om de boel over te nemen, en dat het testament dan helemaal muurvast zou liggen. Ik dacht dat als ik wegbleef Lily misschien wat heldere dagen zou hebben en Madeleine weer bij haar in de gunst zou komen. Ik heb die stomme trut zelfs geschreven en haar verteld dat ik ruzie had met haar moeder... maar ze heeft daar niet op gereageerd. Het spoorde haar alleen maar aan het arme oude mens nog verder te verwaarlozen. Ze wilde haar echt dood hebben, weet je.'

Ik vroeg me af waarom ze dacht dat ik overtuigd moest worden. Er moest heel wat gebeuren voordat ik Jess niet op haar woord geloofde. Je kijkt niet eerst samen met iemand de dood in de ogen om haar daarna te gaan wantrouwen. 'Waarom wil je het huis niet hebben?' vroeg ik nieuwsgierig. 'Het is wel een paar duiten waard. Je zou het kunnen verkopen en meer land kunnen kopen.'

Weer schudde ze haar hoofd. 'Meer kan ik helemaal niet aan. Hoe dan ook, Madeleine gaat het testament natuurlijk aanvechten... en in wat voor hel kom ik dan terecht? Ik verdom het om een DNA-test te doen om te bewijzen dat ik familie van haar ben. Ik wil niet eens dat dat bekend wordt.'

'Heb je het aan Peter verteld?'

Ze schudde haar hoofd. 'Ik heb het aan niemand verteld.'

'Ook niet aan Nathaniel?'

Ze nam nog een slok champagne, maar ik kon niet zien of haar walging de drank betrof of Madeleines echtgenoot. 'Nee, maar ik denk dat hij het geraden heeft. Toen ik hem vertelde over de volmacht, vroeg hij steeds of het testament ook veranderd was. Ik zei dat ik dat niet wist...' Geïrriteerd onderbrak ze zichzelf. 'Ik vond hem ontzettend lastig, die avond... hij zei dat ik hem een tweede kans verschuldigd was omdat hij me gesteund had na de dood van mijn familie. Geweldige grap, niet?'

Ik was geneigd om te vragen: Waarom juist die avond in het bijzonder? Ik zou Nathaniel Harrison elke avond lastig gevonden hebben. In plaats daarvan zei ik: 'Was dit voor of na je brief aan Madeleine?'

'Erna.'

'Dan durf ik te wedden dat zij hem ertoe aangezet heeft... of nog waarschijnlijker, met hem mee is gekomen. Misschien zijn ze eerst naar Lily gegaan en hebben ze er geen zinnig woord uitgekregen en vervolgens heeft Nathaniel het bij jou geprobeerd. Je gelooft elk woord dat hij zegt, Jess, maar – kom nou – wat is het voor een man die een oude vrouw achterlaat om dood te vriezen alleen maar omdat hij boos was op haar? Op zijn minst moet hij de volgende dag nog eens nagedacht hebben en jou of Peter hebben gebeld om te kijken of alles in orde was.'

'Dat weet ik wel,' beaamde ze, 'en ik probeer hem niet te verdedigen, maar stel dat hij Madeleine verteld heeft over de volmacht, waarom heeft ze er dan niets aan proberen te doen?'

'Misschien heeft ze dat wel gedaan. Misschien hebben zij en Nathaniel Lily met hel en verdoemenis gedreigd om haar van gedachten te doen veranderen. Als je een oude vrouw wilt dwingen om te doen wat je wilt, is het uitschakelen van haar warmtebron een goed begin.' Ik zweeg even. 'Ik heb er veel over nagedacht de afgelopen dagen, Jess, en hoe je het ook wendt of keert, ik ben ervan overtuigd dat Madeleine weet dat er een relatie tussen jullie bestaat. Ze overdrijft als ze het over jouw familie heeft. Als jullie het syndroom van Down niet hebben, bedienden of syfilislijders zijn, blijven jullie huurders met slechte genen die jong sterven.'

'Dat heeft ze allemaal van Lily.'

'En de rest ook,' zei ik langzaam. 'Misschien voelde Lily zich eenzaam toen haar man stierf en wilde ze een verzoening met haar broer... en maakte ze de vergissing te denken dat haar dochter hetzelfde zou voelen. Misschien was daar die toelage voor... compensatie omdat ze familiebanden had met het plebs.'

Jess keek me vernietigend aan.

'Zo ziet Madeleine jou. En Lily ook, als je eerlijk bent.'

'Dat weet ik.' Ze keek terug in een naargeestige tijdstunnel. 'Ze behandelde mijn vader als een stuk vuil totdat Robert stierf, toen kon ze niet bij hem vandaan blijven. Doe dit, doe dat... en hij deed het ook nog. Ik kan me herinneren dat ik tegen hem zei dat hij niet zo gênant moest doen. Dat was de enige keer dat hij tegen me geschreeuwd heeft.'

'Wat zei hij dan?'

Haar ogen vernauwden zich bij de herinnering. 'Dat hij een dergelijke opmerking van Madeleine had verwacht, niet van mij. God! Denk je dat hij dat heeft moeten verdragen – een schreeuwende en gillende Madeleine die zei dat ze zich voor hem geneerde? Arme ouwe pa. Hij zou niet hebben geweten wat hij moest doen. Hij had een hekel aan ruzie.'

'Wist hij dat Lily jou heeft gevraagd om die foto te nemen?'

Ze knikte. 'Hij heeft er bij me op aangedrongen het te doen; hij zei dat het aardig zou zijn. Lily was een keer op de boerderij en heeft toen wat van mijn werk gezien. Ze vroeg of ik een foto van Madeleine wilde maken voordat ze naar Londen zou vertrekken. Ze wilde een portretfoto – zo'n plaat die studio's maken...' Jess' toon was minachtend, 'maar ik zei dat ik het alleen deed met de zee als achtergrond.' Ze verviel in zwijgen.

'En?'

Jess haalde haar schouders op. 'Madeleine keek het grootste gedeelte van de tijd of boos of onnozel – alle andere negatieven waren waardeloos – maar die ene kwam er goed uit. Het is raar. Ik begon met aardig tegen haar te doen, maar pas toen ik haar vertelde wat ik werkelijk van haar vond, draaide ze zich om en schonk me die glimlach.'

'Misschien beschouwde ze het als een bewijs dat je niet wist dat je familie van haar was. Dat zou haar doen glimlachen, niet?' Ik trok mijn wenkbrauwen vragend op. 'Ze was waarschijnlijk doodsbenauwd zolang je aardig deed... vooral als dat niet je normale manier van doen was.'

Jess fronste kwaad haar wenkbrauwen. 'Dan is ze zelfs nog stommer dan ik dacht. Waarom zou ik willen toegeven dat ik een talentloze del als nichtje had?'

Ik verborg een glimlach. 'Daar hoef je dus geen last meer van te hebben. Ga verder met je leven. Laat haar maar.'

'Zou jij dat dan doen?'

'Nee.'

'Wat zou jij doen?'

'Haar dwingen om elk beetje laster dat ze ooit over mij en mijn familie verspreid heeft terug te nemen, en voor de rest kan ze de tering krijgen.' Ik proostte met mijn glas naar haar. 'Persoonlijk zie ik niet in wat het uitmaakt of je een Wright of een Derbyshire bent – voor mij ben je Jess, een uniek individu – maar als de naam Derbyshire iets voor je betekent moet je ervoor vechten.'

'Maar hoe dan?' vroeg ze. 'Zo gauw ik toegeef dat ik een Wright ben, houden de Derbyshires op met bestaan.'

Ik weet niet of het nu wel of niet goed was dat ik mij niet in dit gezichtspunt kon verplaatsen. Ik leefde niet genoeg mee met haar verwarring, dat is zo, maar ik ben nooit op het etiket afgegaan om te weten wat er in het pakje zit. 'Als je wilt muggenziften, Jess: ze hielden op met bestaan op het moment dat je vader werd geboren. Het laatste overlevende lid was je overgrootvader, een alcoholische afperser die de kans schoon zag om wat land in handen te krijgen. Dat was waarschijnlijk het meest effectieve dat een Derbyshire ooit heeft gedaan, maar ik verzeker je dat de boerderij nu een woestenij zou zijn geweest als je vader geen deel had uitgemaakt van de overeenkomst.'

Ze staarde ongelukkig op haar handen. 'Dat is erger dan alles wat Madeleine ooit heeft gezegd.'

'Alleen zijn de Wrights geen haar beter,' vervolgde ik. 'De enige die wat initiatief had was die oude jongen die het huis en de vallei heeft gekocht, maar zijn nakomelingen waren een waardeloze zootje – lui... geldbelust... egotistisch. Door enig toeval, waarschijnlijk omdat de genen van je grootmoeder zo sterk waren, heeft je vader deze eigenschappen niet geërfd – en jij ook niet – maar Madeleine heeft ze volop.'

'En? Dat maakt me nog steeds geen Derbyshire.'

'Maar het is een goede naam, Jess. Je grootmoeder, vader en moeder waren er gelukkig mee... je broer en zusje ook naar ik aanneem. Ik begrijp niet waarom je zo onwillig bent om ervoor te vechten.'

Ze wreef verward over haar voorhoofd. 'Ik ben er gelukkig mee. Daarom wil ik niet dat dit allemaal bekend wordt.'

'Dat zal niet gebeuren,' zei ik, 'althans niet als je het tussen jou en Madeleine houdt.'

Ze keek nog ongelukkiger. 'Je bedoelt dat ik haar moet chanteren?'

'Waarom niet? Dat pakte de vorige keer ook goed uit voor de Derbyshires.'

21

IK MOET ZEGGEN DAT IK MADELEINES TALENT VOOR DUBBEL-hartigheid bewonderde. De volgende ochtend om elf uur verscheen ze met een bezorgde glimlach op haar gezicht. Ze zei dat ze net bij Peter vandaan kwam, die haar verteld had van de afschuwelijke gebeurtenissen van het vorige weekend. Ze zag er koel en knap uit in een witkatoenen nauwsluitend bloesje en wijde rok. Inderdaad, dacht ik, ze levert het beste bewijs voor mijn moeders stelling dat je een boek niet op de omslag moet beoordelen.

'Ik had er geen idee van dat jij en Barton House erbij betrokken waren totdat ik Peter had gesproken,' zei ze overtuigend oprecht. 'De kranten hadden het over Dorset, maar lieten in het midden waar precies. Wat moet je bang geweest zijn, Connie. Deze man klinkt gruwelijk gewelddadig.'

Ze gebruikte mijn naam met een terloops gemak, hoewel ze nog maar enkele dagen daarvoor een boodschap voor me had achtergelaten waarin ze me Marianne noemde. 'Kom binnen,' zei ik uitnodigend en ik trok de deur wijd open. 'Wat leuk je te zien.' Ze had niet het alleenrecht op dubbelhartigheid.

Haar ogen gleden heen en weer, op zoek naar iets ongebruikelijks, en dat vond ze onmiddellijk. Ondanks de inspanningen van een professionele schoonmaker, ingebracht door de politie, en verdere pogingen van Jess en mij de avond ervoor, hadden de bloedvlekken op de ongelakte plavuizen en op het poreuze jarenvijftigbehang niet willen verdwijnen. Ze hadden nu meer de kleur van modder dan van versvergoten hemoglobine, maar je had er niet veel fantasie voor nodig om te weten wat het was.

Madeleine sloeg haar handen voor haar mond en slaakte een kreetje. 'O, grote goedheid!' piepte ze. 'Wat is hier gebeurd?'

Het was een meisjesachtige reactie – zoals slechte actrices dat doen – maar het klonk echt genoeg om me ervan te overtuigen dat Peter niet al te veel had losgelaten. Als hij al iets had losgelaten. Jess was er de vorige avond zeker van geweest dat als Peter partij moest kiezen, hij haar en mij boven Madeleine zou verkiezen, maar daar was ik niet bij voorbaat van overtuigd. In mijn ervaring leed hij aan verbale diarree zodra Madeleine in de buurt was.

Ik nam haar mee naar de groene deur. 'Heeft Peter je dat dan niet verteld?' vroeg ik verbaasd. 'Helemaal niets voor hem.'

'Is het bloed?' vroeg ze, terwijl haar hakken op de tegels achter me klikten. 'Is hier iemand doodgegaan?'

Ik schudde mijn hoofd, duwde de deur open en liet haar erdoor. 'Zo dramatisch was het niet. De honden van Jess hebben gevochten en een van hen is gewond geraakt. Het ziet er erger uit dan het is.' Ik leidde haar door de gang. 'Wil je een kopje koffie?' vroeg ik en ik trok een stoel dichterbij. 'Of heb je al genoeg cafeïne binnen na Peters espresso's?'

Ze negeerde me en wees nogal wild naar de hal. 'Dat kan zo niet blijven,' protesteerde ze. 'Wat moeten potentiële huurders daar wel niet van denken?'

Ik ging bij het aanrecht staan. 'Ze hebben me verteld dat de tegels weer prima worden zodra de bovenste laag eraf is gestraald,' zei ik en ik stak demonstratief een sigaret op. 'Ik zorg dat dat voor mijn vertrek gedaan wordt.'

'En de muren?'

'Die ook.'

Ze keek wantrouwig de keuken door en ik vroeg me af of ze het vage gezoem opmerkte dat uit de bijkeuken kwam, of de twee stoffen lussen zag die aan de stang van de Aga hingen. 'Waar vochten die honden om?'

Ik haalde mijn schouders op. 'Waar honden altijd om vechten. Ik ben bang dat ik daar geen deskundige in ben. Moet ik dezelfde kleuren aanhouden of denk je dat je moeders notaris iets anders wil?'

'Nee, ik…' Ze zweeg plotseling. 'Gebeurde dit terwijl die man hier was?'

'Heeft Peter dat dan niet verteld?'

Ze vouwde zichzelf in de stoel, waarbij ze haar tas op de vloer tussen haar voeten zette. 'Niet tot in de details. Ik denk dat hij me het ergste wilde besparen.'

'Waarom?'

'Waarschijnlijk omdat hij me niet ongerust wilde maken.'

'Op die manier.'

Ze had moeite met korte antwoorden. In haar wereld speelde men het spel mee en was iedereen bereid om zijn of haar eigen kleine stukjes roddel bij te dragen. Ze dwong zichzelf te glimlachen. 'Peter is zo lief. Hij heeft me zo min mogelijk verteld, om me niet ongerust te maken, maar eigenlijk wil ik liever alle details weten. Het is tenslotte mijn huis.'

'O nee toch,' mompelde ik, terwijl ik as in de gootsteen tipte, wat haar gezicht onmiddellijk afkeurend deed vertrekken, 'dan heb ik de politie verkeerd ingelicht. Ik heb ze gezegd dat het huis van je moeder was. Ik geloof dat Peter dat ook gedaan heeft. Hij heeft ze zelfs de naam van de notaris gegeven… die ene die gevolmachtigd is.'

Ze hield haar glimlach vast. Nog net. 'Het is het familiehuis.'

Ik knikte. 'Dat heb je vorige keer al gezegd.'

Ze opende haar mond alsof ze wilde zeggen: 'Nou dan,' maar ze leek zich te bedenken. 'De kranten schreven dat die man – MacKenzie – drie mensen gegijzeld heeft gehouden en toen ontsnapt is vóór de politie arriveerde. Was Jess een van die drie? Je zei dat haar honden hier waren.'

'Ik zei dat ze aan het vechten waren geweest,' corrigeerde ik haar zachtaardig.

'Terwijl MacKenzie hier was?'

'Daar zijn de mastiffs van Jess te goede waakhonden voor.'

Haar ongeduld begon de overhand te krijgen. 'Maar wie wás hier dan? Je begrijpt toch wel dat ik het heel verontrustend vind dat iemand zo gemakkelijk kon inbreken terwijl er drie mensen op het terrein aanwezig waren. Heeft iemand hem binnengelaten? Wat wilde hij? Was hij op zoek naar iets in het huis?'

'Waarom vraag je dat niet aan de notaris van je moeder,' stelde ik voor. 'Ik weet zeker dat hij je helemaal gerust kan stellen. Of de politie. Ik kan je de naam van de rechercheur geven die het onderzoek leidt.'

'Die heb ik al,' snauwde ze. 'Ik heb gevraagd of ik hem vanmiddag kan spreken.'

'Dan is er toch geen probleem,' zei ik. 'Dan vertelt hij je alles wat hij kan vertellen.'

Ze keek me even aan. Ze probeerde in te schatten of ze met verder vragen enige vooruitgang zou kunnen boeken, en reikte toen met een schouderophalen naar haar tas. 'Je zou zeggen dat de kroonjuwelen zijn gestolen als je ziet hoe iedereen reageert.'

'Op dat punt kan ik je gelukkig geruststellen,' zei ik met een lachje. 'MacKenzie dacht niet dat er iets de moeite waard was om te stelen... dus de schilderijen van je echtgenoot hangen er allemaal nog.'

Ze wierp me een blik vol afkeer toe. 'Misschien had hij het voorzien op mijn moeders antiek. Misschien wist hij niet dat ze weg was.'

'Dat was aanvankelijk ook het idee van adjudant Bagley,' beaamde ik, 'daarom wilde hij een lijst met zaken die me als ongebruikelijk voorkwamen toen ik hier introk. Ik zei dat er een paar dingetjes waren... maar dat ik niet dacht dat ze iets te maken hadden met de gebeurtenissen van zaterdag.'

Madeleine verstijfde. Heel even maar, maar lang genoeg voor mij om het te zien. 'Zoals?'

Ik blies een rookkringetje naar het plafond. 'Het water was afgesloten.'

Het was een gok, net als de gokjes die ik gemaakt had over MacKenzies moeder, maar zoals ik tegen Jess de avond ervoor had gezegd, waarom zou je je beperken tot het uitzetten van de Aga? Waarom het water niet? Ik kon het maar niet uit mijn hoofd zetten dat Jess Lily naast de vijver had gevonden. Had ze zich misschien herinnerd dat er een put was onder de houtblokken in de houtopslag? Wat deed ze buiten om elf uur 's avonds? En waarom drong ze andermans huizen binnen om haar tanden te poetsen en een kop thee te drinken?

'Dat heb ik niet gedaan,' zei Madeleine plotseling, en ze rommelde in haar tas zodat ze me niet aan hoefde te kijken. 'Dat moet de makelaar gedaan hebben. De hoofdkraan zit onder de gootsteen. Je hoefde hem alleen maar open te draaien.'

'Ik bedoelde niet dat hij dichtgedraaid was toen ik kwam,' zei ik tegen haar. 'De kranen in de keuken deden het prima. Het probleem zat boven. Er zat zo veel lucht in de buizen naar de badkamer dat ze allemaal bonkten. Ik schrok me er wild van.'

'Het is een oud huis,' zei ze voorzichtig. 'Mammie klaagde altijd over de leidingen.'

'Omdat ik me zo ongerust maakte heb ik er een loodgieter bij gehaald en het eerste wat hij deed was naar de hoofdkraan kijken. Volgens hem komt er lucht in het systeem als de hoofdkraan wordt afgesloten en iemand de kranen maar blijft proberen omdat hij niet begrijpt waarom er niets uit komt. Beneden raakt het water op en de lege buizen boven worden gevuld met lucht. Hij zei dat het alleen kan zijn gebeurd toen iemand hier woonde... en dat moet je moeder zijn geweest omdat het huis leegstond toen ik erin kwam.'

Ze haalde een papieren zakdoekje uit haar tas en duwde dat tegen haar neus. 'Ik weet helemaal niets van het waterleidingsysteem. Het enige wat ik weet is dat mammie zei dat de buizen altijd bonkten.'

Ik zette zwaar in op het feit dat ze niets van het waterleidingsysteem wist. Of van enig ander systeem. Mijn 'dingetjes' had ik dankzij Jess. 'Vraag Madeleine ook eens naar de elektriciteit,' had ze gezegd. 'De avond dat ik Lily vond was het huis in duisternis gehuld en ik kon de buitenlichten niet aan krijgen. Dat is de voornaamste reden dat ik haar meenam naar de boerderij. Ik wilde geen tijd verknoeien aan uitzoeken welke stoppen er doorgeslagen waren. De volgende dag werkte alles prima en ik was het al weer bijna helemaal vergeten.'

'Wat ook ongebruikelijk was,' vervolgde ik, 'was dat nogal wat stoppen uit de stoppenkast waren gedraaid. Als Jess er niet was geweest, had ik mijn eerste avond in het donker gezeten omdat geen van de lichten in de slaapkamers het deed. Pas toen ze naar de stoppenkast keek, ontdekten we waarom. Ze lagen naast elkaar boven op de kast, en zodra ze weer ingedraaid waren deden de lichten het weer.'

Madeleine speelde met haar zakdoekje.

'Heb jij enig idee wie dat gedaan kan hebben? De politie vroeg zich af of een elektricien bezig was geweest. Maar als dat zo is, hoe is hij dan binnengekomen? Ze willen graag weten wie in de afgelopen zes tot negen maanden toegang tot het huis had. Ze vragen zich af of je moeder hem misschien binnen heeft gelaten... maar waarom zou hij haar in het donker hebben achtergelaten?'

Ze schudde haar hoofd.

'Wat echt vreemd is,' zei ik en ik reikte naar de gootsteen om de kraan aan te zetten om mijn peuk onder de straal te houden, 'is dat het ventiel op de olietank was dichtgedraaid maar dat de meter aangaf dat de tank nog vol was. En dat is onbegrijpelijk, want Burtons laatste levering was tegen eind november... en je moeder ging pas in de derde week van januari naar het verpleegtehuis. Dat betekent dat ze geen warm water had of kon koken in de laatste twee maanden dat ze hier woonde.' Ik zweeg even. 'Maar hoe kan dat gebeurd zijn zonder dat jij ervan wist? Heb jij haar in die periode dan niet opgezocht?'

Madeleine vond haar stem eindelijk weer terug. 'Dat ging niet,' zei ze nogal kortaangebonden, alsof het kritiek was die ze al eerder had gehoord. 'Mijn zoontje was ziek en ik hielp Nathaniel bij het voorbereiden van een expositie. Hoe dan ook, Peter kwam geregeld langs dus ik verwachtte van hem wel te horen als er iets mis was.'

'Maar niet van Jess,' zei ik zakelijk. 'Zij had je al geschreven om je te vertellen dat ze Lily niet langer hielp.'

'Dat kan ik me niet herinneren.'

'Vast wel,' zei ik en ik haalde een kopie van Jess' brief uit mijn zak. 'Wil je zelf zien wat ze heeft geschreven? Nee? Dan lees ik het wel voor.' Ik koos een passage uit. '"Wat hiervoor ook voorgevallen is, Madeleine, je moeder heeft je hulp nu nodig. Alsjeblieft, verwaarloos haar niet langer. Om een aantal redenen kan ik haar niet meer bezoeken, maar het is in jouw belang om hiernaartoe te komen en de nodige zorg voor haar te regelen. Zonder hulp kan ze niet alleen in Barton House blijven. Ze is veel erger in de war dan Peter beseft maar als je hem of iemand anders over haar verstandelijke vermogens laat beslissen, zul je daar spijt van krijgen.'" Ik keek op. 'En dit was allemaal waar, niet?'

Ze verdedigde zich niet langer, maar koos de aanval. 'En waarom zou ik dat geloven als mammies huisarts het tegenovergestelde beweerde? Als je Jess beter zou kennen, zou je weten dat stoken haar favoriete bezigheid is... vooral tussen mijn moeder en mij. Ik geloofde Peter eerder dan haar.'

Ik toonde me verrast. 'Maar Nathaniel en jij zijn hiernaartoe gereden zodra jullie die brief ontvingen... dus je moet er wel enig geloof aan hebben gehecht.'

Een korte aarzeling. 'Dat is niet zo.'

Ik ging door alsof ze niets had gezegd. 'Je stuurde Nathaniel om erachter te komen wat Jess met "spijt krijgen" bedoelde terwijl jij hier bleef en dat uit je moeder probeerde te krijgen. Heeft ze het je verteld? Of moest je wachten tot Nathaniel terugkwam met het slechte nieuws over die volmacht?'

Ik zag hoe haar mond een dunne streep werd. 'Ik heb geen idee waar je het over hebt. De eerste keer dat ik hoorde dat de notaris de zaken over had genomen was toen mammie opgenomen werd.'

'Dat is mooi,' zei ik bemoedigend, 'want toen ik adjudant Bagley vertelde dat Lily verstoken was van water en licht, zei hij dat het erop leek dat ze het doelwit van een terreurcampagne was geweest. Hij vroeg zich af of dat iets met MacKenzie te maken had.' Ik zweeg even. 'Ik heb tegen hem gezegd dat hij het niet gedaan kan hebben – MacKenzie was tussen november en januari in Irak – maar, zoals Bagley zei, als MacKenzie het niet gedaan heeft, wie dan wel? Wat voor iemand snijdt een verwarde oude dame af van water, licht, warmte en voedsel?'

Misschien had ik moeten weten wat ze zou zeggen – Jess wist dat zeker – maar ik had echt niet beseft hoe traag van begrip Madeleine was. Het oude adagium van verstrikt raken in je eigen web leek voor haar uitgevonden. Ze was zo in beslag genomen door wat Nathaniel en zij hadden gedaan, dat het voor de hand liggende antwoord – 'Met dit huis was niets mis toen ik het voor de verhuur gereedmaakte' – haar ontging.

Een intelligente reactie zou verbaasd ongeloof zijn geweest –

329

'een *terreurcampagne*?' – en een vinger die regelrecht op Lily en haar Alzheimer wees: 'Het moet mammie zelf zijn geweest. Je weet hoe oude mensen zijn. Ze maken zich altijd druk om de kosten van levensonderhoud.' In plaats daarvan bood ze me haar zondebok aan die ze klaar had staan. Ergens was het lachwekkend. Ik kon haar hersens bijna horen zoemen terwijl ze de zin uitsprak die Nathaniel en zij hadden geoefend.

'Er is maar één persoon in Winterbourne Barton die zo gestoord is,' zei ze en ze keek me recht aan. 'Ik heb je geprobeerd te waarschuwen maar je wilde niet luisteren.'

Haar gretigheid om Jess erbij te lappen was ronduit walgelijk. Ze zag er tevreden uit, alsof ik eindelijk een vraag had gesteld waar ze het antwoord op wist. 'Jess?' suggereerde ik.

'Natuurlijk. Ze was geobsedeerd door mijn moeder. Altijd was ze bezig problemen te creëren zodat mammie haar wel moest bellen. Haar favoriete truc was om de Aga uit te zetten omdat zij de enige was die wist hoe hij weer aan moest.' Ze leunde voorover. 'Ze kan er niets aan doen – een vriend van mij die psychiater is, zegt dat ze waarschijnlijk het syndroom van Munchhausen by proxy heeft – maar ik heb er nooit aan gedacht dat ze wel eens zover zou gaan dat ze ook het water en licht zou afsluiten.'

Ik glimlachte ongelovig. 'Maar waarom ging ze dan niet tot het einde door?'

'Met wat?'

'Met het uitmelken van de voordelen. Munchhausen by proxy is een syndroom waarbij de patiënt aandacht zoekt. Daar heb je publiek voor nodig. Mensen die eraan lijden maken een dierbare ziek om zichzelf in het zonnetje te kunnen zetten.'

'Dat is precies wat ze deed. Ze wilde dat mammie haar dankbaar was.'

Ik schudde mijn hoofd. 'Het slachtoffer is het publiek niet – de meeste slachtoffers zijn baby's of peuters die niet mondig zijn – ze zoeken de sympathie en bewondering van naasten en medici.'

Irritatie deed haar blik verharden. 'Daar heb ik geen verstand van. Ik herhaal alleen wat een psychiater tegen me zei.'

'Die Jess nooit meegemaakt heeft en die niet weet dat ze zo weinig van aandacht houdt dat bijna niemand in Winterbourne Barton haar kent.'

'Jij ook niet,' snauwde ze. 'Ze wilde mammies aandacht – haar onverdeelde aandacht – en ze verloor haar belangstelling zodra ze zag dat de Alzheimer het won. Ze vond het heerlijk om voortdurend bij haar te zijn, maar ze wilde niet de verpleegster uithangen. Daar ging die brief over…' ze wees met haar kin naar het stuk papier, 'het afschuiven van de verantwoordelijkheid zodra het te lastig werd.'

'Wat is daar mis mee? Ze was niet eens familie van Lily.'

Heel even aarzelde ze. 'Dan had ze er ook niet op aan mogen dringen dat mammie werd opgenomen. Waarom werd dat zo snel gedaan? Wat probeerde Jess te verbergen?'

'Peter vertelde me dat het op last van het maatschappelijk werk was en die deed het voor je moeders eigen bestwil. Het was een tijdelijke maatregel terwijl ze jou en de notaris probeerden op te sporen. Jess was er niet bij betrokken… behalve dat ze jouw telefoonnummer en de naam van de notaris heeft doorgegeven.'

'Dat is de versie van Jess. Dat wil niet zeggen dat dat waar is. Je zou je moeten afvragen waarom mammie zo plotseling het zwijgen moest worden opgelegd… en waarom Jess er alles aan gelegen was om verder iedereen van verwaarlozing te beschuldigen. Als dat geen aandachttrekkerij is, dan weet ik het niet meer.'

Als je een leugen vaak genoeg herhaalt, gaan mensen erin geloven – dat is een waarheid als een koe die in de hersens van tirannen en spindoctors gebrand is – maar van alle leugens van Madeleine was wel de meest verderfelijke het woord 'mammie'. Ze gebruikte het om een beeld van onschuldige liefde te schetsen die niet bestond en het verbaasde me hoeveel mensen dat charmant vonden. Veel van hen vonden het onnatuurlijk dat Jess foto's van haar gestorven familieleden aan de muur had hangen, maar ze vroegen zich niet af of Madeleines relatie met Lily wel zo gezond en hecht was.

'Maar Lily wérd verwaarloosd, Madeleine. Voor zover ik kan achterhalen, heeft ze gedurende zeven weken in de meest vreselijke omstandigheden geleefd totdat Jess haar halfdood naast de vijver vond. Peter ging weg… het medische vangnet werkte niet…

331

de buren interesseerde het niet… en jij bleef zo ver mogelijk uit de buurt.' Ik pakte nog een sigaret en rolde die tussen mijn vingers. 'Of dat zeg je tenminste.'

'Wat wil je daarmee suggereren?' vroeg ze.

'Alleen dat ik het moeilijk te geloven vind dat je de boel niet in de gaten hield.' Ik stak de sigaret tussen mijn lippen en stak hem aan. 'Waren Lily en jij dan niet vertrouwelijk met elkaar? Je noemt haar altijd "mammie". De enige andere vrouw van middelbare leeftijd die ik ken die dat doet, belt haar moeder elke dag en bezoekt haar minstens eens per week.'

Haar ogen vernauwden zich tot onaangename spleetjes nu ze middelbaar werd genoemd, maar ze koos ervoor het te negeren. 'Natuurlijk belde ik haar. Ze vertelde me dat alles in orde was. Ik besef nu dat dat niet waar was, maar toen niet.'

Ik glimlachte ongelovig. 'Het moet je toch verontrust hebben. Ik zou het verschrikkelijk vinden als mijn moeder zich niet in staat voelde me te vertellen dat ze in de problemen zat. Ik kan nog net begrijpen dat ze geen vreemden om hulp wilde vragen… hoewel ze dat geprobeerd heeft door naar het dorp te gaan. Maar haar dochter? Waarom belde ze je niet meteen op toen ze geen water meer had?'

'Dat moet je Jess vragen. Ze was altijd de eerste tot wie mammie zich in geval van nood wendde. Waarom heeft zij niets gedaan?'

'Wie kwam daarna?'

Madeleine fronste haar wenkbrauwen. 'Hoe bedoel je?'

'Wie belde je moeder wanneer Jess niet beschikbaar was? Jou?'

'Ik zat te ver weg.'

'Dus elke keer kwam Jess opdraven. Hoe lang al? Twaalf jaar? En daarvoor haar vader? Werden ze daar eigenlijk voor betaald?'

'Het was geen kwestie van geld. Ze deden dat omdat ze het wilden.'

'Waarom? Omdat ze op Lily gesteld waren?'

'Ik heb geen idee waarom ze het deden. Ik vond het altijd nogal triest… alsof ze niet over de standsbarrière heen konden. Misschien voelden ze dat ze in de voetsporen van Jess' grootmoeder moesten treden en dienstmeisje moesten spelen op het grote huis.'

Ik proestte het uit. 'Ben jij eigenlijk wel eens op Barton Farm geweest, Madeleine? Dat huis is misschien een beetje kleiner dan dit, maar in veel betere staat. Ruw geschat zou ik zeggen dat Jess' huis, tezamen met het land, twee tot drie keer meer waard is dan dat van je moeder. Als ze het ooit zou verkopen is ze miljonaire. Waarom zou iemand zoals zij in godsnaam dienstmeisje willen spelen bij de verarmde chic?'

Ze glimlachte bleekjes. 'Dan ga je ervan uit dat het perceel haar eigendom is.'

'Daar ga ik niet van uit, dat weet ik zeker. En jij ook, denk ik.' Ik nam een bedachtzaam trekje van mijn sigaret. 'Maar waarom vind jij het zo belangrijk dat iedereen denkt dat ze het land pacht?' vervolgde ik nieuwsgierig. 'Kun je het niet verkroppen dat haar familie voortbouwt op hun succes terwijl die van jou hun bezit heeft verkwanseld?'

Als lokaas werkte het bijna. 'Ze zouden niets hebben als niet...' Ze perste plotseling haar lippen op elkaar.

Ik tiptc wccr wat as in de gootsteen om haar nog meer te irriteren. 'Je mag blij zijn dat ze zo bescheiden is. Als Winterbourne Barton zou weten dat ze de rijkste vrouw in de vallei was, zou je geen schijn van kans maken. Dan stonden ze in de rij om haar kont te likken.'

Als blikken konden doden, was ik er nu niet meer geweest. 'Daar zou geen plaats voor zijn,' sneerde ze. 'Ze zouden jou eerst opzij moeten schuiven. Iedereen weet dat jij haar laatste verovering bent.'

De tranen sprongen me in de ogen en ik verslikte me in de rook. 'Bedoel je soms haar recentste slapie? Het had gekund, ware het niet dat ze het elke nacht met Peter doet. Vind je niet dat dat een goede indicatie is dat ze meer ziet in een lul dan in een kut?'

'Je bent walgelijk.'

'Waarom?' mompelde ik verrast. 'Omdat ik zeg dat ze het met kerels doet? Ik weet zeker dat Nathaniel je wel eens verteld heeft hoe goed ze in bed is. Ik neem aan dat ze het als de konijnen deden voordat jij je ertussen wurmde. Hij is daar niet weg te slaan en probeert de goeie ouwe tijd weer tot leven te brengen. Hij was daar zelfs op de avond dat Jess Lily vond.'

Iets flikkerde in haar ogen. Angst? Ze keek weg voordat ik er zeker van was. 'Dat is onzin.'

'Wie heeft het water en licht dan weer aangesloten voordat Lily's notaris en het maatschappelijk werk binnenkwamen?'

Het was alsof er op een 'aan'-knop werd gedrukt. Zolang ik haar vragen stelde waarop ze voorbereid was, kon ze haar ingestudeerde antwoorden oplepelen. 'Jess, natuurlijk,' zei ze vol zelfvertrouwen. 'Zij was de enige die wist dat mammie was ingestort. Alles wat ze heeft gedaan was erop gericht haar sporen te wissen. Ze had om een ambulance kunnen bellen of mammie zelf in bed kunnen stoppen en een dokter laten komen... maar in plaats daarvan heeft ze haar meegenomen naar de boerderij en tot de volgende morgen gewacht voor ze het maatschappelijk werk waarschuwde. De enige reden daarvoor is toch dat ze tijd nodig had om alles in Barton House weer op orde te brengen?'

'Het was te koud om op een ambulance te wachten, dus nam Jess Lily mee naar de boerderij en ze belde de doktersdienst zodra ze daar aankwam. Een plaatsvervanger kwam een uur later opdagen – tegen die tijd lag je moeder gewassen, gevoed en vast in slaap in bed – en hij adviseerde Jess om haar daar tot de volgende morgen te laten. Ik dacht dat je dat allemaal wist.'

'Maar waarom op de boerderij? Waarom niet hier?'

'Omdat ze je moeder dan vijftig meter had moeten dragen, alleen om haar naar de achterdeur te krijgen, en de buitenlichten deden het niet,' zei ik geduldig. 'In plaats daarvan reed ze de Landrover het gazon op en tilde Lily daarin. Eerst wilde ze Lily zelf naar het ziekenhuis brengen, maar zodra je moeder in een hondendeken gewikkeld in de warme auto zat, kikkerde ze op en vroeg ze om iets te eten.' Ik keek Madeleine nieuwsgierig aan. 'Peter heeft me dit allemaal in mijn eerste week hier verteld. Jou niet? Ik dacht dat jullie zulke goede vrienden waren.'

'Natuurlijk heeft hij dat verteld,' snauwde ze, 'maar hij herhaalde alleen maar het verhaal van Jess. Hij kan het niet zeker weten want hij was er niet bij.'

Ik haalde mijn schouders op. 'Wat heeft de plaatsvervangend arts dan gezegd in de boodschappen die hij op je antwoordapparaat heeft achtergelaten? Of het maatschappelijk werk? Zeiden die iets anders?'

'Ik heb niet naar alle berichten geluisterd. Het enige dat ertoe deed was het bericht van mammies notaris die vertelde dat ze opgenomen was… en daar heb ik meteen toen ik terugkwam van vakantie op gereageerd.'

'Dus je hebt de boodschap niet gehoord die Jess om halfeen insprak waarin ze vertelde dat je moeder op de boerderij was? De plaatsvervangend arts was bij haar toen ze belde. Ze vertelde je dat je twaalf uur de tijd had om dingen te regelen voordat de doktersdienst het maatschappelijk werk inschakelde.' Ik sloeg mijn armen over elkaar en keek haar nauwlettend aan. 'Ze heeft je alle kans gegeven, Madeleine, maar je hebt die niet genomen.'

'Hoe kon ik dat dan? Ik was er niet.'

'Nathaniel was er wel.'

'Dat is niet waar. Nathaniel was ook niet in de flat. Hij was met onze zoon naar zijn ouders in Wales. Dat doet hij elk jaar. Vraag maar aan mijn schoonouders als je me niet gelooft.'

'Je kunt je berichten ook van elders afluisteren… en het grootste gedeelte van Wales ligt net zo dicht bij Dorset als Londen. Ik denk zo dat jij het water en licht hebt afgesloten, en dat Nathaniel is aan komen racen om die weer aan te sluiten voordat het maatschappelijk werk de volgende dag kwam.'

'Dit is belachelijk,' siste ze tussen haar opeengeklemde tanden.

'Niemand anders had een motief om Lily het leven zuur te maken.'

'Jess wel.'

'Ik zie dat niet,' zei ik. 'En ik denk de politie ook niet. Ze zou je toch niet geschreven hebben als dat inhield dat jij erachter zou komen dat ze jouw moeder mishandelde?'

'Welk motief had ik dan?'

'Ik weet het niet zeker,' zei ik eerlijk. 'Eerst dacht ik dat je haar wilde dwingen om de volmacht weer aan jou toe te wijzen… maar nu begin ik te denken dat het gewoon regelrechte wreedheid was. Je strafte haar omdat ze geestelijk niet in staat was te doen wat je wilde… en toen kwam je erachter dat je ervan genoot. Zo simpel. Dat is de reden waarom de meeste sadisten doen wat ze doen.'

Ze stond plotseling op. 'Hier hoef ik niet naar te luisteren.'

'Dat zou ik maar wel doen,' zei ik op beminnelijke toon, 'anders krijg je het van adjudant Bagley te horen. Tot nu toe heb ik hem weinig verteld, maar alleen omdat je moeder niet gestorven is. Als dat wel was gebeurd dan zouden we dit gesprek helemaal niet hebben... dan zou je op het politiebureau ondervraagd worden over moord. Als je nu wegloopt, moet je straks andere vragen beantwoorden.'

'Niemand zal je geloven.'

'Daar zou ik maar niet op rekenen. Een greintje twijfel is voldoende.' Ik wierp mijn nog steeds smeulende peuk in de gootsteen. 'Jouw probleem is de Aga. De leveringsbonnen van Burton bewijzen dat hij twee maanden uit heeft gestaan. Maar als Jess daarvoor verantwoordelijk was, had ze hem weer aangestoken... want zij is de enige die weet hoe dat moet.'

Madeleine schudde haar hoofd met onderdrukte woede. 'Ik neem aan dat ze jou hiertoe opgezet heeft. Ze heeft altijd een hekel aan me gehad... altijd leugens over me verteld.'

'Is dat zo? Ik dacht dat leugens jouw specialiteit waren.' Op mijn vingers telde ik af: 'Praktiserend lesbienne... stalker... obsessief ... geestesziek... bediendementaliteit... pachtboertje... syfilitische grootmoeder... mannenhaatster... doet het met honden. Wat ben ik nog vergeten? O ja. Je grootvader had een voorliefde voor dienstmeisjes en verkrachtte iedere arme meid die bij hem in dienst kwam, Jess' grootmoeder incluis.'

Ze zag er verpletterd uit. 'Ik klaag je aan wegens laster als je dit nog eens zegt.'

'Dat over die verkrachting? Is het dan niet waar? Ik dacht dat hij zeshonderd hectare grond als compensatie heeft overgedragen toen zijn zoon werd geboren? Dat was een koopje... het land kostte hem niets en zijn reputatie zou aan diggelen hebben gelegen als Jess' grootmoeder naar de politie was gestapt.'

'Allemaal leugens,' siste ze. 'Het was volstrekt onduidelijk wie de vader was. Mevrouw Derbyshire was een slet... ze sliep met werkelijk iedereen.'

Ik haalde mijn schouders op. 'Het is makkelijk met een DNA-test te bewijzen. Het meest nabij qua DNA zijn Jess en je moeder.'

'Ik sta het niet toe.'

'Het is niet aan jou om toestemming te geven. Lily heeft dat recht aan haar notaris overgedragen.' Ik glimlachte haar toe. 'Dat worden geweldige koppen in de krant. Lijken tuimelen uit de Wright-kast als DNA familiebanden aantoont. Misbruik slaat een generatie over als vrouw van mislukte kunstenaar haar moeder het zwijgen op wil leggen. Beroepsklaploper noemt klasse als rechtvaardiging voor sadisme...'

Jess had voorspeld dat ze naar me uit zou halen als ik haar genoeg zou provoceren – *'Lily was bang voor Madeleine en haar kind is doodsbenauwd'* – dus ik had het moeten zien aankomen. Maar toch slaagde ze erin me te verrassen. Ik ben tot de conclusie gekomen dat ik werkelijk nogal naïef ben als het gaat om de mate van geweld die sommige mensen bereid zijn te gebruiken. Ik zou dat niet moeten zijn – ik heb daar genoeg van gezien in Afrika en het Midden-Oosten – maar mijn oorlogservaring is anders. Ik ben altijd een toeschouwer geweest, nooit een deelnemer.

MacKenzie had me de gevaren kunnen onderwijzen van zelfgenoegzaamheid. En dat heeft hij ook gedaan zover hij erbij betrokken was. Maar het zou nooit bij me opgekomen zijn dat een verwrongen psychopaat, die verkrachtte en moordde, iets gemeen had met een breekbare blondine op hoge hakken en in een elegant getailleerde blouse. Ik had beter naar Jess moeten luisteren. Vanaf het begin had ze Madeleine beschreven als een manipulatieve, narcistische persoonlijkheid, die directe bevrediging eiste, verviel in geweld als ze het niet kreeg en die geen berouw toonde voor de gevolgen die haar gedrag voor anderen had.

En een betere definitie van een psychopaat is er niet.

22

IK VERWACHTTE EEN KLAP IN MIJN GEZICHT EN NIET EEN UIT-
VAL van haar bloedrode nagels naar mijn ogen. Ik lag al op de
vloer en schermde mijn hoofd af voor haar schoppende schoenen voor ik goed en wel besefte wat er gebeurde. Het ging heel
snel, en gepaard met veel lawaai. Ik weet nog dat ze 'trut'
schreeuwde terwijl ze me bij mijn haren greep en me omdraaide zodat ze zich op mijn gezicht kon richten, maar ik rolde me
op tot een stevige bal en ving het ergste met mijn armen en rug
op.

Ze was niet fit genoeg om het lang vol te houden. De schoppen
kwamen minder snel achter elkaar terwijl haar mond het overnam. Hoe durfde ik haar te ondervragen? Wist ik niet wie ze was?
Wie dacht ik wel dat ík was? Het gaf een interessante kijk op haar
karakter. Geen moment dacht ze aan de consequenties van wat ze
deed, of vroeg ze zich af of ik haar niet opzettelijk geprovoceerd
had. Er kwam gewoon een rood waas voor haar ogen, en ze werd
knettergek.

Ik wil niet beweren dat het niet pijnlijk was – haar schoenen
waren van leer, met puntige neuzen – maar het was niets vergeleken met Bagdad. Haar balans was niet goed, ze richtte slecht en
er zat weinig kracht achter haar voet. Ik onderging het omdat
woede, net als alcohol, de tong losmaakt en zij dacht dat ze niets
van me te vrezen had omdat ik niets terugdeed.

'Het was de mooiste dag in mijn leven toen de Derbyshires
stierven... de enige die nog over was, was dat onderkruipsel... en
zij was zo zwak dat ze geprobeerd heeft zichzelf van kant te ma-

ken. Ik heb tegen mijn moeder gezegd dat ze haar dood had moeten laten bloeden... en weet je wat ze zei? Wees eens aardig... dat ben je haar wel verschuldigd... jij hebt Nathaniel. God wat haatte ik haar! Ze kon haar kop niet houden... moest met haar broer praten... moest haar verontschuldigingen aanbieden... wilde dat ik hem oom zou noemen. Ik zei dat ik liever stierf dan toegeven dat ik familie was van de bastaardzoon van een slet... En toen lachte hij en zei dat het gevoel wederzijds was. En toen had hij het lef om mijn moeder te vragen het stil te houden... in het belang van zijn kinderen...'

Zijdelings had ze het ook over de wandaden van haar en Nathaniel jegens Lily. 'Ik zei tegen Nathaniel dat niemand haar zou helpen... het was zo'n kreng, niemand kwam bij haar in de buurt. Zelfs Peter maakte zich niet zo druk om haar... hij zei dat die trol hem altijd zou inlichten als het erger met haar werd. Je moet háár verwaarlozing verwijten... zij heeft de benen genomen en de boel aan mij overgelaten... alsof ik de bediende was...'

Ik had haar haar hoofd nog verder in de strop laten steken als zij niet had besloten haar hoge hak in mijn heupbeen te draaien. Genoeg is genoeg. Ik stond al overeind toen ze nog door ratelde over haar status in het leven, en ze was niet voorbereid op de keiharde dreun waardoor ze tegen de stang langs de Aga sloeg en buiten adem bleef staan.

Ik denk niet dat ze het merkte toen ik haar rechterpols door een stoffen lus haalde en hem strak aantrok, maar ze worstelde wel om los te komen toen ik haar linkerpols greep en die ook vastmaakte. 'Mijn god, wat ben jij een monster,' zei ik vol afschuw voor ik mijn ogen opsloeg naar de webcam op een kastje naast het aanrecht. 'Staat het erop, Jess?'

Jess duwde de deur naar de bijkeuken wijd open en het geluid van de fan van haar harde schijf drong tot in de keuken door. 'De camera in de hal deed het niet,' zei ze terwijl ze binnenkwam, 'maar de drie hier werkten prima. Alles goed met je? Het zag er nogal ernstig uit op het scherm, maar omdat je me niet riep...' Ze zweeg om Madeleine aan te kijken. 'Ik weet niet of ze het ooit eerder tegen iemand van haar eigen postuur heeft opgenomen... alleen zwakke oude dametjes en kinderen.'

Ik wreef stevig over mijn schouder, waar zich een buil begon te vormen. 'Lijkt nogal op MacKenzie dus. Ik vraag me af wat ze nog meer gemeen hebben.'

'Arrogantie,' zei Jess terwijl ze Madeleine nieuwsgierig opnam alsof ze haar nooit eerder had gezien. 'Ik had kunnen weten dat pa het geheim wilde houden. Hij zei altijd dat als een van ons zich beter zou voordoen dan we waren, we geen kind meer van hem waren. Ik dacht dat hij bedoelde dat we van arbeiders afstamden, maar nu...' ze maakte met haar kin een gebaar naar Madeleine, 'ik denk dat hij als de dood was dat we net zo zouden worden als zij.'

Madeleine had er geen idee van hoe bedreven Jess was met computers en met filmen dus konden we haar er alleen van overtuigen dat we echt iets hadden door Jess' computer en monitor naar de keuken te brengen, de scène nog eens af te draaien vanuit het perspectief van drie verschillende camera's en haar te laten zien hoe makkelijk het was de beelden op dvd over te zetten. Ze was voortdurend aan het woord, beschuldigde ons van chantage en ontvoering – wat allebei waar was – maar toen ik een stapel enveloppen uit de werkkamer haalde en er de adressen van bewoners van Winterbourne Barton op begon te schrijven, bedaarde ze.

'Je kunt natuurlijk proberen de buren ervan te overtuigen dat het een grap was, of een toneelstukje,' zei ik tegen haar, 'maar je staat er niet geweldig op, hè?' Ik keek peinzend naar de monitor waarvan het geluid was afgezet. 'Ik vraag me af wat je blitse vrienden in Londen ervan zullen denken.'

Madeleine staakte haar pogingen haar polsen los te krijgen en haalde diep adem. 'Wat wil je?'

'Ik zelf? Ik zou willen dat je werd aangeklaagd wegens een poging tot moord op je moeder en geweldpleging jegens mij, maar...' ik gebaarde naar Jess, 'je nicht is nog minder geneigd te erkennen dat ze familie van je is dan haar vader... en ze zal het wel moeten erkennen als we deze dvd's rondsturen en de politie erbij betrokken raakt. De makkelijkste oplossing voor jou is als je

Lily's notaris opdracht geeft dit huis te verkopen. Zo kun je je banden met Winterbourne Barton verbreken en kan Jess de zaak stilhouden.'

Ze lachte kwaad. 'Is dit als grap bedoeld?'

'Nee.' Ik schreef weer een envelop.

Ze deed nogmaals een poging haar polsen los te krijgen. 'Ik klaag je aan.'

'Dat denk ik niet. Je bent dan wel de stomste vrouw die ik ooit ben tegengekomen, maar zo stom ben je nu ook weer niet.'

'Doe dan maar,' siste ze. 'Maak maar zoveel kopieën als je wilt. Prachtig bewijs dat jij me wilt chanteren. Want wat bewijst een film? Ik zeg gewoon dat je me gevangen hebt gehouden en me hebt gedwongen dit te doen.'

'De camera loopt nog,' zei ik vriendelijk. 'Ieder woord dat je zegt wordt opgenomen.'

'Jouw woorden ook,' siste ze. 'Wil jij beweren dat dit geen chantage is?'

'Nee. Je krijgt een uur om te beslissen – je mag zelfs met Nathaniel overleggen, per telefoon, met de luidspreker aan – maar als je daarna de notaris van je moeder niet belt... en als hij Jess niet bevestigt dat het huis verkocht gaat worden na mijn vertrek...' ik legde een hand op de enveloppen, 'dan liggen deze morgenochtend bij iedereen op de deurmat. Ook bij Bagley.'

'En als ik weiger? Ga je me voor altijd gevangen houden? Wat denk je dat Nathaniel gaat doen als ik hem vertel dat jullie me vastgebonden hebben?'

'Je een goede raad geven, hoop ik. We laten je gaan als het uur om is, wat je ook besluit te doen. Je kunt met Bagley praten en alles over ons zeggen wat je wilt. Je kunt hetzelfde in het dorp doen. Je krijgt twaalf uur de tijd om iedereen ervan te overtuigen dat wij je hebben gedwongen om jezelf te compromitteren, voor we onze versie op de bus doen.'

'Je bent gek,' zei ze ongelovig. 'Dat laat de politie nooit gebeuren.'

'Neem de gok dan,' drong ik aan. 'Je hebt niets te verliezen.'

Niemand zei meer iets tot Jess de telefoon met luidspreker uit mijn werkkamer had verbonden met de aansluiting in de keuken.

De kiestoon zoemde door de versterker. 'Is hij thuis?' vroeg ze aan Madeleine. 'Mooi.' Ze toetste het nummer in vanaf een stukje papier. 'Je uur gaat in zodra hij opneemt.'

Madeleine verspilde de eerste vijf minuten door er op hoge toon en keihard op los te kakelen over dat ze gevangen was genomen door Jess en mij, gedwongen was dingen te zeggen en te doen en dat ze gedreigd werd met de verkoop van het huis. Voor haar en ons was het een begrijpelijk verhaal, maar voor Nathaniel totaal niet. Hij kon er amper tussen komen, en toen hem dat lukte, schreeuwde ze met haar schrille stem en beval hem naar haar te luisteren.

Jess' reacties interesseerden me. Ze zat onbewogen, keek naar de monitor, zo te zien ongeïnteresseerd in de woordenwisseling, tot Madeleine Nathaniel een sukkel noemde. Met een geïrriteerd zuchtje nam ze de hoorn op en zei: 'Met Jess. Het zit zo...' Ze legde de situatie in een paar zinnen uit, en drukte de luidspreker weer in. 'Nu kun je weer met Madeleine praten. Jullie hebben vijftig minuten.'

Hij aarzelde kort. 'Luister jij mee, Jess? Luistert die andere vrouw ook mee?'

'Ja.'

'Nemen jullie dit gesprek op?'

'We filmen het.'

'Jezus!'

'Houd toch op met...' begon Madeleine.

'Houd je kop!' beval hij haar. 'Als je zo doorgaat, kom je nog meer in de problemen.' Weer bleef het even stil. 'Goed Jess, heb ik het goed begrepen? Jij hebt een film van Madeleine, waarop ze je vriendin mishandelt en waarop ze min of meer toegeeft dat ze haar moeder ook mishandeld heeft. En in ruil voor jullie stilzwijgen, wil je dat ze erin toestemt Barton House te verkopen. Klopt dat?'

'Ja.'

'En als ze dat weigert, dan laten jullie haar gaan en mag ze zeggen wat ze wil, en vervolgens sturen jullie kopieën van die dvd naar iedereen die hem zien wil.'

'Ja.'

Madeleine begon weer. 'Ze zijn niet in staat om...'

'Houd je kop!' Het bleef langer stil. 'Mag ik met die andere vrouw spreken. Ben jij dat, Connie? Wat willen jullie nu echt?'

'Precies wat Jess je verteld heeft. Madeleine kan met de verkoop instemmen, of ze kan die dvd uitleggen. Het is helemaal aan haar. Maar in beide gevallen zal ze niet in Winterbourne Barton kunnen blijven. Ze heeft te veel bijzonderheden verstrekt over hoe jij en zij Lily hebben geterroriseerd.'

'Dat is gelogen,' schreeuwde Madeleine. 'Ik heb amper...'

'Jezus,' brulde Nathaniel aan de andere kant van de lijn, nu echt woedend. 'Kun je nu eindelijk je kop eens houden? Ik laat me door jou hier niet in meeslepen. Er zit maar één duivel in deze familie... en we weten allemaal wie dat is.'

'Je waagt het niet om...'

'Als je nog één woord zegt, Madeleine, hang ik op. Begrepen?' Hij laste een korte stilte in. 'Goed,' ging hij rustiger door. 'Ik wil horen wat je hebt, Jess.'

'Jullie hebben niet genoeg tijd om alles af te draaien, dus ik heb hem ingesteld bij de zeven minuten die er echt toe doen. Je zult aan het begin de stem van Connie horen, die zegt "Weet je wat ik echt vreemd vind" en dan...'

Nathaniel onderbrak haar. 'Hoezo heb je hem al ingesteld?'

'Ik wist dat je ernaar zou vragen.'

'Maar hoe weet ik dat je er niet mee geknoeid hebt?'

'Daar heb ik de tijd niet voor gehad. Bovendien heb ik op alle drie de camera's de klok laten meelopen. Op de dvd maak ik drie deelbeelden om de actie synchroon te vertonen.' Ze wees naar de rechterhoek onder in het beeldscherm. 'Ik laat Madeleine de digitale nummering zien, dan kan zij je vertellen of de volgorde klopt.' Ze klikte met haar muis. 'Hij loopt.'

Madeleine en ik bekeken onze bewegingen op het beeldscherm, maar hoe meer ik van de clip zag, hoe minder overtuigend ik hem vond. Madeleine won met vlag en wimpel, ze was veel fotogenieker. Zelfs op haar allerkwaadst zag ze er nog elegant en leuk uit, en het was nauwelijks voorstelbaar dat die designschoenen van Jasper Conran enige schade aanrichtten. Ik zag er alleen maar belachelijk uit. Waarom had ik niet teruggevochten, in plaats van me verrot te laten schoppen?

Ik weet niet of Jess merkte hoe ik erover dacht, maar toen de clip afgelopen was, sprak zij vóór iemand anders wat kon zeggen. 'De beelden zijn treffend, en je vrouw staat er niet op haar voordeligst op, Nathaniel. Ze vindt het veel te leuk. Als ik het gevecht in slow motion afdraai, wat ik op de dvd's zal doen, dan wordt dat nog duidelijker. Niemand zal eraan twijfelen dat ze Lily op dezelfde manier behandeld heeft. Jij hebt gezegd dat ze jullie kind ook zo onder handen nam.'

'Dat is gelogen,' schreeuwde Madeleine.

Jess keek haar kort aan en leunde toen over naar de speaker van de telefoon. 'Is dat zo, Nathaniel? Jij hebt tegen me gezegd dat je haar nooit alleen met Hugo kunt laten... en daarom komt hij nooit met haar mee naar Dorset. Waar of niet?'

We hoorden hem allemaal diep door zijn neus ademhalen. 'Waar.'

'Leugenaar,' brulde Madeleine. 'Je gaat mij toch niet...'

Nathaniel onderbrak haar weer. 'Ik heb hier niets mee te maken, Jess. Dat moet je geloven. Mijn enige betrokkenheid is dat ik aan Madeleine heb doorgegeven wat jij me over die volmacht had verteld en dat ik Madeleine heb gebeld toen ik je boodschap over het maatschappelijk werk hoorde.'

'Connie denkt dat je hier was op de avond dat ik Lily vond.'

'Nee. De laatste keer dat ik in Winterbourne Barton was, was in november, toen ik dat gesprek met je had. Hugo en ik hebben Madeleine het grootste deel van december en januari helemaal niet gezien. We dachten dat ze voor Lily zorgde – dat zei ze tenminste – dat ze de liefhebbende dochter uithing in de hoop dat die volmacht teruggedraaid zou worden. Als ik geweten had...' Hij hield abrupt op. 'Het was de bedoeling dat Lily die avond aan onderkoeling zou bezwijken, Jess. Madeleine was woedend toen jij opdook en haar meenam.'

Het bleef even stil.

Jess kwam in beweging. 'Was ze hier? Keek ze toe?'

'De hele tijd.'

'In huis?'

'Ja. Ze kon Lily niet helemáál aan haar lot overlaten. Er had zomaar iemand langs kunnen komen, en als die Lily drinkend uit de vijver had aangetroffen, dan had je de poppen aan het dansen. Madeleine sloot de waterleiding af en weer aan zoals het haar uitkwam... soms had Lily water... soms niet... en zo ging het ook met het licht.'

'Hij liegt,' zei Madeleine. 'Allemaal leugens.'

'Ze liet Lily een koud bad nemen, en dan sloot ze haar in het donker in haar kamer op. Het enige wat Madeleine niet naar believen aan en uit kon doen was de Aga, dus nam ze af en toe een hotelkamer om een warm bad te nemen en eens lekker te eten. Op die avonden ging Lily de deur uit, op zoek naar hulp in het dorp.'

Het was allemaal gruwelijk logisch. 'Waarom heeft niemand Madeleine gezien?' vroeg ik.

'Ze wilde zich alleen vertonen als er toevallig iemand langs zou komen. Haar verhaal zou zijn dat ze net aangekomen was en Lily in een verschrikkelijke toestand had aangetroffen. Maar er kwam niemand langs.' Hij lachte hol. 'Ze zei dat dat ook niet zou gebeuren. Ze zei dat als haar moeder zou overlijden, haar lichaam weken in het huis zou liggen vóór Jess langs zou komen.'

Ik keek even naar het gebogen hoofd van Jess. 'Waarom heeft ze zich niet laten zien toen Jess Lily buiten vond?'

'Ze was te bang. Ze had haar auto in de garage aan de achterkant gezet zodat niemand hem zou zien... en dat deed ze normaal nooit. Het huis was bovendien donker, en ze had geen verklaring waarom ze het licht niet aangedaan had om haar moeder te zoeken zodra ze arriveerde.' Hij zweeg even. 'Je hebt haar een uitweg geboden, Jess, door Lily mee te nemen naar de boerderij. Als je gebleven was en een ambulance had gebeld, was Madeleine in het huis betrapt.'

Toen Jess niets zei, ging Nathaniel verder. 'Ik kan me niet voorstellen dat ze daarvoor vervolgd kan worden. Jullie willen dat misschien, maar...' zijn stem stierf weg, het leek of hij overwoog hoe eerlijk hij zou zijn, 'ik denk niet dat jullie dit zouden doen als jullie harde bewijzen hadden.'

'Die hebben we nu wel,' zei ik. 'Je hebt de ontbrekende stukjes aangevuld.'

'Ik kan het niet onder ede verklaren – ik was er niet bij – en Madeleine zal het ontkennen. Ik heb alleen maar zo veel verteld omdat ik hoop dat jullie omwille van Hugo de zaak zullen laten rusten.' Hij wendde zich tot Jess. 'Je weet wat er gebeurt als je dit openbaar maakt, Jess. Madeleine zal iedereen behalve zichzelf beschuldigen – mij inbegrepen – en de enige die eronder zal lijden is het kind. En dat wil ik echt niet.'

'Als ik meteen naar de politie ga...' begon Madeleine.

'Dan ben je erbij,' zei hij ruw. 'Snap je het niet? Wat je ook doet, je bent erbij. Als jij je op voorhand vrijpleit, dan gooit Jess die film gewoon weg en laat ze jou je aan je eigen strop opknopen... en als je het erop aan laat komen, en zij stuurt die film rond, dan zit jij ook op het bureau. Misschien worden Connie en zij veroordeeld wegens chantage, maar dat is niets vergeleken bij wat jij kunt krijgen als je je stomme kop niet houdt.'

Jess hief haar hoofd op. 'Als we de film alleen aan de politie laten zien, is het geen chantage,' zei ze. 'Dan is het bewijsmateriaal.' Ze keek me zorgelijk aan. 'Wat moet ik doen? Ik weet het niet meer zo zeker.'

Ik wist het ook niet meer zo zeker. Het idee was geweest dat Jess iets had om Madeleine mee onder druk te zetten, zodat ze met een gerust geweten van haar af kon komen. Door Lily's testament zou Madeleine het geld uiteindelijk toch erven, en de geschiedenis van de twee families zou nooit uit hoeven lekken. We hoopten ook dat we haar zo bang zouden maken dat ze zonder met Bagley te praten weer naar Londen terug zou gaan. Ik had een rugzak en een dvd met succes voor de politie verstopt – ik beschouwde ze beide als mijn eigendom – en ik vond het sowieso een vervelende gedachte dat mijn verhaal doorgegeven zou worden aan een vrouw die het ongetwijfeld zou verkopen, of het zou gebruiken om haar eigen positie op te krikken. Ze zou mijn naam en de bijzonderheden van mijn gevangenschap in heel Londen rondstrooien als het haar wat roem zou opleveren.

Jess had getwijfeld, toen ik het haar de vorige avond had voorgesteld. 'Zelfs als ze iets bezwarends zegt, dan zal ze toch nooit instemmen met de verkoop van Barton House. En wat doen we dan? Ik vind het niet erg om haar te filmen en te dreigen met chantage...' haar ogen lichtten ondeugend op, 'ik zal het zelfs leuk vinden – maar we kunnen dit niet doen. Ze zal als de gesmeerde bliksem naar Bagley hollen.'

'Dan moet je haar over Lily's testament vertellen,' zei ik opgewekt. 'Maar laat haar een uurtje zweten voor je dat doet. Zie het maar als de wraak van Lily. En die van jou, als je wilt. Laat Madeleine in ieder geval weten wat je van haar denkt voor je haar anderhalf miljoen pond op een presenteerblaadje aanreikt. Ik persoonlijk zie liever dat jij dit huis erft – en ik weet zeker dat Lily dat ook wilde – maar de Derbyshire-Wright connectie komt dan zeker uit.'

We hadden geen van beiden verwacht dat we onthullingen over poging tot moord te horen zouden krijgen. Jess had het gevoel dat ze kon leven met de wetenschap dat Madeleine haar moeder wreed behandeld en verwaarloosd had – 'dat doet ze tenslotte haar hele leven al' – maar dat was heel wat anders dan een verwarde oude dame de kou in sturen en haar zonder een poot uit te steken laten bezwijken. Wat mij het meest tegenstond, was de gedachte dat Madeleine zou profiteren van haar daden.

Ik stak mijn hand naar Jess uit voor de muis en dubbelklikte op 'opnemen'. 'Staat hij uit?'

'Ja.'

'Mooi.' Ik zette mijn gedachten op een rijtje. 'Ik geloof niet dat mijn geweten dit toestaat, Jess. Madeleine is gevaarlijk. En voor hetzelfde geld is die griezel van een man van haar dat ook. Als hij echt zijn kind wilde beschermen, dan had hij haar zelf aangegeven. Stel dat ze het nog eens probeert met Lily. Zou jij daarmee kunnen leven...? Ik niet.'

'Nee.'

'We moeten haar aangeven.'

'Weet ik.' Ze zuchtte. 'Maar bij wie? Bagley?'

'Dat hoeft niet,' zei ik. 'We kunnen hetzelfde doen wat Lily gedaan zou hebben... alles naar haar notaris sturen en hem laten beslissen.'

Madeleine en Nathaniel barstten tegelijkertijd los in een woedend protest en dat deed Jess een envelop pakken. Het leek dat ze zich aanzienlijk drukker maakten om de man met de hand op de knip, dan om de politie.

Van:	alan.collins@manchester-police.co.uk
Verzonden:	donderdag 26 augustus 2004 10.12
Aan:	connie.burns@uknet.com
Onderwerp:	Je uitzonderlijke veerkracht

Beste Connie,

Ik ben onder de indruk van je uitzonderlijke veerkracht, alhoewel niet zozeer als Nick Bagley lijkt te zijn. Na alles wat je hebt doorgemaakt, is hij verbijsterd door je vastberadenheid om daar te blijven en door te gaan. Ik heb hem uitgelegd dat je wel voor hetere vuren hebt gestaan en die hebt overleefd, maar nu MacKenzie nog op vrije voeten is had Nick je banger verwacht. Hij vindt je reactie 'niet des vrouws'. Ik had wel wat lullige dingen over de dames van Dorset kunnen zeggen, maar volgens hem is Jess net zo koppig.

Ik heb het meermalen met Nick over MacKenzies verdwijning gehad. Hij vertelde me dat MacKenzie diverse keren in de streek gesignaleerd is, maar geen van die meldingen is betrouwbaar. Hij is geïnteresseerd in MacKenzies veronderstelde SAS-training (moet nog steeds bevestigd worden) en hij vroeg of ik het mogelijk/waarschijnlijk achtte dat hij Winterbourne Valley nooit verlaten heeft. Ik zei dat dat me onwaarschijnlijk leek omdat het gebied twee keer is uitgekamd en er geen spoor van hem is gevonden. *Ik hoop dat ik gelijk heb, Connie.* Zo niet, neem dan alsjeblieft voorzorgsmaatregelen. De gevolgen zouden uiterst ernstig voor je kunnen zijn als MacKenzie nog steeds in de buurt is.

Het speet me te horen dat een van Jess' mastiffs dood is gegaan terwijl hij je probeerde te verdedigen. Ik weet niet veel meer van dat ras dan dat ze groot en uitzonderlijk sterk zijn. Nick vertelt me dat de 'Hound of the Baskervilles' een mastiff was – zoals hij zei 'een enorm beest dat mensen opjaagt en ze de strot afbijt' – en ik weet dat hij de honden van Jess net zo bedenkelijk vindt. Hij houdt ze nauwlettend in de gaten, hoewel het hem verbaast dat ze nu binnen de afrastering blijven terwijl Jess ze vroeger altijd gewoon los over haar land liet lopen.

Tot slot verbaast het Nick dat je de dvd van je gevangenschap niet hebt vernietigd toen je de kans had. Gezien de bezorgdheid die je tegenover Coleman en mij hebt geuit over het feit dat je gefilmd bent (en gezien dr. Colemans beschrijving van de beelden die hij gezien heeft), vraagt Nick zich af waarom je nu zo onverschillig bent terwijl MacKenzie hem nog steeds heeft. Ik neem aan dat dat niet zo is en dat je je er nog steeds zorgen over maakt?

Als altijd de jouwe,

Alan

Adjudant Alan Collins, Greater Manchester Police

Van:	connie.burns@uknet.com
Verzonden:	vrijdag 27 augustus 2004 08.30 uur
Aan:	alan.collins@manchester-police.co.uk
Onderwerp:	mijn buitengewone veerkracht

Beste Alan,

Dank je wel. Ik waardeer de gedachte achter je e-mail zeer.

Dus... om je gerust te stellen...

Nick Bagley zou niet minder achterdochtig zijn geweest als Jess en ik volkomen waren ingestort en om voortdurende politiebescherming hadden gevraagd. De getuigenverklaring van Peter Coleman over onze moed was zo hysterisch, dat een plotselinge instorting daarna bijzonder vreemd was geweest. We kunnen alleen maar zijn zoals we zijn, Alan, en het had geen zin om anders te reageren om tegemoet te komen aan Bagleys idee van hoe een vrouw zich dient te gedragen. Je weet heel goed dat ik zolang als ik wil toneel kan spelen – ik heb dat in het verleden met succes gedaan – maar Jess is te eerlijk.

Ik heb jouw citaat van Thucydides ter harte genomen. 'Vrijheid is het geheim van geluk en het geheim van vrijheid is moed.' Ik heb Bagley geprobeerd uit te leggen dat alleen al het feit dat ik de confrontatie met MacKenzie ben aangegaan, een bevrijding was. Ik zag hem zoals hij was – niet zoals hij in mijn verbeelding was geworden – en daardoor voel ik me een stuk gelukkiger. Ik kan niet, en wil ook niet, een angst voorwenden die ik niet meer voel. Bagley heeft me een alarm gegeven, maar ik weet zeker dat MacKenzie niet meer terugkomt. Hij leek die avond veel banger voor mij dan ik voor hem was.

Voor zover iemand iets kan garanderen, garandeer ik je dat MacKenzie NIET in de vallei is. De politie van Dorset heeft het dal twee keer uitgekamd, en er was beide keren geen spoor van hem te bekennen. Misschien houdt hij zich ergens anders schuil, maar de meest waarschijnlijke verklaring is volgens mij dat hij met een vals paspoort het land verlaten heeft. Daar schijnt hij onbeperkt aan te kunnen komen.

Wat je moet weten: Dan heeft een zoekfilter op alle Reutersbestanden laten zetten om alles wat met onopgeloste moorden te maken heeft eruit te lichten, dus als MacKenzie ergens anders opnieuw toeslaat, zouden we hem kunnen spotten.

Wat de hond van de Baskervilles betreft, Conan Doyle beschrijft hem als een kruising tussen een mastiff en een bloedhond, zo groot als een kleine leeuwin, met fosforescerende vlammen rond zijn bek(!), en geloof me, zelfs Bagleys boeiende verbeeldingskracht kan van Jess' goeiige honden niet zoiets opwindends maken. Je kunt inderdaad geen kant meer op als ze boven op je zitten, maar zij vinden het heerlijk om je onder te kwijlen, niet om je de strot af te bijten. Ze houdt ze op het ogenblik binnen omdat Bertie op de bovenste akker begraven ligt en ze bang is dat ze hem op zullen graven. Als het graf weer begroeid is, zullen ze dat niet meer doen. Ze heeft dit aan Bagley uitgelegd, maar helaas heeft dat hem alleen maar achterdochtiger gemaakt.

Wat betreft de dvd: het is geen moment bij me opgekomen hem te vernietigen. Maak ik me er nog steeds druk over? Nee. Eerlijk gezegd ben ik er nogal trots op. Ik vind het zelfs jammer dat Bagley hem niet kan zien. Het zou hem helpen begrijpen waarom ik zo in de wolken ben dat ik het nog een keer tegen MacKenzie heb kunnen opnemen. Zoals een wijs man ooit gezegd heeft: 'Winnen is alles.'

Je bent een goede vriend voor me, Alan, en ik hoop dat ik je nu gerustgesteld heb. Tussen twee haakjes, als ik MacKenzie ooit vermoord, dan zal ik niet de moeite nemen zijn lijk te verbergen. Dat hoeft helemaal niet als ik hem in de gang met een botte bijl doodgeslagen heb en kan zeggen dat het uit zelfverdediging was. Misschien had ik dat wel moeten doen toen ik de kans had!

Veel liefs en veel dank,

Connie

23

IK WEET NIET OF MADELEINE NOG NAAR INSPECTEUR BAGLEY IS
geweest. Hij heeft er in ieder geval nooit wat over gezegd. Hij
kreeg de gewoonte onverwacht binnen te vallen, zowel op Barton
House als op Barton Farm, soms wel twee of drie keer per dag.
Hij trof mij gewoonlijk aan het werk aan, op de computer, maar
Jess liep hij altijd mis, die werkte op het land om een late oogst
binnen te halen, na een van de natste zomers in tijden.

Af en toe zag ze zijn auto op haar oprit staan en de man zelf die
rondsnuffelde in haar schuren, maar ze nam het gemoedelijk op,
ook al had hij geen huiszoekingsbevel. Ze zei tegen hem dat hij te
allen tijde welkom was, en raadde hem aan de achtertuin in de gaten te houden, zodat hij zich ervan kon vergewissen dat de enige
botten daar die van runderen waren. Haar honden wantrouwden
hem niet meer toen ze het geluid van zijn motor leerden kennen,
maar hij raakte zijn wantrouwen jegens hen nooit kwijt.

Ik bleef ook op mijn hoede als ik bij ze in de buurt was. Sommige fobieën zijn niet gevoelig voor logica. Eén enkele hond kon ik
wel aan, maar als ze met z'n vieren waren, joegen ze me nog steeds
angst aan. Het was duidelijk dat ze Bertie misten. Buiten liepen ze
steeds langs de afrastering op zoek naar hem en binnen zaten ze bij
de deur te wachten op zijn terugkomst. Jess zei dat dat een maand
zou duren en dat ze hem dan vergeten waren, maar Bagley geloofde haar niet.

'Ze wachten niet op de andere hond,' zei hij op een ochtend tegen me. 'Ze willen naar buiten.' Hij stond achter me en las wat er
op mijn beeldscherm stond, een ingewikkeld stukje over statisti-

sche gegevens rond posttraumatische stress. 'Daar schiet u ook niet mee op, mevrouw Burns. U hebt er sinds gisteravond maar één zin bij geschreven.'

Ik klikte op 'opslaan' en duwde mijn stoel achteruit, net langs zijn voet. 'Het zou een stuk sneller gaan als u niet steeds mijn gedachtegang kwam onderbreken,' merkte ik zachtzinnig op. 'Kunt u voor de verandering niet een keertje aanbellen? Dan kan ik tenminste doen alsof ik er niet ben.'

'U zei dat ik binnen mocht komen wanneer ik maar wilde.'

'Maar ik had niet gedacht dat u bij me in zou trekken.'

'Dan moet u uw achterdeur afsluiten, mevrouw Burns. Op deze manier is het een uitnodiging aan eenieder om binnen te wandelen.' Hij bood me een sigaret aan. 'Het verbaast me dat u zich zo weinig druk maakt om ongenode gasten, na wat er gebeurd is.'

Het was een variatie op de vraag die hij al honderd keer gesteld had. Ik accepteerde een vuurtje. 'Ik maak me daar wel druk over,' antwoordde ik geduldig, 'maar het alternatief is om van dit huis een gevangenis te maken. Moet dat dan? Ik dacht dat de moderne insteek was om slachtoffers ertoe te brengen zo snel mogelijk het gewone leven weer op te pakken.'

'Maar voor u is dit het gewone leven niet, mevrouw Burns. Vroeger controleerde u om het uur de ramen en de deuren.'

'En daar heb ik echt wat aan gehad,' merkte ik op. 'Ik werd er alleen maar gestrester van, en MacKenzie is toch binnengekomen.' Ik voelde even aan het alarm om mijn hals. 'Bovendien heb ik dit nu. Ik vertrouw erop dat de hulptroepen zullen komen opdagen... en dat was toch de bedoeling?'

Hij glimlachte nogal zuur toen hij neerplofte in een leunstoel naast het bureau. 'Inderdaad, maar ik ben bang dat het verspilling van belastinggeld is. Zult u hem ooit gebruiken? Mevrouw Derbyshire weigert de hare te dragen.'

'Dat heeft ook geen zin als ze buiten aan het werk is. Je hebt een vaste telefoonlijn of een signaal nodig.'

Hij wierp zoals gewoonlijk een blik door mijn werkkamer alsof hij opeens iets verwachtte te zien. 'Ik heb gisteravond even met Alan Collins gesproken. Hij zei dat u te slim voor me bent en dat ik het net zo goed kon opgeven. Hij zei ook dat hij geen traan zal laten als we nooit meer iets van MacKenzie horen. Dat als iemand zijn verdiende loon heeft gekregen, het uw belager wel is.'

Ik betwijfelde of Alan het zo bot gezegd zou hebben, zeker niet tegen zijn collega in een ander district. 'Werkelijk?' vroeg ik verbaasd. 'Ik heb hem altijd gezien als een vurig voorstander van strikte naleving van de wet. Ik kan me niet voorstellen dat hij zich ooit in het openbaar welwillend zou uitlaten over eigenrichting.'

'Het was niet in het openbaar,' zei Bagley. 'Het was in een gesprek met mij.'

'Maar toch... zal hij die opmerkingen tegenover mij herhalen, denkt u? Dat ik te slim voor u zou zijn, bevalt me wel. Zouden we dat kunnen veralgemeniseren, het IQ van politiemensen vergelijken met dat van gevangenen...' Ik trok een wenkbrauw op. 'Wat vindt u?'

'Dat u waarschijnlijk de irritantste persoon bent die ik ooit ben tegengekomen,' zei hij grimmig. 'Waarom vindt u het niet erg om steeds ondervraagd te worden, mevrouw Burns? Waarom wordt u niet kwaad? Waarom haalt u er geen advocaat bij? Waarom beschuldigt hij ons niet van het onnodig lastigvallen van burgers?'

'Hij? Als ik een advocaat zou hebben, dacht u dan niet dat het een zij zou zijn?'

Bagley tikte geërgerd zijn as af in de asbak op het bureau. 'Daar gaan we weer, u maakt overal een grapje van.'

'Maar ik vind uw bezoekjes gezellig,' zei ik. 'Winterbourne Barton is wat sociale interactie betreft een zwart gat.'

'Ik ben hier niet om u te vermaken.'

'Maar dat doet u wel,' verzekerde ik hem. 'Ik vind het leuk om u door de tuin te zien struinen op zoek naar aanwijzingen. Hebt u al iets gevonden? Jess zegt dat u steeds terugkomt bij haar graanschuur, dus u vraagt zich waarschijnlijk af of we MacKenzie onder een ton tarwe begraven hebben? Maar dat zou lastig zijn geweest, weet u. Tarwe is net drijfzand. Het zou ons heel veel moeite hebben gekost het lijk erin te sleuren zonder zelf ten onder te gaan.'

'Ze heeft er de afgelopen weken nog een ton aan toegevoegd.'

'En binnenkort wordt het allemaal overgebracht naar een

graansilo. Denkt u niet dat het op zou vallen, als er opeens een lijk uit komt rollen?' Ik zag zijn mondhoeken naar beneden zakken. 'Ik begrijp niet waarom u niet wilt accepteren dat hij zichzelf heeft bevrijd en de benen heeft genomen. Komt dat doordat u hem wél vermoord zou hebben, als u in onze schoenen had gestaan?'

Hij nam bedachtzaam een trekje van zijn sigaret. 'Ik ben ervan overtuigd dat u van wraak hebt gedroomd.'

'Voortdurend,' zei ik met een lachje. 'Maar daar had ik nog minder aan dan aan het controleren van de ramen. Ik ben er zo van afgevallen dat ik me als een oude kip voelde die elk moment van haar stokje kon gaan. Kijk.' Ik stak een magere rechterarm uit. 'Daar zit geen grammetje vlees meer op. Hoe kan ik hiermee...' ik wees met mijn linkerwijsvinger naar de biceps die zo groot als een druif was, 'een lijk in een halfuur laten verdwijnen?'

Hij glimlachte zijns ondanks. 'Geen idee. Wilt u het me vertellen?'

'Ik heb niets te vertellen, maar zelfs als dat wel zo was, dan zou u er nog niets mee kunnen. U bent alleen en u hebt geen cassetterecorder bij u. Alles wat ik zeg is als bewijs ontoelaatbaar.'

'Om mijn eigen nieuwsgierigheid te bevredigen.'

Ik keek even in de richting van de hal. 'Ik wilde hem vermoorden,' gaf ik toe. 'En ik had het gedaan als ik beter had kunnen mikken. Ik richtte op zijn hoofd, toen ik zijn vingers raakte... en de enige reden dat ik niet nog een keer heb uitgehaald was dat het voelde alsof ik geëlektrocuteerd werd toen die bijl op de tegels neerkwam. Het trilde door in mijn armen, tot onder in mijn nek. Toen besloot ik dat het beter was hem vast te binden.'

Ik drukte mijn peuk uit in de asbak. 'Jess wilde hem ook vermoorden – ze was kapot van Bertie – maar we wisten niet hoe we dat klaar konden spelen. Peter was al weg en we hadden de tijd niet iets te verzinnen. Ik stelde voor dat we MacKenzie los zouden maken en zelfverdediging aan zouden voeren, maar Jess zei dat we hem dan een hoek in zouden moeten drijven...' ik zuchtte, 'en opeens kreeg ik het beeld van de vrouwen in Sierra Leone voor ogen... tegen de muur gedrukt omdat er geen uitweg was.' Ik zweeg.

'Was mevrouw Derbyshire het met u eens?'

'Ja. Ze zei dat het misschien anders was geweest als hij geblind-doekt was, maar dat het onmogelijk was nadat ze hem in de ogen had gekeken.' Ik glimlachte wrang. 'Ik denk niet dat het makke-lijk is om mensen te vermoorden. Ik denk niet dat het makkelijk is dieren te doden. Ik zou geen rat kunnen doden als hij me aan-keek zoals MacKenzie dat deed. Ik kan niet eens een pissebed doodmaken. Er zit een nest ergens in het rotte hout in de zitkamer van Lily en de enige manier waarop ik ze kan aanpakken is ze op-zuigen met de stofzuiger en de stofzak buiten legen...'

H.L. Mencken heeft eens gezegd: 'Het is moeilijk te geloven dat iemand de waarheid spreekt, als je weet dat je in zijn plaats zou liegen.' Als ik me eerder had gerealiseerd dat Bagley terugschrok voor het doden van dieren, had ik die ratten en pissebedden er meteen bij gehaald. Zijn ideeën over psychopaten en sadisten waren extreem – ze moesten allemaal opgehangen worden – maar hij kon zich bijzonder goed verplaatsen in mijn onmacht om het leven uit ongedierte te slaan. Ik weet niet of ik ooit de lo-gica achter zijn gedachtegang begrepen heb, maar kennelijk was mijn duidelijke afkeer om een levend wezen te doden, overtui-gender dan mijn herhaalde ontkenningen dat ik MacKenzie ver-moord had.

In een schaamteloos pr-offensief om volledig gezuiverd te wor-den haalde ik Jess over haar honden los te laten waar hij bij was. Zoals ze al voorspeld had, renden ze meteen naar de hoge akker naar Berties graf en gingen er treurig jankend omheen zitten. Bag-ley vroeg hoe ze wisten dat hij daar was en Jess zei dat ze bij de be-grafenis aanwezig waren geweest. Net als olifanten vergeten ze zoiets niet. Of hij dat geloofde weet ik niet, maar hij wees haar voorstel af om de arme Bertie nog eens op te graven. De andere honden vertoonden geen enkele neiging ergens anders naartoe te gaan, en moesten aan hun riem bij het graf weggesleurd worden.

Daarna liet Bagley ons met rust. Alan moest lachen om de ver-klaring die ik gaf voor dit plotselinge einde van zijn achterdocht, en zei dat het meer te maken had met het gebrek aan bewijsmate-riaal dan met Bagleys onvermogen pissebedden te doden, maar ik heb nog steeds het gevoel dat ik mij als vrouw van mijn beste kant had laten zien toen ik het over de stofzuiger had.

In de tweede week van september kwamen mijn ouders. Er was een heerlijke nazomer ingetreden na de regenbuien van juli en augustus. Jess vond hen meteen heel aardig, en binnen de kortste keren zat mijn vader op de boerderij en hielp een handje mee. Mijn moeder maakte zich zorgen dat hij zich te veel zou inspannen na zijn verwondingen, maar Jess stelde ons gerust door te zeggen dat hij alleen op de tractor reed en Harry hielp met het voederen van het vee.

Het onderwerp MacKenzie was taboe. We wilden geen van allen over hem of over het gebeurde praten. Voor ons allemaal was het afgedaan, en het had geen zin om achteraf nog vast te stellen wie van ons het meest geleden had. Niettemin bespeurde mijn moeder binnen een paar dagen na haar komst enkele tekenen die onzichtbaar voor mij waren en zocht Peter op voor een lang gesprek.

Ik had sinds het incident amper meer contact met hem gehad, maar ik ging ervan uit dat hij nog steeds regelmatig bij Jess langskwam. Ze had gezegd dat hij erbij was geweest toen Bertie opgegraven werd, en had hem verdedigd aangaande enkele inlichtingen die hij aan Bagley verstrekt had, maar afgezien van een telefoontje op een avond om me te vragen of alles goed met me was, was hij niet meer bij mij in de buurt geweest. Ik weet nog dat ik het gesprek had afgebroken toen hij per se boete wilde doen vanwege dingen die hij niet gedaan zou hebben of juist weer wel, maar omdat Bagley al snel daarna arriveerde, vergat ik Peter weer.

Mijn moeder las me er stevig de les over. Ik, meer dan wie dan ook, had moeten begrijpen hoe verlammend het is om je een mislukkeling te voelen. En voor mannen was het erger. Van hen werd verwacht dat ze moedig waren, en het verwoestte hun zelfvertrouwen als ze erachter kwamen dat ze dat niet waren. Ik vroeg haar op ironische toon of het beter voor Peter was geweest als Jess en ik ook niet geslaagd waren voor ons brevet van onverschrokkenheid, en ze zei hetzelfde als Bagley, dat ik bijzonder irritant was.

'Ik vind het niet prettig dat je leedvermaak toont, Connie.'

'Ik toon geen leedvermaak.'

'Je vader zit zich ook al zo te verkneukelen, dat vind ik ook niet prettig.'

'Hij amuseert zich alleen maar,' weersprak ik haar vriendelijk. 'Het is een stuk opwindender de velden van Jess te beploegen dan de hele dag aan je bureau te zitten.'

'Sinds jouw telefoontje naar het ziekenhuis is hij uiterst opgewekt,' zei ze op beschuldigende toon. 'Wat heb je tegen hem gezegd?'

De demonen zijn dood en begraven. 'Niets bijzonders... dat we het allemaal overleefd hebben en dat MacKenzie er met de staart tussen de benen vandoor is gegaan.'

Ma stond aardappels te schillen bij de gootsteen. 'Waarom zou hij dat nu leuk vinden? Hij wilde die ellendeling dood hebben, of achter de tralies, en niet vrij om een ander hetzelfde aan te doen. Ik begrijp niet dat het jullie allemaal zo weinig kan schelen dat hij ervandoor is gegaan. Ben je niet bang dat hij nog een vrouw vermoordt?'

Ik keek naar haar bedrijvige handen en overlegde bij mezelf of het beter was de waarheid te spreken of te liegen. 'Niet echt,' zei ik eerlijk. 'We zitten in de eeuw van de *global village*. Het verhaal is de hele wereld over, met foto en al, dus als hij nog leeft wordt hij heel snel opgespoord. Er zijn te veel mensen naar hem op zoek.'

Ze draaide zich om om me aan te kijken. 'Als?'

'IJdele hoop,' zei ik.

'Mm.' Het bleef even stil. 'Misschien verklaart dat het gedrag van je vader. Net een schooljongen, op het ogenblik.'

'De boerderij doet hem aan thuis denken.'

'Ja, maar de laatste keer dat hij op een tractor heeft gezeten, is twintig jaar geleden,' zei ze. 'Wij hadden mensen in dienst om te ploegen... en je vader was de baas en reed in een terreinwagen om te kijken of de voren wel recht waren.' Ze hield even mijn blik gevangen voor ze zich weer op de aardappels concentreerde. 'Je hebt vast gelijk. De eenvoudigste verklaring is meestal de juiste.'

Op een middag zei Jess dat ze op bezoek ging bij Lily en ze vroeg me of ik zin had om mee te gaan. Ik wist dat Jess regelmatig naar het verpleegtehuis ging, hoewel Lily geen idee had wie ze was, maar dit was de eerste keer dat ze mij meevroeg. Ik ging uit nieuwsgierigheid – het verlangen een gezicht te kunnen geven aan de persoonlijkheid die ik had leren kennen – en ik ben blij dat ik het gedaan heb. Zelfs al was het vuur dat haar gedreven had nu afwezig, Lily's schoonheid was veel liever dan die van haar dochter. Dat bewees niets – want ik ben er zeker van dat een knap uiterlijk niet verder dan de huid gaat – maar ik begreep toen ze glimlachte waarom Jess zo dol op haar was. Ik weet zeker dat Frank Derbyshire op dezelfde verwarde, lieve manier zou hebben geglimlacht als zijn dochter zijn hand stilletjes in de hare had genomen en hem had gestreeld zonder een woord te zeggen...

Ook al word ik honderd, ik zal nooit kunnen begrijpen hoe mijn moeder zo makkelijk vrienden maakt. Toen zij en mijn vader net in Londen waren, stonden ze een paar uur nadat het vliegtuig geland was al op de invitatielijst voor een diner voor bannelingen uit Zimbabwe. Mijn vader beklaagde zich erover – '*Ik* vind het verschrikkelijk om aan een tafel te zitten met allemaal mensen die ik nooit meer zal zien' – maar ondertussen vond hij het stilletjes wel mooi. Hij had meer gemeen met expatboeren die Mugabes schoonmaakoperatie zelf hadden meegemaakt dan met de beaumonde in Londen die alleen maar over hun tweede huisje in Frankrijk konden praten.

Plotseling doken er bezoekers op bij Barton House. Ik kende een paar van hen via Peter, maar de meesten had ik nooit eerder gezien en bij geen van allen kwam ik over de vloer. De eerste keer dat er mensen kwamen – een gezellig echtpaar van halverwege de zestig dat aan Peters kant van het dorp woonde – was Jess in de keuken, en ondanks haar inspanningen om zich op de achtergrond te houden, haalde mijn moeder haar daar vandaan. Ik waarschuwde haar dat ze Jess het huis uit zou jagen als ze niet oppaste, maar dat gebeurde niet. Jess kwam iedere avond met pa mee, en leek het best te vinden om betrokken te worden bij alles wat er gebeurde, al was het zijdelings.

Af en toe kwamen Julie, Paula en de kinderen ook mee. Zelfs de oude Harry Sotherton verscheen een keer, en moest door mijn vader thuisgebracht worden nadat hij meer bier had gedronken dan hij gewend was. Het deed me zo denken aan het leven in Zimbabwe waar de maaltijden regelmatig werden gerekt om iedereen die langskwam ter wille te zijn. Jess zou nooit het middelpunt worden, maar om te zien dat de mensen die haar kenden echt van haar hielden deed haar alleen maar goed.

Peter werd de meest geregelde bezoeker. Ik ben er nooit achter gekomen wat mijn moeder tegen hem heeft gezegd, maar ze vroeg me de eerste stap te doen door hem uit te nodigen. Ik besloot om naar zijn huis te gaan en om indien nodig een veto over het praten over MacKenzie uit te spreken, maar het onderwerp werd niet aangesneden. Hij was meer in Madeleine geïnteresseerd. 'Moet je horen,' zei hij terwijl hij een knopje op zijn antwoordapparaat indrukte. 'Ik kwam vijf minuten geleden thuis, en toen trof ik dit aan.'

Madeleines schelle stem vulde de speaker. 'Peter, ben je daar? Dat kloteverpleegtehuis ontzegt me de toegang. Je moet hierheen komen en ze vertellen dat ze niet zo... stom moeten zijn. Ze zeggen dat ze de politie bellen als ik niet meteen wegga. Hoe durft die notaris mij bij mammie weg te houden? Hij heeft me een straatverbod op laten leggen. Ik ben zo kwaad. O, verdomme!' Er klonk een onderdrukte kreet. 'Jezus, ik ga wel,' en toen stilte.

Ik kon een glimlach niet onderdrukken en Peter zag het. 'Waar heeft ze het over? Weet jij ervan?'

'De notaris heeft het verpleegtehuis kennelijk opgedragen haar de toegang te weigeren.'

'Waarom?'

'Dat is een lang verhaal,' zei ik tegen hem. 'Vraag maar aan Jess.'

'Ik heb haar in geen dagen gezien. Ze neemt de telefoon niet op en ze doet ook niet open.'

'Niets nieuws onder de zon,' zei ik. 'Sinds wanneer bel jij aan? Ik dacht dat je altijd achterom ging.'

'Dat was ook zo, maar...' Hij zweeg en zuchtte. 'Ik geloof dat ze niet meer met me wil praten.'

'Dat verbaast me niets als je door blijft gaan met aanbellen. Ze denkt waarschijnlijk dat het die vreselijke Bagley is.' Ik zag dat hij kort zijn hoofd schudde. 'Dan is het je eigen schuld,' zei ik plompverloren. 'Je hebt de regels van het spel veranderd, en zij weet niet meer hoe ze het moet spelen.'

'Wat voor regels?'

'Die voorschrijven dat je haar constant moet lastigvallen en haar net zo lang moet plagen tot ze begint te lachen. Ze denkt waarschijnlijk dat je niet meer op haar valt nu je haar naakt gezien hebt.'

'Maar dat is belachelijk.'

'Mm. Net zo belachelijk als bij haar voordeur rondhangen als een nerveuze tiener.' Ik gaf hem een vriendelijk stompje op zijn arm. 'We hebben het over de meest introverte vrouw van Dorset, Peter. Ze is gemaltraiteerd door een psychopaat... heeft een van haar honden zien doodgaan... heeft een derdegraads verhoor van Bagley moeten verduren.... En plotseling zou ze moeten begrijpen waarom een man die ze graag mag haar niet langer plaagt? Je bent gek!'

Hij glimlachte wrang. 'Dat is zo. Ik heb het helemaal bij het verkeerde eind gehad, Connie. Ik dacht dat we een beetje tegemoet moesten komen aan...'

Ik gaf hem weer een duw, nu wat harder. 'Houd op met die schuldgevoelens. Het gaat weer goed met me... ik schrijf weer... ik eet weer. Het leven is mooi. Doet het ertoe wie wat wanneer deed?' Ik glimlachte om mijn woorden te verzachten. 'Je hebt me vanaf de eerste dag geholpen, Peter. Jij en Jess hebben me geholpen door er die avond te zijn. Als ik alleen was geweest, had ik het niet klaargespeeld. Kan dat je geen goed gevoel geven? Voor mij, voor Jess... maar vooral voor jezelf.'

'Je bent lief, Connie.'

'Betekent dat ja of nee?'

De glimlach bereikte nu zijn ogen. 'Dat weet ik nog niet. Dat vertel ik je wel als ik Jess weer lastiggevallen heb.'

Halverwege het verblijf van mijn ouders kreeg ik een brief van Lily's notaris, die mij vroeg wat ik van plan was met de informatie die Jess en ik hem verstrekt hadden. Mijn vader was niet erg onder de indruk van hem. Echt iets voor een notaris, merkte hij op. Eerst is hij er niet in geslaagd zijn cliënte te beschermen, maar hij vindt het prima haar in leven te houden en zijn percentage op te strijken.

Ik was het wel met hem eens, maar koos de weg van de minste weerstand. Gaf ik genoeg om Lily om mezelf aan nog meer politieverhoren bloot te stellen? Nee. Er was weinig verschil tussen moeder en dochter. Lily was net zomin van plan geweest om Jess te erkennen als Madeleine. Ze had de Derbyshires nooit publiekelijk verdedigd of Madeleines lasterpraat de kop ingedrukt. Lily had haar broer en haar nichtje als bedienden behandeld en hun hartelijkheid tot op het bot uitgebuit.

Dacht ik dat het een elfjarig jongetje enig goed zou doen als ik dagen in een rechtszaal doorbracht om beschuldigingen van chantage te weerleggen, om hem van zijn ouders te scheiden? Nee. Of dat nu terecht was of niet, ik vertrouwde Jess als ze zei dat Nathaniel echt om zijn zoon gaf, en ik had niet de wilskracht of de energie om de verantwoordelijkheid voor een kind dat ik totaal niet kende op me te nemen.

Maar uiteindelijk zweeg ik vooral vanwege Jess. Sommige schulden kun je alleen inlossen met loyaliteit.

NOTARISKANTOOR BALLDOCK & SIMPSON
Tower House   Poundbury   Dorset

Mevrouw C. Burns
Barton House
Winterbourne Barton
Dorset

14 september 2004

Geachte mevrouw Burns,

Onder voorbehoud

Betreft: De verklaring van mevrouw Derbyshire over de vermeende aanval op u door Madeleine Harrison-Wright; en de informatie vervat in een film die tot doel had het incident te tonen.

Zoals u weet, vertegenwoordig ik mevrouw Lily Wright en ik ben van mening dat het niet in het belang van mijn cliënte is, om een aanklacht in te dienen in verband met de vermeende gebeurtenissen tussen november 2003 en januari 2004. Vanwege haar zwakke gezondheid zal mevrouw Wright niet in staat zijn te getuigen, en ik ben van mening dat als gevolg daarvan het niet tot een veroordeling zal komen. Voor u ligt het anders omdat u een film hebt waarin Madeleine Harrison-Wright u kennelijk aanvalt, en omdat u een onafhankelijke getuige in de persoon van mevrouw Derbyshire hebt.

Ik kan u uiteraard niet adviseren wat u moet doen omdat u mijn cliënte niet bent, maar ik hoop dat u me mijn aanmatiging niet kwalijk neemt om u op enkele consequenties te wijzen van een mogelijke rechtsgang. Madeleine Harrison-Wright zal zeggen dat haar woorden niet serieus genomen kunnen worden omdat er duidelijke aanwijzingen zijn voor provocatie en dwang. Uw eigen geloofwaardigheid zal in twijfel getrokken worden omdat u uw verdenkingen niet aan de politie hebt medegedeeld. Datzelfde geldt voor uw getuige. Daarenboven zal het bestaan van de film erin resulteren dat u en mevrouw Derbyshire beschuldigd kunnen worden van poging tot afpersing.

Aangezien mijn eerste zorg het welbevinden van mevrouw Lily Wright betreft, heb ik een aantal maatregelen getroffen om dat welbevinden en haar veiligheid verder te waarborgen. U kunt erop vertrouwen dat ze liefdevol verzorgd wordt, en dat ze zo gelukkig is als haar toestand haar toestaat. Voor haar gezondheid achteruitging, heeft ze mij bepaalde instructies gegeven wat betreft haarzelf, haar familie en haar huis. Ondanks, of misschien juist vanwege, de informatie die u en mevrouw Derbyshire van mevrouw Madeleine Harrison-Wright hebben verkregen, zie ik geen reden mij niet aan die instructies te houden.

In de nabije toekomst blijft Barton House in het bezit van mevrouw Lily Wright.

De verpleegzorg voor mevrouw Wright blijft gedekt door het inkomen uit de verhuur en het inkomen uit haar effecten.

Als de verkoop van Barton House noodzakelijk mocht zijn, wordt het geld vastgezet ten gunste van mevrouw Wright gedurende haar leven.

Bij haar dood zullen de baten overgaan op haar kleinzoon, Hugo Harrison-Wright, waarbij uitkering ter beoordeling van de bewindvoerders blijft.

Wanneer Barton House nog onverkocht is ten tijde van de dood van mevrouw Lily Wright, zal het eigendomsrecht overgaan op haar nichtje, dat ermee kan doen wat ze wil.

Mevrouw Derbyshire heeft tegen mij gezegd dat u de implicaties van die instructies volledig begrijpt, maar als u nadere toelichting behoeft, aarzelt u dan niet om contact met me op te nemen. Wat de instructies van mevrouw Lily Wright betreft, Nathaniel en Madeleine Harrison-Wright blijven in onwetendheid over haar wensen.

Ik begrijp dat u reden tot klagen hebt over Madeleine Harrison-Wright. Ik vrees echter dat ze bij een rechtszaak vrijgesproken zal worden. Bovendien wordt haar in deze de gelegenheid geboden toegang te verkrijgen tot vertrouwelijke informatie. Hierom zou ik u dringend willen verzoeken al het bovenstaande in overweging te nemen en me te laten weten of u de rechtszaak door wilt zetten. U zult uiteraard begrijpen dat een dergelijke actie zal leiden tot onthullingen over de banden die mevrouw Derbyshire met de familie heeft.

Ten slotte zou ik u en mevrouw Derbyshire uit naam van mevrouw Lily Wright willen bedanken voor het feit dat u me hebt ingelicht over deze zaak. Het spijt me bijzonder dat mijn cliënte mij niet op de hoogte kon stellen van wat er toentertijd met haar gebeurde, maar ik heb begrepen dat haar conditie niet overmatig verslechterd is door de mishandeling van haar dochter. Helaas was het ziekteproces altijd al onomkeerbaar.

Hoogachtend,

Thomas Balldock

Thomas Balldock

24

EEN AANTAL PRAATJES DOKEN ROND HETZELFDE TIJDSTIP OP,
hoewel het niet duidelijk was waar ze vandaan kwamen. Iedereen
wist van het straatverbod dat Madeleine verhinderde Lily nog te
bezoeken, en er werd algemeen aangenomen dat ze in het verpleegtehuis een poging had gedaan om een einde aan haar moeders leven te maken. En dat gaf stof tot de wildste geruchten. Er
werd bijvoorbeeld gezegd dat bij Madeleine een persoonlijkheids-
stoornis was vastgesteld; dat ze gedwongen was opgenomen in
een psychiatrische inrichting; dat ze haar Londense flat had moeten verlaten nadat ze haar zoon had aangevallen; dat Nathaniel
echtscheiding had aangevraagd; en dat haar een straatverbod was
opgelegd voor Winterbourne Barton.

Het enige gerucht waarvan ik wist dat het waar was (afgezien
van het verpleegtehuisverbod) was het straatverbod dat Thomas
Balldock had aangevraagd voor Jess en mij. Ik weet niet wat voor
bewijzen hij aangedragen heeft, maar we kregen te horen dat we de
politie direct moesten waarschuwen als Madeleine of Nathaniel
contact met ons probeerde op te nemen of ons terrein wilde betre-
den. Maar pas toen Peter toevallig in Londen een kennis van Nathaniel tegen het lijf liep, kregen we bevestiging over de scheiding.
Volgens die kennis waren Nathaniel en Hugo vertrokken uit de flat,
en was Madeleine er gebleven. Vader en zoon woonden nu in Wales bij de ouders van Nathaniel, en Madeleine deed haar best de rekeningen te betalen.

De inwoners van Winterbourne Barton waren verrassend oprecht in hun reacties. De meesten zeiden dat de geruchten hen

choqueerden, maar een paar merkten op dat ze Madeleines charme altijd al oppervlakkig hadden gevonden. Ik mocht verschillende voor Jess bedoelde verontschuldigingen in ontvangst nemen voor de dingen die over haar gezegd en gedacht waren, maar niemand was mans genoeg om het persoonlijk tegen haar te zeggen. Als ze het probeerden, kregen ze een woedende blik te verduren.

Ik hield me erbuiten, maar ik weet dat mijn moeder er bij haar op aandrong dat ze ruimhartig moest zijn omdat de mensen 'alleen maar proberen aardig te zijn'. Jess antwoordde dat zij degene was die aardig was, door zich 'aan te laten gapen', omdat alleen hun beeld van Madeleine veranderd was. Jess was dezelfde als altijd en Winterbourne Barton bleef een dorp voor rijke, domme gepensioneerden die niets over het buitenleven wisten. Onder mijn moeders verzachtende invloed ging ze zo ver om af en toe te glimlachen in plaats van kwaad te kijken, maar praten over koetjes en kalfjes bleef een brug te ver.

Ik zei tegen mijn moeder dat zodra zij en pa weer terug naar Londen waren, Jess' korte wedergeboorte voorbij zou zijn. 'Ik heb net zomin zin om met de buren te kletsen als zij,' merkte ik op, 'en bovendien loopt in december de huur af.'

'Jess heeft een goed hart,' zei ze. 'En als ze hoort dat iemand in de problemen zit, zal ze diegene helpen. Ze heeft jou toch ook geholpen?'

'Maar ik heb me niet opgedrongen.'

Mijn moeder lachte. 'Dat zal niemand doen. Mensen zijn zo stom niet, Connie. Zolang zij af en toe bij mensen langsgaat, komt het allemaal dik in orde. Het is moeilijk om iemand met zo veel warmte als Jess niet aardig te vinden.'

Warmte...? Hadden we het over dezelfde persoon? Jess Derbyshire? De wandelende stoornis? 'Jess gaat niet af en toe ergens langs.'

'Natuurlijk wel, lieverd. Hoe vaak is ze niet bij jou langsgekomen sinds je hier woont?'

'Dat is iets anders.'

'Dat denk ik niet. Als Peter haar zou zeggen dat een patiënt van hem behoefte aan eieren heeft, zou ze er meteen op afgaan. Het ligt in haar aard om voor anderen te zorgen. Ze wordt een prima doktersvrouw.'

Nu moest ik lachen. 'Lijkt je dat waarschijnlijk? Ik vind haar niet het type om te trouwen.'

'Misschien niet, maar een paar kinderen zou ze wel kunnen gebruiken,' zei mijn moeder nuchter. 'Anders gaat de boerderij bij haar overlijden in vreemde handen over.'

Ik bekeek haar geamuseerd. 'Heb je dat tegen haar gezegd? Hoe reageerde ze?'

'Positiever dan jij ooit gedaan hebt.'

Ik geloofde haar geen moment. Jess' meest waarschijnlijke antwoord was dat mij baren niet had verhinderd dat vreemden de boerderij van mijn ouders in Zimbabwe overnamen – dat antwoord had ze mij gegeven toen ik het over erfenissen had – maar ik besloot er niet op door te gaan. Mijn moeder was er te bedreven in om andermans kinderen te gebruiken voor een preek aan mijn adres over mijn gebrek aan ambities op datzelfde vlak. Maar in ieder geval vond ik het idee van Jess die kleine Derbyshire-Colemannetjes op de wereld zette wel leuk. Ik had het idee dat ze net zo lief, competent en evenwichtig zouden worden als haar mastiffs.

Ik bracht eind september een paar dagen in Manchester door, om bij Alan Collins een volledige verklaring af te leggen over de gebeurtenissen in Bagdad. Hij had inmiddels een flink dossier over MacKenzie opgebouwd, dat beschikbaar was voor andere nationale en internationale recherchediensten als hij gearresteerd zou worden. Ik vroeg hem of hij daar optimistisch over was, maar hij schudde zijn hoofd.

'Ik denk dat hij die avond dat hij naar jouw huis kwam gestorven is, Connie.'

'Hoe?'

'Waarschijnlijk zoals je tegenover Nick Bagley geopperd hebt... hij is verdwaald in het donker en gevallen.'

'Van een klif af?'

'Onwaarschijnlijk.'

Ik keek hem even aan. 'Waarom niet?'

Alan haalde zijn schouders op. 'Dan zou zijn lichaam al gevonden zijn. Nick heeft me gezegd dat de kust in dat deel van Dorset nogal rotsachtig is.'

'Misschien is hij verderop gevallen. Een aantal kliffen meer naar het oosten zijn behoorlijk steil.'

'Misschien,' beaamde hij.

'Je klinkt niet erg overtuigd.'

Hij glimlachte licht. 'Heb ik je wel eens verteld dat ik met mijn gezin een keer in Dorset op vakantie ben geweest? We huurden een huisje bij Wool, ongeveer vijftien kilometer van waar jij nu zit. De kinderen vonden het er heerlijk. Er was een put in de tuin met een rieten dakje erboven en een roodgeschilderde emmer. Ze waren er vast van overtuigd dat er elfjes op de bodem woonden, en ze klommen op de stenen rand om naar beneden te kijken. Mijn vrouw was als de dood dat ze erin zouden vallen.'

Ik vouwde mijn handen in mijn schoot. 'Dat zou ik ook zijn.'

'Het was absoluut veilig. Onder het muurtje was hij afgedicht, om ongelukken te voorkomen. Ik heb aan onze buurman gevraagd wat hij met zijn put gedaan had, en hij zei me dat hij hem dichtgegooid had en er een patio van had gemaakt. Hij zei dat hij tot eind jaren zestig had moeten wachten op een aansluiting op de waterleiding en hij wilde niet meer herinnerd worden aan het geploeter van daarvóór. Volgens hem heeft ieder oud huis in landelijk Dorset nog wel ergens een in onbruik geraakte put. De grotere huizen hebben er gewoonlijk twee... een buiten en een binnen.'

Ik drukte mijn handen tussen mijn knieën. 'Nou, als er putten bij Barton House zijn, dan zijn die al jaren geleden dichtgemaakt. Onbegonnen werk ze te vinden.'

Alan bleef naar me kijken terwijl hij zijn papieren bij elkaar schoof en ermee op zijn bureau tikte om er een recht stapeltje van te maken. 'Nick zegt dat de vrouw van wie Barton House is om een gesprek met hem gevraagd heeft, maar nooit is komen opdagen. Weet jij waarom niet?'

'Lily Wright?' zei ik verbaasd. 'Dat kan niet. Ze is in een gevorderd stadium van Alzheimer. Haar notaris heeft haar in januari in een verpleegtehuis laten opnemen.'

'Ik geloof dat hij zei dat het om Madeleine Wright ging.'

'O, die!' zei ik geringschattend, terwijl ik me afvroeg hoe vaak hij met Bagley gesproken had en hoeveel hij tegen hem over putten had gezegd. 'Je bedoelt Madeleine Harrison-Wright, de vrouw met de twee gezichten.'

Hij keek geamuseerd. 'Wat is er mis met haar?'

'Ze is mijn type niet,' zei ik tegen hem. 'Het jouwe trouwens ook niet, denk ik, tenzij je van verwende vrouwen van boven de veertig houdt die verwachten dat ze hun hele leven onderhouden zullen worden. Ze werkt niet – dat is beneden haar waardigheid – maar ze heeft er niets op tegen een verhaal te verkopen. Ze probeerde de bloederige details over MacKenzie uit Peter Coleman los te peuteren, en toen hij die niet wilde vertellen, zei ze dat ze het Bagley zou vragen.'

'Maar waarom heeft ze dat dan niet gedaan?'

'Dat kan ik niet met zekerheid zeggen. Ik heb gehoord dat de notaris van Lily zich ermee bemoeid heeft en dat hij haar de les heeft gelezen over Jess en mij.' Ik trok een ironisch gezicht. 'Madeleine woont in Londen en heeft nooit naar haar moeder omgekeken... en daarom is ze niet echt populair bij de bewoners van Winterbourne Barton. Ze zijn allemaal boven de vijfenzestig en willen geloven dat hun kinderen van ze houden.'

Alan proestte het uit. 'Wat wil je daarmee zeggen? Dat Jess en jij zijn goedgekeurd door de grijze duiven en dat de rimpelbrigade haar het dorp uit heeft gejaagd zodat ze geen geld aan jullie kan verdienen?'

Ik glimlachte naar hem. 'Zoiets. Ze stellen zich heel beschermend ten opzichte van ons op.'

'En het feit dat Madeleine de enige is die van de hoed en de rand weet wat Barton House betreft heeft er niets mee te maken?'

'Amper. Als Bagley met haar wil praten, kan hij altijd haar telefoonnummer nog vragen aan de notaris van Lily.'

'Dat heeft hij al gedaan.'

'En?'

'Niets. Ze zei dat ze niet is komen opdagen omdat ze motorpech had, en dat ze alleen maar wilde vragen of ze de plavuizen mocht laten reinigen.'

Ik haalde mijn schouders op. 'Dat zal wel kloppen. Ze heeft tegen mij gezegd dat het allemaal schoon moet voor ik wegga, zodat de volgende huurder zich niet over Berties bloed beklaagt.'

Alan stopte de papieren weer in het dossier over MacKenzie. 'Zal hier ooit iemand om vragen, Connie?'

'Ik weet het niet,' zei ik luchtig. 'Misschien spoelt er ooit een lichaam aan bij de kust van Dorset en zijn we allemaal uit ons lijden verlost.'

Hij stond op en hielp me in mijn jasje. 'Laten we hopen dat er dan zout water in de longen zit,' zei hij.

Vanuit Manchester reed ik naar Holyhead in Noord Wales om op de veerboot van Dublin te wachten. Ik zag Dan voor hij mij zag. Hij zag er niets anders uit dan de dag waarop we op het vliegveld van Bagdad afscheid namen – groot, verweerd, enigszins slonzig – maar bij het zien van zijn vertrouwde gezicht kreeg ik zo'n gevoel van herkenning, dat ik achter een pilaar moest gaan staan tot ik niet meer zo schoolmeisjesachtig bloosde.

Toen we weer thuis waren in Dorset, tolereerden Jess en hij elkaar alleen omwille van mij, maar ze begrepen geen van beiden wat ik in de ander zag. Het was net alsof je een luidruchtige grizzlybeer voorstelde aan een voorzichtige wilde kat. Met Peter waren er geen problemen. Binnen de kortste keren speelden Dan en hij samen golf en namen ze er samen eentje bij de plaatselijke pub. Ze zeiden allebei tegen mij dat ze de ander een 'prima kerel' vonden, en ik vroeg me af waarom mannen zo veel makkelijker dan vrouwen vriendschap sluiten en dan weer verder gaan, zonder om te kijken.

Dat zou ik met Jess nooit kunnen. Onze band zat te diep.

De afgrond

Epiloog

ER VALT WEINIG MEER TE VERTELLEN. EEN PAAR DAGEN NADAT Dan teruggevlogen was naar Irak, spoelde er een deel van een arm op de rotsen aan, zo'n twintig kilometer verderop aan de kust. Hij werd door een groepje vissers ontdekt toen ze op weg naar huis waren na op makreel gevist te hebben. Er kon nog een vingerafdruk van gemaakt worden, waardoor het lichaamsdeel kon worden toegeschreven aan MacKenzie, en een DNA-test, met speeksel van een glas uit de flat van mijn ouders, bevestigde de identificatie.

Er ontstond enige discussie over hoe de arm van de rest van het lichaam gescheiden kon zijn geraakt, en waarom hij relatief ongeschonden was opgedoken na een lange onderdompeling in water. Hij leek bij de elleboog te zijn losgerukt, maar er waren geen duidelijke sporen op de huid om te tonen hoe dat gebeurd kon zijn, hoewel werd opgemerkt dat drie van de vingers gebroken waren. Er werd gesproken over een haaienaanval, maar dat werd niet serieus genomen. De vredige kust van de West Country verleende af en toe gastvrijheid aan de zich met plankton voedende reuzenhaai, niet aan de mensenetende haaien.

Politieduikers onderzochten de zeebodem op een paar honderd meter rond de rotsen, en ook een aantal gebieden wat westelijker waarover experts opperden dat MacKenzie daar te water kon zijn geraakt, maar er werd verder niets gevonden. Jess, Peter en ik werden gevraagd een nogal bizarre lijkschouwing bij te wonen, waarop verklaard werd dat de arm gedood was ten gevolge van een ongeval – met de aanname dat de rest van het lichaam op de-

377

zelfde wijze aan zijn eind was gekomen – en Alan en Bagley sloten hun dossiers.

Er stonden een aantal artikelen in de krant, die details verstrekten over wat er over MacKenzie bekend was, maar het volledige verhaal is nooit onthuld. Bagley was tevreden met de eindconclusie van een ongeluk – iedereen die op de vlucht was voor de politie kon in het donker op de kliffen misstappen en vallen – maar Alan wilde zich er niet over uitlaten. Zoals hij zei, kon je weinig opmaken uit een onderarm, behalve de naam van de eigenaar en het feit dat hij waarschijnlijk dood was.

'Maar dat wilde je toch?' vroeg ik. 'Bevestiging.' Hij had de lijkschouwing ook bijgewoond en ik had Jess en Peter in de steek gelaten om hem mee te nemen naar een tearoom bij de rechtbank in Blandford Forum.

Alan knikte. 'Maar ik zal altijd nieuwsgierig blijven, Connie. Het is misschien toeval dat hij verdronken is na zich tegen honden en een machete verdedigd te hebben... maar ik vind de overeenkomsten opvallend.' Hij roerde in zijn thee. 'Zelfs die arm is op dezelfde plek afgehakt waar de prostituee de hare gebroken had.'

'Het was geen machete,' corrigeerde ik hem vriendelijk. 'Het was een bijl.'

'Dat lijkt erop.'

We zaten tegenover elkaar en ik bekeek zijn gezicht aandachtig om te zien hoe ernstig hij het meende. 'Ik geloof niet in oog om oog, Alan. Een krankzinnige vorm van rechtspraak. Trouwens, als ik perfect wraak had willen nemen, dan had ik MacKenzie drie dagen in een kooi opgesloten.'

Hij kneep zijn ogen gemoedelijk samen. 'Daar heb ik ook even aan gedacht.'

Ik lachte. 'Bagley had hem zeker gevonden. Barton House is minstens twee keer volledig uitgekamd.'

'Mm.'

'Je denkt toch niet echt dat ik zoiets zou doen?'

'Waarom niet? Hij was een moordenaar. Een sadist. Hij vond het prettig mensen pijn te doen. Hij schepte tegen je op wat hij met je vader had gedaan... hij vernederde je vriendin en doodde haar hond. Jij kunt je gevoelens heel goed verbergen, Connie. Je

hebt hersens... en je bent moedig. Waarom zou je hem niet vermoorden als je de kans had?'

'Dan was ik geen haar beter geweest dan MacKenzie.'

Alan nam een slokje thee en keek me over de rand van zijn kopje aan. 'Ken je dat gezegde van Friedrich Nietzsche over dat je
door het kwade gecorrumpeerd kunt worden? Ik heb het boven
mijn bureau hangen. Simpel samengevat gaat het als volgt: "Als
je tegen monsters vecht, waak ervoor dat je er niet zelf een
wordt." Een waarschuwing voor alle politiemensen.'

Ik knikte. 'Het gaat nog verder. "Als je te lang in de afgrond
staart, dan staart de afgrond naar je terug." Hoe zou je dat simpel samenvatten?'

'Zeg het maar.'

'Als je op de rand staat te wankelen, moet je naar achteren
stappen.'

'En heb je dat gedaan?'

'Natuurlijk,' zei ik terwijl ik hem een koekje aanbood. 'Maar
MacKenzie niet. *Hij* is erin gevallen.'